D0831061

PASTA & PASSIE

Lees van uitgeverij Zomer & Keuning
ook de chicklitromans van

Iris Boter

Mariëlle Bovenkamp

Marijke van den Elsen

Jolanda Hazelhoff

Gillian King

Petra Kruijt

Els Ruiters

Rianne Verwoert

of check www.nederlandsechicklit.nl voor de nieuwste titels!

Carlie van Tongeren

Pasta & Passie

 Zomer &Keuning

ISBN 978 90 5977 123 9
NUR 301

Omslagontwerp: Julie Bergen
Omslagbeeld: Digital Vision/Getty Images
© 2011 Uitgeverij Zomer & Keuning, Utrecht

www.nederlandsechicklit.nl
www.carlievantongeren.nl

1

'Vier pizza quattro stagioni, drie pizza Bella Roma en drie lasagna voor tafel vijf! En snel een beetje! *Avanti avanti* aan de kanti!'

Een gebrul steeg op achter het doorgeefluik van de keuken naar het Italiaanse restaurant. Eva zuchtte diep. Daar had je hem weer met zijn slechte grappen. Vanaf de eerste dag dat Eva bij pizzeria Bella Roma in haar studentenstad Utrecht was gaan werken als serveerster, had ze haar baas Piet niet kunnen uitstaan. Het had zo'n leuk idee geleken: bij een pizzeria werken om geld te verdienen voor haar taalcursus in Italië. Een beetje in de stemming komen, met pizza's, pasta's en tiramisu's op haar arm lopen en *'ciao'* roepen. Helaas zat ze elke avond met een flinke portie tegenzin op haar fiets. Maar als ze eind mei bij de incheckbalie op Schiphol wilde staan om met haar beste vriendin Mira naar Rome te vliegen en een maand lang échte pizza's te eten, had ze het geld gewoonweg nodig. Daarom kwam het niet eens in Eva op om haar witte schortje in de ring te gooien.

Eva nam zo veel mogelijk borden mee naar tafel vijf, waar een grote groep studenten luidruchtig zat te zijn.

'Pizza quattro stagioni?' vroeg Eva. Ze deed haar best om de Italiaanse woorden voor 'vier seizoenen' zo zangerig mogelijk uit te spreken. Jammer alleen dat het haar toehoorders niet opviel.

'Ja, hiero!' riep een oer-Hollandse, blonde jongen. Hij wees naar de lege plek tussen zijn bestek en dat van zijn buurman. Eva zette het bord voor zijn neus. Hij keek met enig afgrijzen naar wat hij voorgeschoteld kreeg. 'Is dat alles?' Hij zette zijn kraagje nog wat verder rechtop.

Eva zuchtte inwendig, maar probeerde vriendelijk te blijven lachen. Deze opmerking kreeg ze minstens vijfendertig keer per avond voor haar kiezen. Ze kon haar gasten overigens geen ongelijk geven: het formaat van Piets pizza leek wel een veel te heet gewassen versie van een écht Italiaans exemplaar.

'Eh, ja,' antwoordde Eva. 'Maar het gaat niet om hoe groot ze zijn, toch?' Meteen nadat ze het had gezegd, kon ze zichzelf wel voor haar kop slaan.

'Hoor je dat, Eddie? Dan is er toch nog hoop voor je!' schreeuwde een van de brallerige apen. Een lachsalvo steeg op aan tafel vijf. De jongen die Eddie moest zijn, veranderde binnen een fractie van een seconde in een vuurtoren en lachte een beetje schamper met zijn studiematen mee. Eva kreeg haast medelijden met hem, maar ze was ook blij dat haar lichtrode wangen volledig in het niet vielen bij die van Eddie. De rest van de pizza's en lasagna's serveerde ze zo snel mogelijk uit om nieuwe opmerkingen te voorkomen. Net toen Eva weg wilde draaien, greep een van de jongens haar witte schortje vast. Ze deinsde een stukje achteruit toen hij een lege bierpul zo ongeveer in haar gezicht duwde.

'Doe ons nog eens zo'n lekker rondje bier, schatje. Die zijn tenminste niet van zo'n lullig formaat als die pizza's van jullie.' De jongens schaterden het uit om de opmerking van de grootste durfal van de jaarclub. Gekrompen pizza's wegspoelen met een liter bier, kon het nóg on-Italiaanser?

'Nog tien halve liters, Piet,' gaf Eva netjes door.

'*Si*! Pietro tapt die *cerveza's* wel even voor je, meissie!' Haar baas hield zijn hand onder zijn enorme bierbuik en zijn lach bulderde door het restaurant. Enkele gasten keken verschrikt om richting de bar. Eva vroeg zich af of haar baas wel door-had dat hij geen Italiaans sprak maar Spaans. Waarschijnlijk niet. Piet had namelijk ook de ballen verstand van Italiaans eten. Eva betwijfelde of hij überhaupt weleens in Italië was geweest, buiten zonnebaden in het toeristische Rimini dan.

Ze herinnerde zich haar eerste werkdag bij de pizzeria nog goed. De desillusie die ze toen had gevoeld, kon ze nog tot in het allerkleinste detail terughalen. Het ergst vond Eva nog wel de 'huisgemaakte' tiramisu die gewoon uit een giganti-sche bak van de Makro werd geschept. Net als alle andere 'huisgemaakte' gerechten die op de menukaart prijkten. Eva vond het oneerlijk en een schande. Niet alleen voor de gasten van de pizzeria, maar ook voor het land waar ze zo dol op was sinds ze er voor het eerst met haar ouders naartoe ging op vakantie. Ze kon niet in woorden uitleggen hoe mooi ze het Italiaans vond klinken en hoe ze van de sfeer in Italië genoot. Dat had natuurlijk ook te maken gehad met Stefano, de jon-gen die aan het Gardameer haar hart had gestolen. Veertien jaar was ze geweest, voor het eerst in haar leven smoorver-liefd.

Eva's fijne gedachten aan Italië en Stefano werden tot een halt geroepen door het rijtje halve liters met tien keurige schuimkragen dat Piet met een klap voor haar neus kwakte. Dat was dan ook meteen het enige wat haar baas wél goed deed in zijn pizzeria.

'Bedankt,' mompelde Eva. Ze haalde diep adem voor ze zich weer naar die vervelende tafel vijf begaf. Gelukkig wer-den de pullen bier een stuk enthousiaster ontvangen dan de pizza's van zojuist.

Toen Eva op haar weg terug haar ogen toevallig op de deur van het restaurant richtte, schrok ze zich een ongeluk. Haar hartslag zette een sprint in om, zo leek het, een grote achter-stand in te halen. Ze voelde dat ze een verschrikkelijk rode kleur kreeg door al het bloed dat op slag naar haar hoofd stroomde en weigerde de terugweg in te zetten. Haar licht trillende vingers verstopte ze achter haar rug. Shit, de ouders van Mark, haar kersverse ex-vriendje! Wat deden die nu hier? Ze woonden hier helemaal niet! En ze hielden niet eens van pizza! Eva had zich graag verstopt in de keuken, achter de bar of desnoods onder een stoel, maar ze wist dat ze geen schijn van kans had om haar ex-schoonouders de hele avond te ontlopen.

'Goh, Eva,' sprak Marks vader verbaasd. 'Dat jij hier werkt. Wat toevallig, zeg.'

'Nou,' antwoordde Eva beduusd.

'Hoe gaat het nu met je?' vroeg de moeder bezorgd. Ze legde een troostende hand op Eva's schouder. Zonder twijfel aardig bedoeld, maar het was wel het laatste waar Eva nu op zat te wachten.

'Prima, hoor,' zei ze kortaf. 'Hebben jullie gereserveerd?'

'Jazeker. Je weet onze achternaam nog wel, toch?' De vader bedoelde het als een grapje, maar Eva kon er niet om lachen. Tenminste, als je de geforceerde glimlach die ze op haar gezicht toverde niet meetelde. Het was Eva meteen weer duidelijk van wie Mark zijn ongevoeligheid had geërfd. Ze keek in het grote boek dat bij de deur lag en vond de reservering in de slordige hanenpoten van haar baas onder aan de bladzijde terug. Geen wonder dat ze die niet eerder had opgemerkt.

'Tafel zeven hebben we voor jullie gereserveerd. Ik zal jullie even naar de tafel brengen. Mark komt niet mee, zie ik?' vroeg Eva voor alle zekerheid.

'Nee, Mark had al een feest van zijn voetbalteam,' zei zijn moeder enigszins teleurgesteld. Mark was haar enige zoon, haar absolute oogappel, en ze had er moeite mee om hem los te laten. Zelfs nu hij vierentwintig was en al lang niet meer thuis woonde. Misschien had ze gedacht dat hij net als vroeger alle tijd voor zijn liefhebbende moeder zou hebben, nu hij weer een vrij man was.

'Wat jammer,' zei Eva. Daar meende ze natuurlijk niks van. Maar wat moest ze dan antwoorden? Ze kon toch moeilijk zeggen dat ze blij was dat ze nu niet per ongeluk expres een pizza op zijn schoot hoefde te werpen of in zijn tiramisu hoefde te spugen. 'Hier is de menukaart. Ik kom zo terug om…'

'Zeg, kun je ons iets aanraden?' vroeg Marks vader.

Ja, weggaan nu het nog kan, dacht Eva. 'Nou, de tagliatelle met zalm is erg lekker,' zei ze. Dat was niet gelogen, want het was het enige gerecht dat geen enkel kunstmatig ingrediënt uit een pakje bevatte.

Marks vader knikte. 'Bedankt, Eva.'

Met een licht hupje liep ze bij tafel zeven vandaan. Zo snel als ze kon. Eva deed dan wel vrolijk, maar dat was ze allerminst. De glimlach die ze op haar gezicht had gebeiteld, kon ze niet langer vasthouden. Haar mondhoeken zakten steeds verder naar beneden, zonder dat Eva daar enige invloed op kon uitoefenen. Ze voelde de waterlanders elkaar enthousiast verdringen in haar ooghoeken. In één streep rende ze naar de toiletten, sloot zich op in een van de kleine hokjes en liet, zittend op de dichtgeklapte toiletdeksel, haar tranen de vrije loop. Waarom moesten Marks ouders nu precies naar háár pizzeria komen? Nog niet eens drie weken nadat het was uitgegaan met Mark!

Mark was haar vriendje, vierenhalf jaar lang, tot hij er plotseling genoeg van had. Zomaar, uit het niets. Ineens benauwde ze hem en belemmerde ze hem om de dingen te doen die hij wilde. Daarmee bedoelde hij waarschijnlijk al die intelligente dingen, zoals voetballen en bier drinken met zijn vrienden. Eva had er niets van begrepen. Wat ook niet zo verwonderlijk was, aangezien Mark zich er in eerste instantie gemakkelijk van af had willen maken met een sms'je. Daar had Eva uiteraard geen genoegen mee genomen.

'Als je nú niet naar me toe komt voor een verklaring, zet ik die foto op mijn Facebook! Ja, je weet precies welke ik bedoel, laffe lul!' had ze op zijn voicemail geroepen.

Aan de andere kant van de kamer hadden haar beste vriendin Mira en haar huisgenoten hun duimen opgestoken, waardoor Eva zich gesterkt voelde. Natuurlijk kwam dat ook door die hele fles goedkope witte wijn, die haar de ergste hoofdpijn in haar leven had bezorgd. Mark had niet geweten hoe snel hij terug moest bellen. Zelf wist hij ook wel dat de foto waar Eva het over had niet goed zou zijn voor zijn reputatie. De foto toonde Mark op hun laatste gezamenlijke vakantie op Malta poedeltjesnaakt, in een schattige, roze string van Eva die bij hem een stuk minder schattig stond. Zowel Eva als Mark kon zich niet meer herinneren dat die foto was genomen en, belangrijker nog, waarom. Hoewel Eva de foto afschuwelijk vond, had ze 'm altijd onder in een van haar rommellaatjes bewaard. Alsof ze wist dat die haar ooit nog goed van pas zou komen.

Na een paar minuten excuses aanbieden in de hoorn, waar Eva onredelijk kwaad en vervolgens onredelijk verdrietig op reageerde, vroeg Mark haar uiteindelijk of ze de volgende dag koffie met hem wilde drinken. Zodat ze nog even konden praten en zodat hij zijn imago veilig kon stellen, natuurlijk. Eva had het fijn gevonden nog even tegenover hem te zitten en met eigen ogen te zien dat het Mark ook niet allemaal onberoerd liet. Hoezeer Eva zich ook groot probeerde te houden, na een klein kwartiertje vloeiden haar tranen rijkelijk in het ingezakte schuim van haar cappuccino. Zeker toen Mark eerlijk opbiechtte dat hij twee weekends geleden op een feestje in de voetbalkantine met een meisje uit Dames 2 had gezoend en 'toch wel iets meer voelde dan, ja... dan gewoon... ja je snapt wel wat ik bedoel'.

Zijn woorden troffen Eva diep vanbinnen. Haar ledematen voelden op slag zwaar aan en begonnen te trillen. Ze snapte precies wat Mark bedoelde, al wilde ze zijn bekentenis het liefst wegwuiven en zeggen dat zulke dingen er gewoon bijhoorden. Eva wist niet hoe ze moest reageren en zei daarom niets. Snel, maar zo stil mogelijk, slurpte ze haar afgekoelde cappuccino naar binnen en stond ze resoluut op. Voor de deur van het koffietentje had Mark haar nog een knuffel gegeven, die Eva geruststelde, maar ook verdrietig maakte omdat ze wist dat het de allerlaatste zou zijn.

De week erna had Eva doorgebracht op haar studentenkamer. Ze kwam nergens de deur voor uit en al helemaal niet voor haar studie communicatiemanagement, die ze al het hele tweede jaar verafschuwde. Ze haalde de ene onvoldoende na de andere. Het was niets voor haar om niet naar college te gaan – tijdens haar hele middelbareschooltijd had ze welgeteld één uur gespijbeld en dat was omdat al haar klasgenootjes hadden afgesproken niet te gaan en Eva niet de grote afhaker wilde zijn. Maar de vakken over marketing, voorlichting en interne communicatie vond Eva zo verschrikkelijk saai dat ze zich er ochtend na ochtend niet toe kon zetten haar bed uit te komen. Toen Mark het daarbovenop ook nog eens uitmaakte, was haar wereld helemaal ingestort. Alles in haar leven leek even stil te staan. Mark 'hoorde' bij haar leven. Hij was bij bijna alle belangrijke gebeurtenissen geweest. Toen ze haar havodiploma ontving, ging studeren en op kamers ging wonen, haar allereerste en allerergste kater doormaakte, toen haar oma overleed en een maand later ook nog eens haar hond. De gedachte dat Mark er niet bij zou zijn als Eva ooit afstudeerde – in welke studie dat dan ook mocht zijn – of als ze haar eerste baan zou krijgen, deed haar onbeschrijflijk veel pijn. Daarbij had ze zich de afgelopen jaren enorm aan Mark opgetrokken en voelde ze zich zonder hem onthand. Naakt, bijna. Eva was op zoek naar de Eva-zonder-Mark, maar had die nog niet gevonden.

De muren van haar studentenkamer van drie bij vier meter waren al na twee dagen op Eva af gekomen. Maar alleen al de gedachte om de deur uit te gaan en zich weer te begeven in het leven dat gewoon doorging, kon Eva niet aan. Uren achtereen lag ze te snikken, familiepakken tissues snoot ze vol en dozen bonbons schrokte ze zonder veel smaak naar binnen. Ze was fulltime gehuld in een vale, grijze joggingbroek en hetzelfde T-shirt. Veel te groot en gemaakt van dat zweterige, synthetische voetbalspul, van Manchester United of Chelsea, wist zij veel. Het shirt was natuurlijk van Mark. Eva had het pas uitgetrokken toen haar huisgenoten heel subtiel hadden gepoogd te zeggen dat ze nu 'toch wel een heel klein, ieniemieniebeetje begon te stinken'. Met al haar woede en een hele stapel in vierenhalf jaar opgespaarde trein-, bioscoop-, dierentuin- en concertkaartjes had ze het shirt in de overvolle prullenbak gesmeten.

Meteen was Eva op zoek gegaan naar een nieuw doel, een nieuw tijdverdrijf in haar plotseling lege leven. Ze was eenentwintig lentes jong, het leven lag nog aan haar voeten, vertelden Emile Ratelband en al die andere schreeuwerige goeroes op een goedkoop cd'tje dat ze grijs had gedraaid. Tijd om je dromen achterna te gaan, was het advies. En die droom was in het geval van Eva terug te brengen tot één enkel woord: Rome. Scuola Leonardo da Vinci in Rome, om precies te zijn.

Eva had er altijd al van gedroomd om een tijdje in haar favoriete land te wonen en diepgaande, uiteraard vloeiend gesproken conversaties te voeren in die mooie, zangerige Italiaanse taal. Ze wilde urenlang slenteren door de antieke opgravingen van het Forum Romanum en de vroegere havenstad Ostia Antica. Ze wilde een hele dag op een heuvel zitten met uitzicht over Rome zonder dat ze iets aan haar hoofd had. Dit leek het perfecte moment om die droom werkelijkheid te laten worden. Ze had besloten haar studie te staken tot het nieuwe jaar in september aanving, zodat ze gemakkelijk binnen een maand kon vertrekken.

In haar eentje op het vliegtuig stappen was nog wel een stap te ver en dus had Eva haar beste vriendin Mira gevraagd om met haar mee te gaan. Als de situatie omgekeerd was geweest, zou Eva wekenlang nodig hebben gehad om te dubben en alle voors en tegens die ze maar bedenken kon op een rijtje te zetten. Pas dan zou ze haar weloverwogen beslissing kunnen uitspreken. Mira niet. Integendeel. Die was zo impulsief als het maar kon.

'Dus nou, wat ik dacht, is dat je heel misschien wel met me mee zou willen gaan naar Italië,' had Eva aarzelend gezegd. Ze durfde haar vriendin niet recht in de ogen te kijken en hield haar blik daarom strak op de vieze stoeptegels gericht.

'Natuurlijk,' zei Mira zo snel en zo droog dat Eva haar niet geloofde.

'Kom op, even serieus, Mira,' zei Eva met de frons die ze altijd had als ze een tikkeltje ongeduldig begon te worden.

'Maar ik bén serieus! Ja! Of moet ik zeggen: *si*!' had Mira zonder gêne door de drukke winkelstraat geroepen. Ze had er zelfs enthousiast een dansje bij gedaan, wat het winkelende publiek nogal bijzonder vond.

'Wanneer gaan we?' vroeg Mira toen ze lichtelijk duizelig begon te worden. Eva pakte Mira's arm vast om te voorkomen dat haar vriendin gestrekt zou gaan, midden op de Oudegracht. Ze stonden tenslotte al genoeg voor aap, vond Eva.

'Eh, ja, ik wil eigenlijk wel zo snel mogelijk weg. De taalschool heeft over drie of vier weken weer plek,' zei Eva.

'Perfecto!' zei Mira.

'Echt waar?' vroeg Eva ongelovig. 'Maar, eh, moet je eigenlijk niet nog studeren dan?' Hoewel ze het zou begrijpen als Mira niet zomaar een maand van haar studie wilde missen, zou Eva het stiekem wel jammer vinden. Nu Mira zo enthousiast had gereageerd, zag Eva hen al helemaal met een prosecco op een zonnig terrasje zitten of samen op een Vespa door de Italiaanse straten scheuren.

Mira rolde met haar ogen en zuchtte theatraal. 'Nou, echt zó stom! Ik kwam er vandaag achter dat ik vergeten ben me in te schrijven voor dat project van het laatste semester. En dat vreselijke coördinatormens was natuurlijk onverbiddelijk. 'Dat zal je leren, Mira Antonia van den Bergh!',' deed Mira haar – zeer waarheidsgetrouwe – imitatie van de strenge coördinatrice van het tweede jaar.

'Hè, wat balen, zeg,' zei Eva. Niet dat het als een hele grote verrassing kwam. Mira vergat namelijk wel vaker wat. Heel vaak zelfs.

'Ach,' zei Mira en maakte een wegwuivend gebaar. 'Zo erg is het nou ook weer niet, hoor. Dat project loopt niet weg. Ik heb mijn vader al gebeld en hij vond het geen probleem. En met een zomervakantie van vier maanden voor de deur hoor je mij natuurlijk he-le-maal niet klagen!' zei Mira opgetogen.

En zo had Eva binnen een halfuur haar leven weer nieuwe glans gegeven. Wat was ze deze keer blij dat haar beste vriendin zo'n ontzettende chaoot was. Het vooruitzicht om samen met Mira in Rome de mooiste taal én de mooiste mannen van de wereld beter te leren kennen, vervulde Eva op slag met een dubbele portie verse levensenergie. Dag oncharmante, ongevoelige, onromantische, Hollandse boerenlummels en *ciao* complimenteuze, galante, gepassioneerde Italiaanse mannen!

Maar zo ver was het nog niet. Eva moest nog zeker veertien dagen werken in de pizzeria die de naam Bella Roma op geen enkele wijze verdiende. De persoon op de wc naast Eva trok eindelijk door. Ze maakte van het harde geluid gebruik om nog één keer goed haar neus te snuiten. Na het geluid van de buitendeur – bah, weer iemand die z'n handen niet waste – durfde Eva het toilet weer uit te komen. Ze bekeek zichzelf in de spiegel en was niet blij met de persoon die terugkeek: dikke, rode ogen, zwarte vegen mascara en hangende mondhoeken. Eva gooide een flinke plens water in haar gezicht en werkte haar mascara bij, zo goed en zo kwaad als het ging met alleen wat water en een hard, gerecycled papieren doekje. Het resultaat was lang niet perfect, maar goed genoeg om haar hernieuwde entree te maken in de pizzeria. Ze zou de ouders van Mark weleens laten zien hoe goed het met haar ging en wat een fantastische schoondochter ze nu misliepen door Mark!

Een uur na binnenkomst kon Eva de lege borden van Marks ouders alweer meenemen naar de keuken.

'Heeft het gesmaakt?' vroeg Eva, meer uit gewoonte dan uit interesse.

'Het was heerlijk, kind,' zei de moeder.

Marks ouders hadden, op aanraden van Eva, allebei de pasta met zalm besteld en geen restje achtergelaten op de

14

grote, witte borden. Net als bij hen thuis, eigenlijk. Daar at iedereen ook in vijf à tien minuten zijn bord tot op de laatste kruimel of spetter leeg. Behalve Eva. Die had altijd als enige nog de helft van haar maaltijd op haar bord liggen. Ze probeerde dan de allergrootste happen te nemen die ze in haar mond kon schuiven. Ze at zo snel dat ze er soms buikpijn van kreeg. Maar alles was beter dan zes ogen die haar aanstaarden terwijl ze de rucolatakjes en groot uitgevallen cherrytomaatjes onhandig in haar mond propte.

'Willen jullie de dessertkaart nog zien?' Eva hoopte van niet. Hoe hard ze het ook ontkende, ze voelde de aanwezigheid van Marks ouders bij iedere stap die ze in het restaurant zette, en die maakte haar behoorlijk nerveus.

'Ik lust wel zo'n huisgemaakte tiramisu,' zei Marks vader. 'Daar had ik net al naar gekeken.'

'Voor mij alleen een koffie, hoor. Een cappuccino, alsjeblieft. Ik moet er niet aan denken, tot hier zit ik vol.' Marks moeder maakte een gebaar bij haar nek en het moeilijke gezicht dat ze erbij trok, maakte het plaatje compleet.

'Komt eraan,' zei Eva. Door het doorgeefluik vroeg ze om een tiramisu, die nog geen minuut later klaarstond, vers uit de Makro-bak, nog vóór ze de cappuccino had opgeschuimd. Ze liep met de bestelling terug naar tafel zeven en wist al precies wat Marks vader zou zeggen.

'Dat is snel,' zei hij inderdaad. Eva lachte, alsof het een compliment betrof, en liep gauw weer weg. In dit geval stond ze nog liever naast haar vervelende baas dan in een straal van twee meter bij haar ex-schoonouders.

De contouren van degene die Eva een minuut later vluchtig door het beslagen raam voorbij zag komen, herkende ze uit duizenden.

'Sorry, ik ben iets te vroeg. Geen studie meer, hè? Dat merk je meteen,' zei Mira en ze gaf Eva een kus op haar wang.

Voor het eerst die avond was de glimlach op Eva's gezicht een gemeende. Ze was dol op Mira. Sinds de basisschool, groep vijf, waren ze elkaars beste vriendinnen. Dat was door de hele middelbareschooltijd heen zo gebleven. Met uitzondering van twee maanden in havo drie, toen de meiden elkaar dood hadden gezwegen omdat ze allebei verliefd waren op Peter. Die later overigens homo bleek te zijn. De zomer nadat ze hun havodiploma in ontvangst hadden genomen, waren ze samen naar Utrecht verhuisd en allebei communicatiemanagement gaan studeren.

'Mag ik aan de bar op je wachten?' Mira plofte al op een barkruk neer voordat Eva naar adem kon happen, laat staan antwoorden.

'Niet meteen kijken, hoor,' fluisterde Eva in Mira's oor, 'maar Marks ouders zijn hier.'

'Nee!' riep Mira veel te hard. Enkele hoofden draaiden zich in haar richting.

'Sst, gek. Ze zitten aan de een na achterste tafel aan de rechterkant.' Mira wilde meteen haar hoofd omdraaien, maar Eva weerhield haar nieuwsgierige vriendin in een snelle reflex. 'Niet meteen kijken, zei ik toch?'

De vriendinnen werden onderbroken door de volgende dijenkletser van Piet. '*Hasta la pasta!* Breng jij deze borden even gauw weg, Eva?'

Mira proestte het uit, ze kon het niet helpen. Eva probeerde haar luidruchtige vriendin enigszins te temmen door haar hand tegen Mira's mond te drukken. Mira probeerde te praten, maar het werd een onverstaanbare zinsnede.

'Wat zeg je?' vroeg Eva.

'Dat ik me wel kan inhouden, hoor,' antwoordde Mira, waarbij ze haar armen demonstratief over elkaar sloeg.

Zuchtend gaf Eva gehoor aan Piets verzoek. Mira pakte haar arm vast toen ze langsliep en keek haar aan met een stralend gezicht. 'Nog twee weken, Eef. Dan worden wíj op onze wenken bediend!'

Eva lachte en liep met de stomende borden pasta weg bij haar vriendin. Met dat beeld in haar hoofd, aangevuld met de lekkerste Italiaanse ober die ze zich kon voorstellen, hield ze het nog wel twee weken vol in dit vreselijke restaurant.

2

'Mira! Schiet nou eens op! Wat ben je allemaal aan het doen daar?!' schreeuwde Eva tegen een dichte toiletdeur op Schiphol. De automatische doortrekker had ze inmiddels al vier keer gehoord. Andere vrouwen, die bezig waren met tandenpoetsen, handen wassen of make-up bijwerken, keken haar met gefronste wenkbrauwen aan. Eva zag het, maar probeerde zich er niets van aan te trekken. Ze hoopte maar dat de vrouwen uit Brazilië of China kwamen en haar niet konden verstaan.

Eindelijk bewoog de deurklink naar beneden en ging de deur voorzichtig open. Eva keek recht in het betraande gezicht van Mira, die haar in deze toestand deed denken aan een zielig, aangereden musje. Mira huilde niet vaak, maar als ze het deed, dan deed ze het goed.

'Hé, wat is er nou?' Eva sloot haar vriendin in haar armen en aaide haar over haar rug. Mira begon opnieuw te snikken en haar rug schokte ritmisch mee. 'We gaan op vakantie, hoor! Als ik je niet zou kennen, zou ik denken dat je naar de slachtbank moest in plaats van naar Rome!'

Mira lachte door haar tranen heen. 'Je hebt gelijk, het is belachelijk! Ik moest er alleen aan denken dat ik Bart toch wel heel erg ga missen.' Ze snoot haar neus en Eva vroeg zich af waar al dat snot na twintig minuten snuiten nog vandaan kon komen. 'Ik durfde het alleen niet te zeggen, omdat, nou ja, omdat...'

'Omdat ik Mark ga missen als kiespijn, bedoel je?' onderbrak Eva haar vriendin. 'Daarom mag jíj je vriendje wel missen, hoor! Ik ben heus wel in staat om blij voor jou te zijn, Mira.' Eva veegde een pluk haar, die aan het betraande gezicht van haar vriendin vastplakte, achter Mira's oor. 'Kom, laten we teruggaan naar ons afscheidscomité.'

'Ja, die zullen zich ook wel afvragen wat we aan het doen zijn!' zei Mira.

'Wil je me één ding beloven?' vroeg Eva vlak voor ze de toiletruimte verlieten.

'Wat dan?'

'Dat je geniet van elke seconde die je nog hebt met Bart en je niet gaat inhouden vanwege mij?'

Mira knikte en gaf Eva een vluchtige zoen op haar wang. 'Bedankt dat je zo'n lieve vriendin bent. Mark weet echt niet wat voor leuke meid hij laat lopen.'

'Als hij denkt dat hij gelukkiger wordt met zijn voetbaltroela dan met mij, moet hij dat zelf weten,' reageerde Eva. Het klonk zelfverzekerder dan ze zich in werkelijkheid voelde.

Gearmd liepen de twee vriendinnen terug naar een groepje mensen dat stond te wachten in vertrekhal één. De vier ouders stonden met elkaar te kwekken over dingen waar ouders zich altijd veel te druk over maakten, zoals zakkenrollers, harde wind en geannuleerde vluchten. Eva's broer was ook meegekomen, samen met het vriendinnetje dat hij al een eeuwigheid had, en mengde zich beleefd in het gesprek. Mira had geen zussen of broers. Haar ouders hadden elkaar pas laat ontmoet en waren toen al niet meer in de meest vruchtbare periode van hun leven. Ze hadden de hoop haast opgegeven, toen de derde ivf-behandeling ervoor had gezorgd dat Mira's moeder op haar negenendertigste toch nog in blijde verwachting raakte. Daarom – en ook omdat de ouders van Mira gewoon heel rijk waren – werd Mira nogal verwend, vond Eva. Al wenste ze soms ook dat haar eigen ouders daar een voorbeeld aan zouden nemen, met hun strenge je-mag-maar-één-drankje-in-een-restaurant-mentaliteit en het kledingbudget waar Eva toen ze nog thuis woonde pas na drie maanden sparen een winterjas bij de Zara van kon kopen. En als haar ouders net als die van Mira haar reis naar Rome hadden betaald, waren Piet en de pizzeria haar ook bespaard gebleven.

Mira's vriendje Bart stond er een beetje verloren bij. Hij had geen zin om mee te praten. Hij kon alleen maar denken aan de vier lange weken die voor hem lagen, waarin hij zijn lieve vriendin niet kon zien en vasthouden.

'Daar zijn we weer,' zei Eva opgetogen.

'Dat duurde, zeg,' zei haar immer bezorgde moeder. 'Straks mogen jullie koffers niet eens meer mee!'

Eva keek op de dichtstbijzijnde klok en zag dat ze nog meer dan de verplichte twee uur van tevoren aanwezig waren. 'Ma-am, maak je nou eens een keer niet zo veel zorgen,' zei Eva. Het kwam er geïrriteerder uit dan de bedoeling was. Ergernissen met haar moeder kwamen nogal eens voor, waarschijnlijk omdat ze zo op elkaar leken. Elke maand nam Eva zich wel een keer voor om voortaan eerst tot tien te tellen als haar moeder weer eens iets stoms zei, maar ze verviel keer op keer in haar oude patroon. Als Eva er eens goed over nadacht, was 'ma-am' het woord dat het vaakst viel in hun onderlinge conversaties.

Eva telde tot tien – beter laat dan nooit – en sloeg een arm om haar moeder heen. Ondanks alles vond ze haar moeder een schat en stiekem zou ze haar best missen, ook al wilde ze door de buitenwereld graag gezien worden als een volwassen, zelfstandige vrouw. Vanuit haar ooghoeken zag Eva dat Mira en Bart helemaal in elkaar opgingen. Mira's ouders wierpen af en toe een blik op de twee, maar besloten er wijselijk niets van te zeggen. Mira's moeder had zelfs een beetje een weemoedige blik in haar ogen, elke keer dat ze het stelletje gadesloeg.

Als één blok verplaatste de groep zich naar incheckbalie nummer twaalf, zoals stond aangegeven op de elektronische borden. Beide vaders trokken de grote, glimmende, felroze koffers van hun dochters achter zich aan. Gedwee en zonder enige schaamte. Na eenentwintig jaar waren ze wel wat gewend.

Eva kwam steeds een stap dichter bij haar Italiaanse avontuur en de spanning was duidelijk voelbaar in haar buik. De afgelopen vier weken, waarin ze bijna fulltime had gewerkt bij de pizzeria, verdwenen meer en meer naar de achtergrond. De verdiensten waren prima geweest, de fooien redelijk, maar toch leek er op den duur maar geen eind te komen aan die weken. Piets grappen waren met de dag irritanter geworden. Nadat hij alle Spaanse en Italiaanse rijmpjes met de woorden 'pasta' en 'pizza' had gehad, was hij gewoon weer opnieuw begonnen. Hoe vaker Eva *'hasta la pasta'*, *'lasagna'? Da kan ja'* en *'arrivegedsie'* had moeten aanhoren, hoe meer haar tenen krom waren gaan staan. Zeker als ze merkte dat gasten de slechte grappen per ongeluk meekregen en ze hun gedachten kon aflezen aan de rollende ogen en fronsende wenkbrauwen.

Eva dacht terug aan het gezin dat elke woensdag een pizza kwam eten. Elke woensdag dezelfde pizza en elke woensdag dezelfde opmerking: 'Goh, zijn de pizza's nog verder gekrompen deze week?' Of de vent die niet kon geloven dat zijn rekening zo hoog was en van kwaadheid een glas rode wijn op de grond kapot had gesmeten. De ravage die hij maakte voordat Piet hem hardhandig blokkeerde bij de deur, moest Eva vervolgens op handen en knieën wegboenen. Buiten werktijd nog wel.

Maar het allerergst waren de mannelijke klanten die te lang bleven natafelen en nog een karafje wijn lieten komen. Soms zelfs twee. 'Doe er nog maar een, en je telefoonnummer graag,' zeiden ze dan. Vaak genoeg had Eva die mannen een halfuur later letterlijk van zich af moeten slaan. Mannen die avond aan avond – hoe onorigineel – aan haar schortje gingen hangen en met dronkemansogen gericht op haar niet onaardige borsten vroegen of 'ze wel wist dat ze zo moooooooooi was'.

Een paar keer had Eva bij het afruimen van een nabijgelegen tafeltje ook nog een tik tegen haar kont gekregen. De eerste keer dat haar dat gebeurde, had ze het halfvolle glas appelsap dat nog op de andere tafel stond over de schoot van de dichtstbijzijnde man heen gemieterd. De verkeerde man, zo bleek, die net als haar baas Piet allerminst gecharmeerd was van haar boze reactie.

'Wacht maar tot jij een vrouw bent!' had Eva haar baas toegebeten, ook al realiseerde ze zich later dat het natuurlijk een nogal dom antwoord was. Ze had expres steeds een vormloze broek of rok aangetrokken, maar zelfs die strategie werkte niet. Hoewel ze daarna nog minstens zeven ongewenste handen op haar kont had gevoeld, had Eva inmiddels wel geleerd een stuk bedeesder te reageren. Rustig ruimde ze de tafel waarmee ze bezig was verder af, bracht het dienblad naar de keuken en liep dan terug naar de tafel, om met opgeheven kin te zeggen dat ze van dat gedrag absoluut niet gediend was. 'En mijn vader ook niet,' voegde ze eraan toe, wijzend op Piet. Hoewel ze de gedachte dat Piet haar vader was van-binnen verafschuwde, had ze dat graag over voor de schrik die het de mannen overduidelijk aanjoeg.

'Paspoorten alstublieft,' doorbrak een veel te bruine grondstewardess Eva's gedachten aan de pizzeria. Ze zei het routineus, een tikkeltje verveeld zelfs. Zonder te antwoorden overhandigden Eva en Mira exact tegelijk hun paspoorten aan de stewardess, die deze gretig uit hun handen griste.

'Bagage?' De stewardess beperkte zich tot een minimaal aantal woorden.

'Ja, vergeet alsjeblieft die roze koffer niet. Anders moet ik er nog langer mee lopen,' bromde Eva's vader. Eva moest om hem lachen, want ze wist dat hij het niet zo kwaad bedoelde als het klonk.

'Help even,' siste Eva naar Mira toen ze merkte dat ze haar

koffer nauwelijks een centimeter van de grond kon tillen. Met z'n tweeën liftten ze het zware roze geval op de bagageband, waarna de grondstewardess er in één soepele beweging een label aan hechtte. Mira tilde haar koffer met gemak op de band.

'Jullie hebben helaas wat overgewicht,' sprak het bruine gezicht zonder een greintje emotie.

'Wat?' flapte Mira er meteen uit.

'Jullie koffers wegen samen zesenveertig kilo. Dat is echt te veel, dames,' ging de stewardess stoïcijns verder.

'Wat heb jij dan ook allemaal in vredesnaam bij je?' foeterde Mira tegen Eva.

'Maar we gaan een maand weg!' zei Eva.

'Dat gaan wel meer mensen,' zei de stewardess.

'En we zijn zelf hartstikke licht,' voegde Eva eraan toe.

Mira schoot in de lach, maar hield zich in toen ze de bekende kwade frons van Eva toegeworpen kreeg.

'Nou, genoeg gezeurd. Laat mij dat maar betalen.' Mira's vader wurmde zich naar voren en trok zijn portemonnee tevoorschijn uit de zak van zijn nette pantalon.

Nadat alles goed en wel geregeld was, liepen ze achter elkaar aan richting de douane. Daar zouden Eva en Mira hun veilige thuishaven dan écht achter zich laten. Mira keek van opzij naar Eva en zag dat ze nog steeds fronste. Precies zoals ze van haar vriendin gewend was. Ze hadden nooit slaande ruzie, maar wel vaker van dit soort typische vriendinnenergernissen. Dat gebeurde meestal als ze allebei moe waren van een hele dag winkelen of na een avondje stappen dat net iets te lang was doorgegaan. Eva probeerde, koppig als ze was, altijd zo lang mogelijk vol te houden dat ze boos was. Mira daarentegen bezat de gave om een ruzie na tien tellen even makkelijk weer naast zich neer te leggen en gewoon op de oude voet verder te gaan. Door de jaren heen had Mira geleerd gewoon geduld te hebben, omdat ze inmiddels wist dat die frons na een tijdje vanzelf wel van Eva's gezicht verdween.

'Wat kijk je nou?' Eva merkte allang dat haar vriendin van opzij naar haar staarde en dat irriteerde haar mateloos.

'Dat was echt het meest belachelijke argument dat ik in mijn leven heb gehoord!' riep Mira.

Eva moest zich wel gewonnen geven, omdat Mira zo stralend naar haar keek. Ze schoot ook in de lach en de irritatie van zo-even was meteen verdwenen.

'Volgende keer checken we wel in bij een man. Dat werkt vast beter,' zei Eva.

'Omdat die stewards allemaal zo ontzettend overtuigd hetero zijn, bedoel je.' Mira sloeg een arm om haar vriendin heen. 'Maar hé, we gaan er echt wel een leuke reis van maken, hoor! Ook als de dingen een beetje tegenzitten.'

De rij voor de paspoortcontrole viel mee en zowel Eva als Mira wist dat het afscheid met rasse schreden naderde. Terwijl Eva zich voor de laatste keer richtte tot haar eigen familie, stond Mira licht trillend, met haar klamme handen frummelend aan een paar loshangende plukken haar, tegeno-ver haar vriendje Bart. Ze durfden elkaar slechts vluchtig aan te kijken en geen van beiden wisten ze wat te zeggen. Precies tegelijk begonnen ze met praten.

'Doe...' zei Bart.

'Ik...' zei Mira. Ze lachten zenuwachtig naar elkaar. Alsof ze nog helemaal niet één jaar, twee maanden en drie weken een relatie hadden, maar hun allereerste afspraakje ooit beleefden te midden van de bonte verzameling vakantiegan-gers op de grootste luchthaven van Nederland.

'Jij eerst,' besloot Mira.

'Doe je wel voorzichtig?' zei Bart serieus.

'Hoezo?'

'Omdat ik je wel weer heelhuids terug wil zien over vier weken,' zei Bart. 'Weet je, ik wil je echt niet kwijt, Mira.'

'Ik jou ook niet.' Mira kreeg tranen in haar ogen van de lieve woorden die Bart sprak. Al maakte het weinig uit wat Bart precies zei; het moment an sich en de gedachte aan vier lange weken zonder hem waren al genoeg om de tranen rijkelijk te laten vloeien. Huilend stortte Mira zich tegen hem aan en ze voelde dat hij zijn armen dichter om haar lichaam sloeg. Hun hartslagen klopten vlak tegen elkaar, op een veel hoger tempo dan normaal. Mira wenste dat het moment nooit voorbij zou gaan. Het leek alsof ze pas nu voor de eerste keer besefte dat Bart geen rol had in het Italiaanse avontuur dat achter de douane zou beginnen. Een hele maand zonder hem, dat was langer dan ze ooit uit elkaar waren geweest.

'Beloof je dat je niet voor een of andere Italiaanse praatjesmaker zal vallen?' zei Bart zachtjes in Mira's oor, zodat niemand het kon horen.

'Natuurlijk beloof ik dat! Wat denk je nou? Ik houd toch helemaal niet van dat slijmerige gedoe, joh,' zei Mira. 'Nou ja, behalve met jou dan.'

Ze zoenden elkaar. Hoewel Mira er in normale omstandigheden niet eens over zou peinzen om Bart in het bijzijn van haar ouders hartstochtelijk te zoenen, had ze daar op dit moment maling aan. De laatste kus in vier weken, die nam niemand van hen af.

Van een afstandje sloeg Eva het romantische tafereel gade. Ze haalde haar neus op en veegde stiekem een traan uit haar ooghoeken. Afscheid nemen was helemaal niet leuk, dat wist Eva uit eigen ervaring. Tranen met tuiten had ze gehuild toen ze na acht weken verkering een weekendje zonder Mark naar een Center Parcs-huisje ging in een of ander Drents gehucht. Normaal gesproken was een weekend zo voorbij, zeker als er een flinke kater in het spel was, maar dat weekend leek eeuwig te duren. Eva besefte nu dat ze het nog veel erger vond om geen vriendje te hebben waar ze afscheid van kon nemen.

'Doe je wel voorzichtig, lieve schat?' De vraag van haar moeder bracht Eva terug in het hier en nu. Ze was nog slechts drie voetstappen verwijderd van de paspoortcontrole. Van de man die in het hokje al streng zat te kijken naar de verschillende paspoorten die hij achter elkaar in zijn handen gedrukt kreeg. Met één oog bekeek hij de pasfoto op het document en met het andere oog bekeek hij de persoon die in levenden lijve voor hem stond. Zijn blik was argwanend, alsof hij dacht dat iedereen hem om de tuin probeerde te leiden.

'Kom je nou? Straks komen we te laat!' Eva tikte ongeduldig in de zij van Mira, die met haar lippen nog steeds vastgeplakt zat aan Bart. Met moeite rukten de twee geliefden zich van elkaar los. Mira keek over haar schouder en knikte met een betraand gezicht.

'Nou, tot over vier weken allemaal!' Eva kuste haar ouders en broer voor de laatste keer. Terwijl ze naar hen zwaaide, liep ze richting de strenge douanebeambte. Haar buik voelde vreemd aan, alsof de spanningen een loopje namen met haar darmen. Ze slikte. Vier weken, dat was toch eigenlijk best lang.

Na een vluchtige kus van Bart op haar warme voorhoofd liep ook Mira in gezwinde pas langs de poortjes. Ze had zo'n haast om bij haar beste vriendin te komen, dat ze het norse gezicht van de paspoortcontroleur niet eens opmerkte.

Mira had alleen maar oog voor het beteuterde gezicht van Bart, dat steeds verder naar de achtergrond verdween toen Mira haar riem af deed, haar ietwat geurende gympen in een plastic bakje op de band zette en door de metaaldetector liep. Het deed Mira pijn om haar lieve vriendje zo achter te laten, maar tegelijkertijd wist ze dat ze zich net als Eva dolgraag in het Italiaanse avontuur wilde storten. De vriendinnen keken elkaar een kort ogenblik aan en het enige wat ze nog konden denken was: Rome, we komen!

3

'*We wish you a pleasant stay in Rome,*' zei de steward tot Eva's grote ergernis in het Engels met zo'n afschuwelijk Italiaans accent. Wacht maar, dacht ze, over een paar dagen praat niemand meer Engels tegen me!

'*Grazie,*' antwoordde Mira enthousiast.

De foute uitspraak deed haast pijn aan Eva's oren. 'Die 'ie' moet je niet als een 'ie' uitspreken, hoor,' verbeterde Eva haar vriendin.

'Ach, wat geeft dat nou. Hij begrijpt me toch?' zei Mira. 'We zijn in Rome, Eef, dat is het enige wat telt!'

Het voelde alsof Eva pas toen, op het moment dat Mira haar goedbedoelde taalles als onzin afdeed, werkelijk met beide voeten op Romeinse bodem landde. Haar hart maakte een sprongetje en haar mondhoeken zochten volautomatisch hun weg naar boven. Het idee dat Eva nu voor vier hele weken, achtentwintig dagen, zeshonderdtweeënzeventig uren en heel veel minuten die ze even niet zo snel uit haar hoofd kon uitrekenen in de hoofdstad van het land van de laars was, vervulde haar met een gelukzalig gevoel. De angst die ze thuis had gevoeld, toen ze als belangrijkste missie had haar koffer goed in te pakken, verdween als sneeuw voor de zon toen Eva zich bedacht dat Mira vierentwintig uur per dag bij haar in de buurt was om te helpen bij eventuele problemen.

Of misschien een paar uur minder, als ze even genoeg van elkaar hadden.

Vol goede moed en met een stralend gezicht liep Eva de slurf door, tot ze echt de luchthaven Rome Fiumicino binnentrad. De welkombordjes lachten hen toe, evenals een digitale klok met knalgele cijfers.

'Is het al zo laat?' zei Eva verschrikt.

'Hoezo?' reageerde Mira niet-begrijpend.

'Ik heb doorgegeven dat we al om vier uur bij school zouden zijn om de sleutel op te halen. Dat halen we nooit! Straks is de school dicht! Wat moeten we dan?'

'Hé, rustig, kleine paniekzaaier,' zei Mira lachend. 'Eerst maar eens onze koffers ophalen, denk je niet? Daarna zien we wel verder.'

Eva liet zich geruststellen door de woorden van Mira en keek geconcentreerd naar het beeldscherm waar een hele rij vluchten onder elkaar op stonden, terwijl Mira nieuwsgierig en met halfopen mond de omgeving in haar opnam. 'Kijk, de derde van boven. Nummer zeven, kom.'

Eva greep Mira bij haar arm en trok haar achter zich aan, richting de band waarop over een paar minuten hun roze koffers de luchthaven binnen zouden draaien.

'O, ik heb er zo'n zin in!' zei Mira toen ze samen een goed plekje bij de band hadden bemachtigd.

'Ik ook,' zei Eva. 'Maar ik vind het wel spannend, hoor.'

'Je meent het!' zei Mira. Ze lachte hard. 'Ik zat er net aan te denken dat het maar goed is dat ik '*sì*' heb gezegd. Anders was je volgens mij al voordat de taalcursus goed en wel was begonnen bezweken onder de stress!'

'Daar is de jouwe!' zei Eva luider dan de bedoeling was, op het moment dat de roze koffer van Mira op de band stortte. Het was een dankbaar excuus om niet te hoeven reageren op wat Mira net zei over haar stressprobleempje. Het was een grapje, maar toch. Zelf wist Eva dondersgoed dat ze het leven vaak een beetje te serieus nam. Dat ze wat flexibeler moest worden en vooral dat ze moest leren omgaan met dingen die anders liepen dan ze had gepland. Het leven viel nu eenmaal niet altijd netjes te plannen. Dat was dan ook precies wat Eva tijdens deze reis wilde afleren, maar dan wel veilig onder de hoede van haar impulsieve en relaxte vriendin, die van dat euvel geen enkele last scheen te hebben.

'O, en de jouwe!' zei Mira. Een doffe klap klonk toen Eva's roze hutkoffer tegen de zijkant van de bagageband botste. 'Die mag je zelf van de band tillen, hoor. Het lijkt wel of je gaat emigreren! Was je soms bang dat ze in Rome geen winkels zouden hebben?'

'Ik ben gewoon graag op alles voorbereid, mag ik?' zei Eva een tikje kribbig. Nu had ze wel genoeg van al die geintjes over haar opgeruimde karakter. De laatste twee woorden waren haast onverstaanbaar door de fikse kracht die Eva moest gebruiken bij het optillen van haar koffer. Nu voelde ze het gewicht pas goed, aangezien haar lieve vader zich in Nederland de hele tijd over het zware geval had ontfermd. Hij had haar koffer van de gammele trap in haar studentenhuis naar beneden gedragen, in de achterbak van de auto gehesen en vervolgens op het vliegveld achter zich aan gesleept.

Zwijgend liep het tweetal bij de band weg, richting de trein, want Eva had van tevoren al uitgezocht dat dat het handigste vervoermiddel was richting het centrum van de stad. Even was er alleen het rustgevende geluid van de rollende wieltjes van de koffers en het geroezemoes van drommen toeristen en stijlvol geklede zakenmannen en -vrouwen in het gezelschap van hun onmisbare BlackBerry of iPhone.

'Ik haal snel de kaartjes,' zei Eva.

'Prima. Ik wacht hier wel. Stuur ik even een sms'je naar Bart dat we veilig zijn aangekomen,' zei Mira. Met een zucht liet ze zich op haar koffer zakken en grabbelde ze in haar handtas op zoek naar haar mobiel.

Opgetogen liep Eva op de balie af, waar ze achter twee wachtende mensen in de rij aansloot. De afgelopen weken had ze thuis en tijdens haar werk bij pizzeria Bella Roma alvast veel naar Italiaanse muziek geluisterd, van die schreeuwerige spelshows met overdreven sexy vrouwen op Rai Uno gekeken en op elk vrij moment Italiaanse woordjes geleerd uit haar kleine Wat&Hoe-boekje. Dit soort standaardconversaties moesten toch een eitje voor haar zijn.

'*Dica*,' zei de verveeld ogende man achter de balie. Het glas waar hij achter zat vervormde zijn gezicht zodat het leek alsof zijn neus nogal uit verhouding was.

'*Due, eh...*' Shit, wat was het woord voor kaartjes ook alweer? Iets wat op het Nederlands leek? Eva keek achterom in het gezicht van een vrouw die almaar norser op haar horloge begon te kijken en op het punt stond ongeduldig te gaan briesen. Het maakte haar nog nerveuzer dan ze al was. '*Carta?*' was het enige woord dat zo snel in Eva's hoofd opkwam.

'*I'm sorry, miss. You mean two tickets?*' vroeg de man. Hij stak er ook nog twee vingers bij in de lucht, alsof Eva helemaal achterlijk was.

'*Si*,' antwoordde ze bedremmeld. Ze legde het gepaste bedrag neer en griste de twee treinkaartjes zo snel als ze kon uit het bakje voor haar neus. De norse vrouw zuchtte overdreven toen Eva haar op een drafje passeerde.

'Super!' zei Mira toen ze de witte kaartjes in Eva's handen zag schitteren. 'Het ging dus goed in het Italiaans?'

'Natuurlijk,' zei Eva. Dat ze door de moeizame dialoog een rode kleur op haar wangen had gekregen en opkomende zweetplekken onder haar oksels, ontging Mira volledig.

'Nou, gelukkig maar dat ik jou met me mee heb genomen. Als we het van mijn taalgevoel moesten hebben, kwamen we niet ver,' zei Mira met een knipoog.

'Kom, laten we gaan,' zei Eva. Ze liep richting het juiste perron en Mira volgde haar. Ineens wist Eva het: *biglietto*! Natuurlijk! Hoe had ze dat woord kunnen vergeten? Ze schudde haar hoofd en wilde dat de balieman met zijn vervormde gezicht en zijn '*you mean two tickets*' voorgoed uit haar gedachten verdween.

Een treinreis van een halfuur en een helse busrit later ston-den Eva en Mira op Piazza dell'Orologio oog in oog met hun taalschool. Ze namen de Scuola Leonardo da Vinci van top tot teen in zich op. Ze draaiden hun gezichten naar elkaar toe en konden niets anders dan glunderen. Ze hadden het gevon-den! In één klap waren ze de busrit, met veel te veel passa-giers die ook niet allemaal al te best roken, en de wandeling over de ellendige keitjes vergeten.

'Mira, we zijn er! Op tijd!' zei Eva. Ze was uitzinnig van vreugde. Eindelijk was het deel van de reis waar ze het aller-meest tegen opzag achter de rug.

Mira begon te springen en omarmde haar vriendin met een dosis enthousiasme die zelfs voor Mira aan de grote kant was.

'Wauw! Moet je kijken wat een mooie school! Jeetje, als onze hogeschool er zo uitzag, dan zou ik wel wat vaker naar college komen,' zei Mira.

'Kom, daar links zit volgens mij de receptie,' zei Eva.

Binnen deed Eva het woord, deze keer veilig in het Engels. Ze vond dat ze, zolang de Italiaanse cursus nog niet begon-nen was, wel voor de veilige weg mocht kiezen.

'*Here you go.*' Vol verbazing staarden Eva en Mira naar de handen van de vriendelijke receptioniste, waaruit twee sleu-telbossen tevoorschijn kwamen met op een hangertje ver-schillende adressen en huisnummers. Ze wisten even niet hoe ze moesten reageren.

'Hè? Maar we zaten toch bij elkaar in huis?' vroeg Mira onbeleefd in het Nederlands. De dame achter de balie had de vraagtekens in haar ogen staan, dus Mira herhaalde haar vraag in het Engels.

'Dat dacht ik ook, ja,' zei Eva. Haar hart begon sneller te kloppen en ze voelde een nieuwe portie stress opkomen.

De receptioniste tikte met haar lange, smalle vingers van alles in op haar oude computer. Af en toe kneep ze haar ogen samen tot smallere streepjes, alsof ze eigenlijk een bril nodig had. '*No, I am sorry,*' zei de dame ten slotte. '*Two different rooms.*'

Eva stond op het punt te gaan gillen of huilen. Of allebei. Mira zag aan het gezicht en vooral aan de frons van haar vriendin dat ze haast uit haar vel sprong.

'*Grazie*,' zei Mira en griste de sleutels van de balie. Ze sprak het weer verkeerd uit, maar deze keer zei Eva er niets van. Mira sleurde haar vriendin en haar koffer onhandig mee naar buiten, voordat Eva een scène zou maken in de receptie van de school waar ze zich nog wel vier weken normaal moesten kunnen vertonen.

'Kom, Eef. Zo erg is het toch niet?' zei Mira voorzichtig. Bezorgd keek ze naar Eva, die eruitzag alsof ze volledig uit het veld geslagen was.

'Hoe kun je dat nou zeggen?' Eva voelde de tranen opkomen en deed haar uiterste best te voorkomen dat ze over haar wangen naar beneden zouden stromen. Ze wilde sterk zijn, ook al voelde ze zich er ineens helemaal alleen voorstaan. Vier weken lang in een vreemde stad, in een vreemd land, met mensen die haar helemaal niet leken te begrijpen. Waarom wilde ze ook alweer zo graag naar Rome?

'Misschien zitten we helemaal niet zo ver bij elkaar vandaan. Geef je kaart eens,' ging Mira verder in een poging haar vriendin op te beuren. Zonder wat te zeggen pakte Eva de plattegrond van Rome uit het mapje met de belangrijke papieren, dat zich in een apart vak in haar rugtas bevond.

'Hmm, even kijken,' zei Mira. Haar ogen schoten van links naar rechts over de onhandig grote kaart. Na een paar tellen gaf ze het op. 'Ik kan niet kaartlezen, hoor. Waarom heb jij eigenlijk geen iPhone?'

'Laat mij maar,' zei Eva zonder te reageren op die laatste onzinnige vraag van Mira. Alsof Eva met haar schamele uurloon van nog geen tien euro bij de pizzeria van Piet ook maar één euro over had nadat ze deze taalreis had betaald. 'Nou, in welke straat zit jij?'

'De Via degli Scipioni. Of zoiets,' zei Mira.

'Ah, gevonden! Kijk, hier is het.'

'Daar helemaal?' zei Mira met een stem vol ongeloof. Nu

was het haar beurt om teleurgesteld te zijn. Mira had vóór vertrek weinig verwachtingen van de reis gehad, maar op de een of andere manier had ze zich haar accommodatie wel voorgesteld in een kamer ergens in hartje centrum en niet, zoals Eva's vinger aanwees, in een huis dat haast van de plattegrond viel.

'Je zit wel heel dicht bij de Sint Pieter. Die zit hier,' zei Eva.

'En wat is mijn adres?'

'Via della Lungara nummer tien.'

Eva zocht de straatnaam op tussen de vele andere straatnamen in de index achter op de kaart. Plotseling besefte ze wat voor grote stad Rome eigenlijk was. Dit waren alleen nog maar de straten van het centrum, moest je nagaan! Ergens had ze gelezen dat er bijna drie miljoen mensen in de Italiaanse hoofdstad woonden. Een abstract cijfer dat haar weinig had gezegd, behalve dat het tien keer zo veel inwoners waren als Utrecht had. Nu begon het haar pas een beetje te dagen in wat voor metropool ze zich bevond.

'Hier is het,' zei Eva toen ze een plek aanwees vlak onder de rivier de Tiber, die dwars door de stad stroomde.

'Dat is niet eerlijk!' riep Mira uit. 'Jouw huis zit vet in het centrum!'

En bijna naast de school, dacht Eva erachteraan, maar ze hield haar mond. Ze wilde het voor Mira niet nog erger maken dan het al was.

'Nou, dan scheiden hier onze wegen,' zei Mira nadat ze allebei een poosje waren bijgekomen van de eerste grote tegenslag. Mira's goede humeur was nog steeds in geen velden of wegen te bekennen. 'Ik zie je over een week wel weer, als ik eindelijk bij mijn huis ben aangekomen.'

'Je kunt toch met de bus gaan? Er is een halte in de straat achter de school,' probeerde Eva haar vriendin te helpen.

'En weer vieze oude mannetjes tegen me aan laten rijden en de halte missen, omdat ik de bus niet uit kan komen? Nee, dank je,' zei Mira.

'Zullen we straks gezellig samen eten?' vroeg Eva.

'Ik sms je wel,' zei Mira. 'Stom dit, zeg.'

'Vind ik ook,' zei Eva. 'Laten we straks ons avontuur opnieuw beginnen. Met een goed humeur en een *vino*, oké? *Ciao*.'

Mira antwoordde met de treurigste '*ciao*' die Eva ooit had gehoord. Ze keek haar vriendin na, die met haar grote koffer dapper de kinderkopjes trotseerde. Nog steeds baalde Eva stevig dat ze niet samen met haar vriendin in één huis woonde zoals ze van tevoren duidelijk had aangegeven bij de reisorganisatie. Ze prees zich tegelijkertijd wel gelukkig dat ze op dit moment niet Mira was, want dan had ze nog veel meer gebaald.

Eva vervolgde haar tocht naar het huis waar ze de komende maand in haar eentje zou wonen. De spanning die ze het allersterkst had gevoeld op Schiphol, op het moment dat het vliegtuig in volle vaart over de startbaan suisde, kwam weer in alle hevigheid terug. Even sloot Eva haar ogen en snoof ze een flinke teug Romeinse lucht naar binnen. Gewoon rustig blijven, zei ze een paar keer tegen zichzelf, zo moeilijk kan het niet zijn. Op de kaart had Eva gezien dat ze links langs het grote schoolgebouw moest lopen, vervolgens een grote straat oversteken, om uiteindelijk via een wirwar van kleine steegjes bij een brug aan te komen. Haar kamer was gelegen aan een weg die ongeveer parallel liep aan de rivier de Tiber. De steegjes die Eva doorkruiste waren smal en de ongelijke stenen zorgden voor een extra hindernis, vooral vanwege de loodzware koffer die ze achter zich aan sleepte.

Toch stond Eva op de kop af twintig minuten later oog in oog met het vierkante straatnaambordje waarop de naam 'Via della Lungara' haar toelachte. Wat was ze trots op zichzelf! Haar hart begon steeds sneller te kloppen. Nummer tien kon nu niet ver meer zijn.

'Wauw.' Eva zei het hardop zonder dat ze daar erg in had. Haar mond viel een beetje open bij het zien van de metershoge, antieke deur, waar het huisnummer tien naast prijkte. Trillend van de zenuwen prutste ze onhandig met de diverse sleutels die de receptioniste van de taalschool haar had mee-gegeven. Natuurlijk was de laatste pas de juiste. Ze duwde de zware, bruine deur open en liep een idyllisch binnenplaatsje op. Toen de deur, die meer weghad van een poort, met een klap achter Eva dichtviel, stond ze een ogenblik versteld van de stilte. Een oase van rust midden in een metropool met mil-joenen mensen, scooters en auto's. Haar voordeur bevond zich helemaal rechts in het hoekje aan de binnenplaats, geflankeerd door een tweetal verdorde planten, zag Eva in de gauwigheid. Veel aandacht besteedde ze er niet aan, want ze wilde naar binnen. Kijken hoe haar huis eruitzag, de kamer en haar nieuwe huisgenoten.

Opnieuw haalde ze de sleutelbos tevoorschijn. Omdat ze zo ongeduldig was en de adrenaline door alle minuscule hoekjes van haar lichaam gierde, stak ze weer de verkeerde sleutels in en naast het sleutelgat.

'*Ciao*,' sprak ineens een warme mannenstem.

Eva schrok en keek op. Haar hart bonkte op slag haast haar borstkas uit toen ze in twee donkere mannenogen keek. De borstelige wenkbrauwen en het donkere, perfect gemodel-leerde haar erboven maakten het plaatje helemaal af.

'Eh, *ciao*,' stamelde Eva terug.

De donkere mannenogen begonnen te lachen. '*Entra*,' zei de mooie Italiaan en hij gebaarde dat ze binnen mocht komen. Als een galante heer tilde hij Eva's koffer van de grond. Dat kostte hem moeite, al probeerde hij dat zo goed als hij kon te verbergen.

'*Sono* Massimo,' zei hij toen hij de deur achter Eva dicht-deed.

Het leek alsof Eva een kurk in haar mond had. Het lukte haar niet om iets te zeggen tegen de mooiste jongen die ze ooit in haar leven had gezien en die van zijn ongetwijfeld even mooie ouders ook nog zo'n heerlijke, dromerige naam had gekregen.

'Eh… Eva,' wist ze uit te brengen.

Massimo glimlachte naar haar en Eva lachte zenuwachtig

terug. Hij leidde haar door de lange, smalle gang naar de deur die er recht op uitkwam.

'Dit is je kamer.' Massimo ging over op – verrassend goed klinkend – Engels, met een subtiel Italiaans accent erdoorheen geweven. Daar was Eva hem dankbaar voor. Zijn verschijning maakte haar zo van slag dat ze nauwelijks kon praten, laat staan in het Italiaans. Voor ze het in de gaten had, stond Massimo alweer bij hun gezamenlijke voordeur, met zijn hand op de klink. 'Ik heb een borrel van mijn werk. Maar we zien elkaar de komende tijd vast nog vaak genoeg.'

4

Krrrrrrg. Eva schrok wakker van een vuilniswagen die zo veel herrie maakte dat het leek alsof die naast haar bed stond. Voorzichtig opende ze haar ogen. Ze kneep ze tot smalle spleetjes om ze rustig te laten wennen aan het daglicht. De zon scheen haar kamer binnen en voorzag de vloer van een warme gloed.

Op het display van haar mobiele telefoon zag Eva dat het nog niet eens halfzeven was. Zo vroeg werd ze thuis nooit uit zichzelf wakker. Hier waren de geluiden in en om het huis zo anders, dat Eva de afgelopen nacht meerdere malen wakker was geworden. Van de wind die zachtjes door het openstaande badkamerraampje naar binnen waaide. Van een lawaaiig groepje jongeren dat een afterparty hield onder haar raam. Van haar huisgenoot Massimo die midden in de nacht thuiskwam van zijn borrel. Dat laatste had Eva helemaal niet erg gevonden. Zijn thuiskomst ging naadloos over in een zoete droom waarin zij tweeën de hoofdrollen vertolkten.

Eva veerde overeind en daalde het smalle trapje van de vliering af. Eenmaal beneden keek ze tevreden rond. Haar kamer was veel mooier dan ze zich van tevoren had voorgesteld. Veel ruimer dan haar eigen studentenkamer in Utrecht en bovendien veel lichter, door de drie grote ramen die helemaal doorliepen tot aan het hoge plafond. De inrichting was eenvoudig, maar voldeed: een grote zwarte eettafel, een bank waarin ze ongelooflijk wegzakte en een klein tv'tje dat bijna even oud moest zijn als haar moeder. Haar twijfelaar en ruime kledingkast bevonden zich op een vliering. Het enige minpunt was – naast de afzichtelijke kunstwerken her en der verspreid – dat ze niet met Mira in één huis verbleef. Maar nu ze Massimo daarvoor in de plaats had gekregen, was dat eigenlijk ook geen minpunt meer te noemen.

Eva kon haast niet wachten om aan de eerste échte dag in Rome te beginnen. Gisteren was alles als in een soort roes aan haar voorbijgegaan. De spanning, de reis, de eerste indrukken en niet te vergeten de eerste tegenslag. Eva was zo bekaf geweest dat zij en Mira hadden besloten om niet meer naar elkaar toe te gaan, maar de avond te gebruiken om hun koffers uit te pakken en een beetje te wennen aan hun eigen huis en de nabije omgeving.

In een glimp die Eva van zichzelf opving in de spiegel, zag ze dat haar haren warrig rond haar hoofd zaten. Een beetje zoals de manen van een woeste leeuw. Ze hoopte vurig dat ze Massimo in deze toestand niet op de gang tegen zou komen. Voorzichtig opende ze de deur en ze haatte die meteen, omdat die zo kraakte. Eva keek naar links, naar de dichte deur van Massimo's kamer, en liep vervolgens op haar tenen op een drafje naar de badkamer.

'Shit.' Net toen Eva de kraan wilde opendraaien, bedacht ze zich dat ze geen handdoek had meegenomen. Zonder na te denken zwaaide ze de badkamerdeur ver open.

'*Oh, no! Scusa!*' riep Eva verschrikt uit. Op een haar na had de deur Massimo geraakt. Toen Eva zich realiseerde hoe oncharmant ze erbij stond, probeerde ze met haar handen haar wilde haardos te fatsoeneren en haar versleten pyjamashirt te verbergen. Ook al wist ze dat er eigenlijk geen redden meer aan was, met maar één paar handen.

Massimo zei niets, maar maakte een gebaar dat het geen probleem was. Op zijn weg terug naar zijn kamer probeerde hij de slaap uit zijn ogen te wrijven en gaapte hij uitgebreid.

Eva trok snel een handdoek van het keurig ingerichte plankje in haar kamer, stapte onder de douche en wachtte even tot het water uit de kraan warm werd. Ze kon zichzelf wel voor haar kop slaan dat ze de deur net zo lomp open had gezwiept! Ze wilde er niet eens aan denken wat er was gebeurd als Massimo nog iets dichterbij had gestaan en de deur vol in zijn oog had gekregen. Over een goede eerste indruk gesproken.

Met de warme waterstralen stroomde niet alleen de slaap, maar ook het gênante voorval van zojuist van Eva's lichaam af, recht het afvoerputje in. 's Ochtends was ze nu eenmaal niet op haar scherpst en ze had geen zin om dat haar hele verdere dag te laten verpesten. Er stonden belangrijker dingen op het programma, zoals de eerste taalles.

'Zo, moest je nog uit Utrecht komen?' vroeg Eva toen ze Mira op haar dooie gemak aan zag komen hobbelen over het plein voor de school. Mira was zoals gewoonlijk bijna tien minuten te laat, terwijl Eva juist altijd een paar minuten te vroeg was.

'Ook *buongiorno*,' zei Mira. 'Ik zal je even voorstellen aan mijn huisgenoten. Dit is An en dit is Catlijne. Ze komen uit België.'

Eva had zich niet gerealiseerd dat de twee meiden die achter Mira liepen ook daadwerkelijk bij haar hoorden. De schaamte om haar eigen botte opmerking kleurde Eva's wangen lichtrood.

'Hoi. Ik ben Eva.' Ze stak haar hand uit en toverde ter compensatie haar meest enthousiaste glimlach tevoorschijn. De Belgische meiden schudden haar hand en lachten terug.

'An en Catlijne zijn ook samen naar Rome gekomen en blijven nog langer dan wij,' zei Mira enthousiast.

'Leuk, hè?' zei An.

Eva knikte. Ze mocht de Belgische meiden meteen.

Gevieren liepen ze door de metershoge deur de taalschool binnen. Door een breed en hoog trappenhuis klommen ze twee verdiepingen, tot ze aankwamen bij het goudgekleurde bordje met de naam Scuola Leonardo da Vinci en daaronder de beroemde tekening van het menselijk lichaam van Leonardo.

'Hier is het!' zei Mira enthousiast. Haar Nederlandse woorden echoden door het immense Italiaanse trappenhuis.

'*Buongiorno. Siete venuti per la prima lezione?*' sprak een vrouw in veel te snel Italiaans nadat Mira de deur had opengedaan.

'Eva, wat zei ze?' Mira draaide haar hoofd met een ruk achterom en keek Eva met grote, vragende ogen aan. Ze had duidelijk het volste vertrouwen in de talenknobbel van haar vriendin. Voor Eva's hersenen was het echter te vroeg om de vertaalfunctie te activeren.

'*Eh… Scusi?*' vroeg Eva daarom aan de vrouw.

Nu ze langzamer sprak, kon Eva de woorden daadwerkelijk verstaan en ordenen zodat ze ook het zinsverband helder kreeg: de vrouw vroeg of ze vandaag voor hun eerste Italiaanse les kwamen.

'*Si,*' antwoordde Eva beslist. Ze hief haar kin een beetje op om die beslistheid te onderstrepen.

'*Seguimi,*' zei de vrouw en ze liep voor het viertal uit.

Mira, An en Catlijne keken met open mond naar Eva.

'Wauw, jij bent zó goed!' zei Mira. Ze keek erbij alsof Eva zojuist een hoogstaande politieke discussie had gevoerd in plaats van de eenvoudige '*si*' die ze had uitgesproken.

'Ze vroeg of het vandaag onze eerste les was en zei dat we haar konden volgen. Het is echt niet zo moeilijk, hoor,' zei Eva.

'Niet zo bescheiden, talenprinses,' grapte Mira.

Binnen vijf minuten had de Italiaanse vrouw in een grote ordner opgezocht in welke klas de meiden zaten. Tot hun grote blijdschap waren ze alle vier ingedeeld in klas 1G. Door allerlei kleine gangetjes en trapjes liepen ze zwijgend achter de vrouw aan naar het juiste lokaal.

'*E'qui,*' zei de vrouw en ze klopte op de witte deur.

Een klaslokaal vol jonge mensen keek nieuwsgierig op naar de vier meiden.

'*Entra! Siediti,*' zei de lerares.

De deur viel zachtjes achter hen dicht. Verspreid over het

lokaal zochten de meiden ieder een van de vier lege stoelen op.

Eva voelde zich in een klap nerveus worden bij alle ogen die haar aanstaarden, terwijl Mira en An zich daar helemaal niet bewust van leken te zijn. Eva hoopte dat zij zich ooit ook zo relaxed zou kunnen voelen.

De deur viel zachtjes achter hen dicht.

'*Entra! Siediti*,' zei de lerares.

Verspreid over het lokaal zochten de meiden ieder een van de vier lege stoelen op. Het waren geen tafels met stoelen zoals ze gewend waren van de middelbare- en hogeschool. In het kleine, klinisch witgeschilderde lokaal stonden in een cirkel langs de muur stoelen gestationeerd. Aan de armleuningen waren opklapbare tafeltjes bevestigd, die bij sommige stoelen al enigszins scheefgezakt waren.

Eva nam plaats op een stoel bij het kleine raam. Naast haar zat een dikkige jongen van in de twintig, die zichtbaar in z'n element was met Eva als nieuwe buurvrouw. Vluchtig wierp ze hem een niet-gemeende glimlach toe en richtte ze haar blik op het raam, waar een uitzicht over een schattig Romeins straatje haar vervulde met een echt vakantiegevoel. De buurjongen, die zijn blik onafwendbaar op Eva gericht hield, maakte een abrupt einde aan haar euforische gevoel over het Italiaanse inkijkje. Eva probeerde niet naar hem terug te kijken, bang om hem op verkeerde gedachten te brengen.

Van de andere kant van het klaslokaal zag ze dat Mira naar haar keek. Met veelbetekenende blikken en niet bepaald subtiele gebaren probeerde Mira duidelijk te maken wat ze van Eva's kersverse buurman vond. Bijna proestte Eva het uit, maar ze kon zich nog net op tijd inhouden. Ze zat tenslotte niet meer op de middelbare school.

De lerares nam het woord en de klas luisterde aandachtig. Alles ging in het Italiaans – langzaam, dat wel – en dat stemde Eva tevreden. Zo moest ze de taal binnen vier weken toch aardig onder de knie kunnen krijgen.

De lerares stelde zichzelf voor als Paola. Eva's hart begon al sneller te kloppen bij de gedachte dat zij zichzelf zo direct ook in het Italiaans moest voorstellen. De lerares had eerst een ander idee: de klasgenoten mochten raden wie Eva, Mira, An en Catlijne waren en waar ze vandaan kwamen.

'*Io penso eh…*' hakkelde de jongen naast Eva met het lelijkste accent dat ze ooit had gehoord. Ze hoopte maar dat het niet zo afschuwelijk klonk als zijzelf Italiaans sprak.

'*Continua, Günther,*' moedigde de lerares aan.

Günther. Zo heette hij dus. Dat betekende vast dat hij een Duitser was. Eva keek vanuit haar rechterooghoek stiekem naar hem en vond dat hij er inderdaad als een echte Duitser uitzag. Ze wist meteen waarom ze nog nooit verliefd was geworden op een oosterbuurman.

Günther dacht dat de meiden alle vier uit België kwamen en dat Eva danseres was, 'vanwege haar puntje-puntje-puntje lichaam' – hij gebruikte een woord dat in ieder geval niet in Eva's Italiaanse vocabulaire voorkwam. Ze liet zijn opmerking voor wat het was en luisterde naar de andere klasgenoten, die het stokje van hem overnamen. De vreemdste aannames passeerden de revue: Catlijne werd aangezien voor een Engelse apotheker die in de avonduren thrillers schreef, terwijl An doorging voor een topjudoka uit Denemarken. Mira was volgens haar nieuwe medestudenten een Amerikaanse, die nog volop bezig was met haar salesopleiding. Eva werd tot haar grote ergernis aangezien voor een Duitse met de naam Helga! Dat haar klasgenoten dachten dat ze rechten studeerde, maakte die misvatting nog enigszins goed.

De lerares wees Eva's kant op en vroeg of ze zichzelf wilde voorstellen. Eva slikte even. '*Sono Eva. Sono olandese,*' wist ze zich nog goed te herinneren uit het Wat&Hoe-boekje. Het boek had precies de juiste afmetingen voor haar handtasje en zodoende had Eva het de weken voorafgaand aan de talencursus steeds met zich meegedragen. De lerares knikte en dat sterkte Eva's zelfvertrouwen. Ze had haar naam en haar nationaliteit in elk geval goed uitgesproken. Hoe zei je ook alweer hoe oud je was?

'*Sono*, o nee! *Ho venti eh uno anni,*' zei Eva. Dat was toch altijd zo verwarrend in een vreemde taal. Dat je moest zeggen dat je eenentwintig jaren hébt in plaats van dat je eenentwintig bént.

Eva omzeilde het geijkte verhaaltje over haar dagelijks leven. Na de zomer zou ze aan haar derde jaar communicatiemanagement aan de Hogeschool Utrecht beginnen, maar daar had ze als ze eerlijk was he-le-maal geen zin in. Toen ze twee jaar terug samen met Mira aan die studie begon, had ze er enorm naar uitgezien. Het eerste jaar was één groot feest. Dat kwam meer door het op kamers gaan wonen en alle studentenfeestjes aflopen dan door de inhoud van de studie. Dit studiejaar had Eva een abonnement op het halen van de zwaarste onvoldoendes. Dat was een volkomen nieuwe ervaring voor Eva, die op de middelbare school niet eens tevreden was geweest als ze een zeven had gehaald.

Het frustreerde haar zó, dat ze haar studie tussentijds had gestaakt – al had ze tegenover andere mensen Mark als dankbaar excuus opgegeven voor die beslissing. Was hij tenminste nog ergens goed voor. Want opgeven en stoppen, met wat dan ook, dat was iets wat Eva Smit nooit zou doen. Sinds ze geen studie meer omhanden had en veel te veel tijd had om na te denken, kwam haar voorliefde voor de journalistiek vaker om de hoek kijken. Op het allerlaatste nippertje had Eva twee jaar geleden besloten niet mee te doen aan de loting voor de opleiding journalistiek. Als ze eerlijk tegen zichzelf was, had ze zich veel te veel laten leiden door de praktische bezwaren die andere mensen opperden wanneer ze over het journalistieke ambacht sprak. Ze wezen haar dan op de berichten over de slechte toekomst van de media door de opkomst van internet en de even slechte beroepsperspectieven en salarissen van journalisten. Daarbovenop hadden diverse mensen hun wenkbrauwen opgetrokken en tegen Eva gezegd dat 'ze toch veel te bescheiden was om journalist te zijn'.

In de tijd dat ze verkering had met Mark had ze haar twijfels dankbaar in een hoek gedrukt. Ze was helemaal opgegaan in haar relatie en de heerlijke gevoelens die erbij hoorden. Maar nu het uit was en Eva geen vriend meer had om zich achter te verschuilen, vroeg ze zich steeds sterker af of ze tóch niet alsnog moest gaan voor het beroep dat elke keer weer terugkwam in haar hoofd, ook als ze daar niet om vroeg. Eva's continue getwijfel over haar studiekeuze werd nog eens versterkt door Mira. Zij kon zich er prima toe zetten om naar de colleges te gaan – als die dan maar wel in de middag plaatsvonden en niet om negen uur 's ochtends. Dat Mira zich vergeten was in te schrijven voor het afsluitende project zei meer over haar rommelige karakter dan over wat ze van de studie vond. Of de wereld van de communicatie nu écht Mira's droom was, wist Eva niet. Maar dat wist ze bij Mira, een flierefluiter eerste klas die in het moment leefde en haar schouders ophaalde zodra het woord 'toekomst' viel, eigenlijk nooit.

'*Molto bene*,' zei de lerares met een tevreden knikje.

Opgelucht haalde Eva adem. Ze was blij dat de Italiaanse vuurdoop achter de rug was en dat ze niet meer over zichzelf hoefde te vertellen. Voor zo'n eerste les was ze met drie Italiaanse zinnen al behoorlijk tevreden. Mira knikte opnieuw apetrots naar Eva. Zij bracht het er, net als de Belgische meiden, een stuk minder goed van af. Catlijne deed een aardige poging, maar stokte toen ze in het Italiaans moest uitleggen dat ze net de studie Culturele Antropologie had afgerond. An bracht er niets van terecht, maar leek daar ook helemaal niet mee te zitten. Ze vertelde gewoon in het Engels met een stralende lach dat ze geen van haar drie studies had gehaald, maar nu via via de weg van het grafisch ontwerpen was ingeslagen. Eva kreeg steeds meer het gevoel dat An de Belgische Mira was, zo losjes en makkelijk als ze overkwam.

'*Tu sei bella*,' hoorde ze ineens de stem van Günther vlak bij haar oor.

Eva schrok op uit haar gedachten en keek opzij. Ze zag dat Günther een klein zakwoordenboek vasthield in zijn worstenvingers en dat zijn ogen op een vreemde manier fonkelden. Van opwinding, waarschijnlijk. Eva forceerde een uiterst lullig glimlachje en voelde zich hoogst ongemakkelijk. Het deed haar denken aan de momenten in pizzeria Bella Roma, wanneer mannelijke, vaak veel te oude klanten haar overlaadden met complimenten.

Eva nam zich hier en nu voor de gehele maand die voor haar lag zo ver mogelijk uit de buurt van Günther te blijven. Het laatste waar ze op zat te wachten, was de onverdeelde aandacht van een onaantrekkelijke Duitse jongen. Daarvoor was ze toch zeker niet helemaal naar Italië gevlogen?

5

'*Mamma mia!* Wat was dat een fan-tas-tisch-e *panino*,' zei Eva opgewekt. Haar gezicht straalde van kin tot kruin terwijl ze met een servetje haar mond afveegde.

'Inderdaad,' beaamde Mira. 'En dan te bedenken dat we nog bijna dertig keer zo'n lekker broodje kunnen eten.'

Samen met de twee Belgische meiden zaten Eva en Mira iets na enen in een kleine bar, zo'n veertig voetstappen verwijderd van Piazza dell' Orologio, waar de taalschool stond. In een zijstraatje hadden ze een bar gevonden met een naam waar ze meteen alle vier verliefd op waren: Bar Amore. Daar kon iedereen zijn broodje helemaal zelf samenstellen, met allerlei verse ingrediënten zoals geroosterde paprika, Italiaanse parmaham en smaakvolle buffelmozzarella. Het mooiste was nog wel dat het zelfgekozen meesterwerk minder dan de helft kostte van een taai broodje van de Boterham Express op Utrecht Centraal.

Met z'n vieren bespraken ze de eerste drie lessen, die razendsnel voorbij waren gegaan. Ze hadden de nodige grammatica en vocabulaire behandeld, waaronder de eerste werkwoordrijtjes van '*essere*' en '*avere*', oftewel 'zijn' en 'hebben'. Het deed Eva meteen terugdenken aan de lessen Frans op de middelbare school. Met het verschil dat ze er nu níet met tegenzin zat. Integendeel zelfs. Het tweede gedeelte, na een korte pauze, werd ingeruimd voor het oefenen van conversaties. Eva zag nu al dat zij meer uitblonk in het eerste deel en voor de gespreksvaardigheid nog een drempel over moest. Bij Mira was dat juist precies andersom. Als ze samen één persoon zouden zijn, dan zouden ze in een maand vast vloeiend Italiaans leren spreken, bedacht Eva.

De rest van de maand moesten ze elke ochtend van negen tot één naar school en daarna thuis nog wat huiswerk maken. Er bleef echter ruim voldoende tijd over om leuke dingen te ondernemen en dat was dan ook precies wat de vier meiden nu op het punt stonden te gaan doen.

'*Grazie ed arrivederci*!' zei Eva zo zangerig als ze kon.

De oude man en zijn jongere, aantrekkelijke werknemer groetten even hartelijk terug op het moment dat het viertal het barretje uit liep. Ze hadden op de kaart bekeken welke straat ze moesten nemen om bij het nabijgelegen Piazza Navona uit te komen.

Mira stootte Eva speels aan. 'Moet je eens kijken wie daar loopt.'

Eva keek op en zag in de verte iets, of beter gezegd iemand, lopen die ze niet wilde zien: Günther. 'O, nee hè,' kreunde ze zachtjes.

'Volgens mij ziet hij jou wel zitten, nietwaar?' zei An.

Mira en An hadden meteen de grootste schik.

'Ssst, straks hoort hij het nog,' poogde Eva de twee tot bedaren te brengen. Tevergeefs. Ze lagen inmiddels dubbel van het lachen en ook Catlijne hield het niet langer binnen. Ze overdreven zijn grove gelaatstrekken, zijn bolle postuur en zijn afschuwelijke accent.

'Wat zei hij ook alweer in de eerste les tegen je, zo vlak bij je oor?' vroeg Catlijne.

Shit, dacht Eva, dat hadden ze natuurlijk ook gezien. Ze wilde die drie woorden, uitgesproken in het lelijkste Italiaans door de lelijkste jongen die ze kende, het liefst voorgoed uit haar gedachten verbannen.

'Dat wil je echt niet weten. Geloof me,' zei Eva.

'Geloof mij: wij willen niets liever,' zei An beslist.

Eva schraapte haar keel en zette zich alvast schrap voor hard schatergelach, waarvan ze zeker wist dat het binnen enkele ogenblikken zou opstijgen. 'Hij zei: '*Tu sei bella*.'' Eva's verwachtingen werden ruimschoots overtroffen. Mira, An en Catlijne gierden het uit. Enkele passanten in het smalle straatje waar ze liepen, keken naar hen op.

'Haha, ben jij even gezegend, Eva Smit!' brulde An.

Inmiddels kon Eva ook wel lachen om de zielige liefdesverklaring van Günther en vooral om het uitbundige vermaak van Mira en hun nieuwe Belgische vriendinnen.

'Wacht maar, ik heb namelijk nog iets om jullie de ogen mee uit te steken,' zei Eva.

Het gelach loste op en even klonk er niets meer dan de zoemende stadsgeluiden.

'Hoe bedoel je?' vroeg Catlijne.

Eva vertelde over haar knappe huisgenoot Massimo, over wie ze nog niet veel had kunnen vertellen aan de Belgische meiden. Ze kon niet voorkomen dat ze het warm kreeg vanbinnen op het moment dat ze over Massimo begon. Ze hoopte maar dat haar wangen niet gingen gloeien.

'Dus jij woont midden in het centrum én met een lekkere Italiaan in huis?' vroeg An ongelovig.

'Vertel! Hoe ziet hij eruit?' vroeg Catlijne.

'Hij heeft echt de mooiste ogen die ik ooit heb gezien. Ja, ja, ik weet ook wel dat het een cliché is,' zei Eva om alvast tegenwicht te bieden aan de rollende ogen van de nuchtere Mira. 'En hij heeft ook nog van die perfecte, donkere haren en borstelige wenkbrauwen erboven.'

'En de rest?' vroeg An.

'Ook zeker niet verkeerd,' zei Eva. 'Voor zover ik dat gezien heb, tenminste.'

Mira zuchtte. 'Het is niet eerlijk! Ik ga me bijna afvragen wat ik in hemelsnaam gedaan heb om zo benadeeld te worden.'

'Ach, stel je niet aan. Je hebt ons toch?' zei An en ze sloeg een arm om Mira heen.

'En Bart, niet te vergeten,' zei Eva.

'Dat is waar. En jij hebt eigenlijk ook wel wat leuks verdiend na al dat gedoe met Mark.'

Mark. De naam trof Eva als een donderslag. Ineens besefte ze dat ze al de hele ochtend niet aan hem had gedacht. Een absoluut record. Zeker vergeleken met de eerste twee dagen in Rome, toen ze vaker aan Mark had gedacht dan haar lief was. Precies tegelijk met die fijne constatering stond Eva op een plaats die ze alleen van foto's op internet kende: Piazza Navona. Een ovaal plein met drie fonteinen, waarvan de middelste het meest in het oog sprong.

'Wacht. Even mijn reisgids erbij pakken.' Eva grabbelde in de handtas die over haar schouder hing. Sinds het moment dat ze de zwarte tas met roze stiksels bij de H&M had gevonden, waren ze onafscheidelijk.

Hoewel de schoonheid van het plein haar al overweldigde, wilde Eva graag weten wat de geschiedenis ervan was. Daarin was ze heel anders dan Mira. Die genoot puur van wat ze zag en had niet zo'n grote belangstelling voor 'die oude onzin'. Hoe cultureel belangrijk die volgens historici ook was.

Samen met An bekeek Mira nieuwsgierig alle schilderijen van de hedendaagse kunstenaars die midden op het plein aan het werk waren. Bewonderend keken ze naar de houtskool- en aquareltekeningen en lachten ze om de karikaturen. Tot Eva's grote blijdschap stond Catlijne nog naast haar. Met verwachtingsvolle ogen keek ze naar Eva op.

Eva begon voor te lezen over het plein waar vroeger, in de eerste eeuw na Christus, het stadion van Domitianus had gestaan, en vertelde dat het daar zijn ovale vorm aan te danken had. Aan een van de uiteindes van het *piazza* kon je nog onder de grond kijken, naar de resten van dat verdwenen stadion. Eva vond het mooi om zich voor te stellen dat hier vroeger atletiekwedstrijden gehouden werden en dat meer dan dertigduizend mensen in van die heel oude kledij op de tribune de namen scandeerden van hun favoriete sporter. Als

Eva zich niet vergiste, was Catlijne ook verzonken in dat soort gedachten.

'Zijn jullie nou klaar?' vroeg An ongeduldig.

Catlijne knikte. 'Ja. Dit plein was vroeger een stadion,' vatte ze het zo kort mogelijk samen voor haar vriendin.

'Echt waar? Wat vet,' zei An.

'Moet je nou toch eens kijken!' zei Mira en ze wees naar een groep toeristen die bij de middelste fontein achter een gids met een fluorescerend groen vlaggetje aan liep. 'Die schoenen! Die kleren! Die zonnekleppen! Werkelijk waar géén gezicht!'

De andere meiden konden niets anders dan lachen toen de bonte parade aan modeflaters aan hun blikveld voorbijtrok. Mira had helemaal gelijk: het waren stuk voor stuk echtparen of een verdwaalde single van boven de zestig jaar oud, allemaal net een pondje te zwaar. Ze droegen – een uitzondering daargelaten – grote witte sportschoenen met een afzichtelijke, net iets te korte sportbroek ('want ja, die zit zo lekker') erboven. Als klapstuk hadden ze allemaal de meest uiteenlopende zonnekleppen en petten op hun verhitte hoofden. Eva vroeg zich af waar ze die in vredesnaam vandaan haalden. Voor zover zij wist, waren zonnekleppen al decennialang uit de mode en in geen enkele winkel meer te koop. Waarschijnlijk hadden ze die nog bewaard uit hun eigen jonge jaren.

'Moet je hem zien! Hij draagt gewoon een rugtas, een camera om zijn nek en een heuptasje,' zei Eva. Mira keek terug met een net zo afkeurende blik.

'Dat lijkt me echt de saaiste vakantie die ik me kan indenken,' zei An. 'De hele dag achter zo'n vlaggetje aan lopen en met oordopjes in naar een gids luisteren die over kunstenaars vertelt. Brrr.' Het woord 'kunstenaars' sprak ze uit alsof het een ernstige ziekte betrof. An schudde haar hoofd en trok haar mondhoeken naar beneden om haar woorden kracht bij te zetten.

'Kom, laten we doorlopen naar het Pantheon. Dat is hier

49

vlak om de hoek,' zei Eva nadat ze de meeste toeristen uit de groep volledig hadden afgekraakt.

'Het wat?' vroeg Mira.

Eva en Catlijne wisselden een veelbetekenende blik uit vanwege hun cultuurarme vriendinnen. Geduldig legde Eva uit dat het Pantheon het oudste monument uit de Romeinse tijd was, waarvan de eerste steen ongeveer honderd jaar na Christus was gelegd.

'En het is gratis,' voegde Eva eraan toe.

'Gratis? Super, laten we binnenkijken!' zei Mira enthousiast.

An en Catlijne schoten in de lach. 'Het is gewoon echt waar, al die slechte grappen over Nederlanders en gratis!'

Een kleine vijf minuten en enkele slaloms om drommen toeristen te ontwijken later stond Eva oog in oog met het Pantheon. Vooraf had ze al veel gehoord, gezien en gelezen over dat bijzondere gebouw. Nu ze er zo dicht bij stond, wist ze dat er geen woord van gelogen was. Het was ongelooflijk dat er op zo'n plein, ingesloten door veel nieuwere gebouwen, ineens zo'n massieve, monumentale tombe op kon doemen.

'Lees nog eens wat voor,' zei Catlijne.

'Het is...' Eva had nog zeker drie alinea's willen voorlezen, als ze niet wild was onderbroken door een canon van bewonderend gefluit, vermengd met vele *'bella's'* en *'bellissima's'*, van een groepje Italiaanse middelbare scholieren. De jongens van een jaar of veertien gingen volledig uit hun dak bij het zien van de vier vriendinnen.

An en Mira floten terug terwijl Eva en Catlijne het uitschaterden van het lachen. Eva versnelde haar pas richting de ingang van het Pantheon, omdat ze het gevoel had dat het hele plein naar haar keek. De massale drukte overviel Eva toen ze tussen de gigantisch hoge en dikke pilaren door het gebouw binnentrad. Al die lelijk aangeklede toeristen, overgevlogen vanuit Rusland tot Korea, overschaduwden voor Eva de schoonheid van de mozaïekvloer.

'Hé, is dat een echt gat in het plafond?' vroeg Mira met haar hoofd zo ver mogelijk naar achteren. Verwonderd keek ze naar het negen meter grote gat, waar zonlicht doorheen straalde op de marmeren vloer.

'Ja. Dat hebben ze zo gebouwd zodat mensen die hier begraven liggen direct met de goden in contact stonden. Eigenlijk staat het gat voor de zon,' legde Eva het reisgids-jargon in simpeler bewoordingen uit.

Inmiddels liet Eva zich niet meer afleiden door de mensen die zich kriskras door de ruimte bewogen. Ze koerste af op de plek waar de grootste drom toeristen zich verzameld had, om net als zij een blik te werpen op het graf van Rafaël, de kunstenaar die erg belangrijk was voor de stad Rome. Ze ontwaakte uit haar gedachten door Mira, die meldde dat ze weer naar buiten ging.

'Laten we een lekkere cappuccino drinken,' viel An haar bij.

'Zou je dat nou wel doen, An? Je weet toch...' zei Catlijne zachtjes. Haar gezicht toonde bezorgdheid, die Mira in tegenstelling tot Eva niet in de gaten had.

'Ja! Op een terrasje op dat leuke plein! Hoe heette dat ook alweer, Eef?' blaatte Mira er dwars doorheen.

'Campo de' Fiori,' antwoordde Eva. 'Kom, ik weet waar het is.'

Met z'n vieren liepen ze, inmiddels in een stuk trager tempo, door de smalle steegjes richting het plein. In de middeleeuwen en de renaissance was Campo de' Fiori, letterlijk 'het bloemenveld', een van de drukste stukjes Rome geweest. Eva vond de sfeer die er op het plein hing meteen prettig. Allerlei kraampjes stonden opgesteld rondom een beeld midden op het plein. Dat was een figuur met een hoed, de filosoof Giordano Bruno, die precies op die plek wegens ketterij op de brandstapel was beland, zo las Eva in haar reisgids. Ze vond het boek nu al onmisbaar. En dat terwijl ze haar moeder in eerste instantie een beetje had uitgelachen toen ze met die Capitoolgids uit de jaren negentig van de vorige

51

eeuw aan kwam zetten.

'O, wat is het toch gezellig hier! Dat terrasje lijkt me super,' riep Mira enthousiast en ze sleurde Eva aan haar arm mee. De Belgische vriendinnen volgden hen op de voet. Soms was Eva jaloers op het tomeloze enthousiasme en de oneindige hoeveelheid energie die haar beste vriendin leek te hebben.

'O, heerlijk. Daar ben ik echt aan toe,' verzuchtte An toen ze zich in de stoel liet zakken. Ze zag de ober al aan komen snellen. 'Bestel jij, Eva? Jij spreekt het beste Italiaans van ons vieren.'

Eva was in haar nopjes met dat compliment. Ook al wilde ze de komende weken natuurlijk nog veel beter worden in het Italiaans. '*Quattro cappuccini, per favore,*' zei ze met een grote glimlach. Ze genoot er elke dag opnieuw van om Italiaanse woorden uit te spreken die ze al kende en stond er versteld van hoe ontzettend leuk heel simpele dingen als koffie bestellen ineens waren.

'*Si, bene,*' zei de ober. Hij had een enigszins meewarige blik in zijn ogen die Eva moeilijk kon plaatsen. Ze had het toch goed uitgesproken?

'Volgens mij drinken Italianen alleen 's ochtends cappuccino,' merkte Catlijne op. Eva keek haar vragend aan. 'Ja, en de rest van de dag drinken ze dan zo'n loeisterke espresso.'

'Echt waar? Dat wist ik niet,' zei Eva.

'Nou ja, weer wat geleerd,' zei Mira. 'Best een lekker ding trouwens, die ober.'

'Hmm,' beaamde An. Haar ogen fonkelden. 'Alleen wel jammer van dat vlinderstrikje. Zo lijkt-ie een beetje op een pinguïn, vind je niet?'

Mira lachte. Het viertal kletste verder over de mooie monumenten, maar vooral over de mooie mannen die ze tijdens hun wandeling door Rome gepasseerd waren. De ober kwam binnen een paar minuten terug met een dienblad met *quattro cappuccini*. Mira en An deden geen enkele moeite om hun starende blikken te verhullen.

'Waaah!' schreeuwde Catlijne opeens. Ze schrok, net als Mira en An, omdat er vanuit het niets een kat op hun tafeltje sprong.

Eva, die ontzettend van dieren hield, smolt meteen toen het jonge beestje haar met schattige kattenogen aankeek. Ze keek naar de ober en wilde iets over het dier zeggen. Wat was ook alweer 'kat' in het Italiaans? Eva wist het niet helemaal zeker, maar ging ervan uit dat het een woord was dat leek op het Nederlands, aangevuld met 'o' of 'a'. Dat was namelijk wel vaker zo. 'Muur' werd bijvoorbeeld *'muro'* en 'peer' noemden de Italianen *'pera'*. *'Caro katzo,'* zei Eva. Ze aaide de kat, die luid begon te spinnen.

De ober keek haar nu nóg vreemder aan en richtte een kort moment zijn blik naar beneden, ergens ter hoogte van het witte schort dat om zijn middel geknoopt zat. Wat was er toch met hem aan de hand? De Italianen aan het tafeltje vlak achter hen begonnen ook al smakelijk te lachen. Eva voelde dat haar wangen rood kleurden en durfde niet achterom te kijken. Ze begreep er niets van. Had ze soms iets verkeerd gezegd? De ober zette de vier kop-en-schotels neer en liep toen hoofdschuddend weg.

'Wat heb je tegen hem gezegd?' vroeg Mira. Zij had de vreemde blikken en het gegrinnik inmiddels ook opgepikt.

Eva haalde haar schouders op. 'Geen idee. Ik zei alleen maar dat het een lieve kat was, meer niet,' zei ze zachtjes.

'Geef je woordenboek eens. Dan zoek ik het even op,' zei An en ze stak haar hand naar Eva uit. Mira keek geïnteresseerd mee over de schouder van An, die met haar vingers snel door het kleine boekje bladerde, tot ze het uitproestte van het lachen en niet meer in staat was om een zinnig woord uit te brengen.

'Wat staat er?' vroeg Mira nieuwsgierig. Ans lach werkte aanstekelijk. 'Geef eens hier dat boekje!' Mira griste het uit haar handen en haar ogen gleden snel over de opengeslagen pagina. Ook zij begon ineens keihard te lachen. 'Haha! *'Cazzo'* betekent 'lul'!'

'Dat betekent dus dat je net hebt gezegd dat je vindt dat hij een lieve lul heeft!' voegde An daar – geheel overbodig – aan toe.

Catlijne had zich eerst dapper tegen de slappe lach verzet, omdat ze medelijden had met Eva, maar nu lag ook zij compleet dubbel.

Eva schaamde zich dood. Zo erg dat ze het liefst dat woordenboekje in de Tiber wilde smijten, haar koffer wilde inpakken en op het eerste het beste vliegtuig terug naar Nederland wilde stappen. Gewoon Nederlands praten, zodat ze geen ernstige versprekingen kon maken en zichzelf voor lul kon zetten. Letterlijk dus.

'Kom op, Eef. Zo erg is het toch niet? Ik had precies dezelfde fout kunnen maken, denk ik,' zei Mira om haar vriendin op te beuren. Ze sloeg een arm om Eva heen.

An en Catlijne hadden nog steeds de slappe lach en elke keer als het leek alsof ze uitgelachen waren, staken ze elkaar opnieuw aan. Toen Mira naar het tweetal keek, proestte ook zij het weer uit, zo mogelijk nog harder dan net.

Eva deed nog één zwakke poging om zich afzijdig te houden en stoïcijns te blijven fronsen, maar kon toen niet anders dan zwichten voor de slappe lach van haar vriendinnen en keihard meelachen om haar eigen stomme verspreking. Eén ding was zeker: Eva zou de ober op Campo de' Fiori nooit meer vergeten. En de ober haar waarschijnlijk ook niet.

Op haar weg terug naar huis door de Romeinse steegjes had Eva zonder duidelijk aanwijsbare reden een glimlach op haar gezicht. De eerste dagen Rome had ze moeilijk gevonden. Alsof ze maar niet kon wennen aan de omslag van het gestructureerde Hollandse leven naar het chaotische *dolce vita*. Maar dat leek haar nu met de minuut beter te lukken. Hoewel het Italiaanse avontuur nu pas écht ging beginnen, wist Eva al dat ze er goed aan had gedaan om haar studie af te breken en de boel de boel te laten voor een cursus Italiaans in Rome, zoals ze al jaren wilde doen.

'*Ragazza! Ragazza!*' Een meisjesstem galmde door het

steegje, gevolgd door enkele voetstappen.

Eva draaide zich om en zag drie meisjes aan komen hollen. Een van hen had een microfoon in haar hand. '*Si?*' zei Eva nieuwsgierig.

'Wij zijn studenten journalistiek en we maken een radioprogramma voor de plaatselijke omroep,' legde een van de meisjes uit. Ze praatte snel, zoals alle Italianen eigenlijk deden, maar Eva kon haar aardig verstaan.

'Mogen we jou wat vragen stellen? We willen weten wat buitenlanders vinden van de Italiaanse taal,' zei een ander meisje.

'Natuurlijk,' zei Eva. 'Ik volg een maand een taalcursus, dus dat komt goed uit.'

'*Fantastico!*' reageerde meisje nummer drie.

Ze maakten de microfoon en andere handzame apparatuur klaar voor gebruik. Eva vond het mooi om te zien hoe de drie samenwerkten en plezier hadden in hun opdracht voor school. Dat was wel wat anders dan zo'n saai betoog schrijven over de vraag of medewerkers van een beursgenoteerd bedrijf wel of geen social media mochten gebruiken vanwege de koersgevoelige informatie die dan weleens zou kunnen gaan lekken.

Eva beantwoordde de vragen van de meiden vlot en vertelde zelfs met enige zelfspot over haar briljante verspreking op Campo de' Fiori.

'*Veramente?*' vroeg een van de meisjes met grote ogen. Toen Eva knikte, kwam het drietal niet meer bij van het lachen. Ze kon maar beter om zichzelf lachen, dat maakte de schaamte een stuk minder erg, bedacht Eva.

'Mag ik jullie ook iets vragen?' De meiden, die druk waren met het inpakken van hun spullen, keken op en knikten. 'Ik denk erover om ook journalistiek te gaan studeren, in Nederland. Wat vinden jullie er zo leuk aan?'

'De afwisseling,' zei een meisje beslist.

'Je ontmoet elke dag zo veel verschillende mensen.'

'Die je ook nog eens álles mag vragen,' voegde de derde

studente met een glimlach toe.

'En natuurlijk het schrijven. Ik kan niet zonder.'

De meiden hadden nog uren door kunnen gaan, omdat ze wel honderden redenen konden bedenken waarom ze journalist wilden worden.

'Maar zijn jullie niet bang dat je straks geen werk kunt vinden? Of dat je niet goed genoeg bent?' vroeg Eva.

'Hmm. Daar denken we eerlijk gezegd nog niet over na. En we zitten ook op school om dingen te leren, toch?'

'Nu moeten we echt gaan, anders krijgen we het niet af. *Mille grazie*, Eva!'

Eva keek de drie journalisten-in-de-dop na. Hun energie werkte aanstekelijk. Ze zweefde naar huis.

6

Met een zucht sloot Eva de zware voordeur aan de Via della Lungara. Even bleef ze er met haar rug tegenaan staan. Ze had het fantastisch naar haar zin gehad op school en daarna op de Via del Corso, waar ze met haar vriendinnen had geshopt tot haar benen vreselijk verzuurd raakten. Ze had een blauw zomerjurkje gekocht dat ze onmogelijk had kunnen laten hangen. Niet dat Eva daar eigenlijk geld voor had. Voor het vliegticket, de taalcursus en de kamer waar ze verbleef had ze zo veel euro's moeten neertellen, dat Eva met zichzelf had afgesproken om in haar eerste twee weken Rome niet te veel geld te verkwisten aan modieuze schoenen of jurkjes die ze niet per se nodig had. Maar dit jurkje had ze natuurlijk heel erg hard nodig.

Toen Eva de sleutel in haar nu al vertrouwde voordeur stak, kreeg ze het ineens benauwd. Massimo! Misschien was hij wel thuis. Het was toch altijd een tikkeltje gênant wanneer je een persoon over wie je 's nachts heftige dromen had, weer in het echt tegen het lijf liep. Zeker als je die persoon op de allereerste ochtend ook nog eens bijna een deur in zijn oog had geramd.

Haastig grabbelde Eva haar roze spiegeltje tussen de andere rommel uit haar tas tevoorschijn. Ze was blij met de persoon die terugkeek en fatsoeneerde nog wat laatste plukken van haar steile, blonde haren.

'Ah, daar ben je,' zei Massimo in het Engels. Hij stond recht voor haar neus en leidde de aandacht af van het oude, verkleurde kleed dat door de hele gang gedrapeerd lag. Hij droeg een mooie, donkere spijkerbroek met daaronder zwarte teenslippers, die hem een zomerse uitstraling gaven. Het T-shirt dat hij aanhad was net even strakker dan dat van de gemiddelde Nederlandse jongen. Zijn bovenlichaam – gespierd, maar ook weer niet te – kwam er goed in uit, stelde Eva tevreden vast.

'*Buongiorno*,' zei ze met enige vertraging. Zachtjes sloot ze de voordeur en ze liep iets dichter naar hem toe. Een kort ogenblik glimlachten ze naar elkaar zonder wat te zeggen.

'*Ah, parli bene l'italiano. Brava*,' zei hij.

'*Eh, si*,' antwoordde Eva met lichte aarzeling. Ze dacht dat Massimo zoiets zei als 'je spreekt al Italiaans, goed zo', maar helemaal zeker wist ze het niet.

'*Come stai?*' vroeg hij.

'*Bene, grazie*,' antwoordde Eva. Ze was dankbaar dat ze de simpele dialoog van 'Hoe gaat het? Goed, dank je' al prima onder de knie had, omdat ze maar al te graag indruk wilde maken op die mooie jongen voor haar neus.

'*Com'era la tua giornata? Divertente?*' vroeg Massimo.

De Italiaanse woorden duizelden haar. Ze kon van zijn vraag – of waren het meerdere vragen? – geen chocola maken. Massimo begreep zonder enige uitleg de hint en ging naadloos over op het Engels.

'*Molto divertente*,' antwoordde Eva toen ze zijn vraag begreep. Massimo wilde weten of ze een leuke dag had gehad. Ze vertelde dat ze eerst Italiaanse les had gehad en dat ze daarna de stad in was gegaan met haar vriendinnen. Vrij snel schakelde Eva soepel over op het Engels. Eva vertelde ook over een dag eerder, toen ze samen met de drie meiden langs Piazza Navona, het Pantheon en over Campo de' Fiori had gestruind. Massimo moest vooral hard lachen om Eva's beschrijving van de lelijke toeristen die eigenaar leken van

Rome. Dat moedigde haar aan om verder uit te weiden over de heuptasjes en broeken op hoog water.

'*Ma dai*,' zei Massimo.

Dat was een stopwoord, wist Eva, en betekende zoiets als 'kom nou'. Massimo trok er een vies gezicht bij. Modeflaters waren in Italië een nog veel grotere zonde dan in Nederland.

'Het spijt me. Van maandag,' zei Eva voorzichtig.

'Maandag? Ah, je bedoelt dat je de deur bijna in mijn gezicht sloeg!' Zijn ogen lichtten op toen hij aan het voorval terugdacht. '*Non importa, carina!*'

Eva glimlachte terug. Ze was opgelucht dat Massimo om haar onhandigheid kon lachen. Al kon ze niet wachten om de betekenis van het woord '*carina*' op te zoeken. Het klonk als iets aardigs, maar voor hetzelfde geld zei hij 'geen probleem, domme zeekoe' en stond zij nu schaapachtig naar hem te lachen.

'Wil je een kopje *camomilla* drinken?' vroeg Massimo. Hij liep hun gezamenlijke keuken in en draaide het vuur uit onder het pannetje, waarin hij ouderwets water kookte bij gebrek aan een waterkoker.

Eva knikte. 'Graag.'

Ze wilde haar Italiaanse huisgenoot maar al te graag beter leren kennen. Erachter komen wat voor persoon er schuilging achter dat knappe gezicht. Massimo schonk twee grote mokken vol met dampend heet water en hing er twee zakjes kamillethee in. Hij pakte de bekers vast en liep er behendig mee richting zijn kamer. Eva liep achter hem aan en vroeg zich af of het niet raar was dat ze binnen een week al met een jongen meeging naar zijn kamer. Ze besloot dat het wel kon, omdat ze huisgenoten waren. Nieuwsgierig keek ze de kamer rond die grensde aan de hare. Massimo's kamer was een stukje kleiner, maar vertoonde verder veel gelijkenissen met die van Eva.

'Vind je het mooi?' vroeg Massimo toen hij haar ogen rond zag gaan. Hij zette de thee neer op een bijzettafeltje en ging op de rand van zijn bed zitten.

'Het ziet er bijna hetzelfde uit als mijn kamer. Alleen iets kleiner,' zei Eva. Ze probeerde snel te bedenken waar zij moest gaan zitten. Er stond geen bank in Massimo's kamer, alleen een tafel met vier stoelen bij het raam.

'En dat? Heb jij dat ook op je kamer?'

Massimo wees naar een onooglijk kunstwerk in de hoek van de kamer. Het was een soort stalen geval, dat nog het meest weghad van een menselijke etalagepop. Zeker omdat het kunstwerk aangekleed was met een vieze doek, met een druk Afrikaans motief erop.

Eva schoot in de lach. 'Nu je het zegt, wel iets wat erop lijkt.'

'Dat meen je niet,' zei Massimo ongelovig. 'Kom, laat zien!' Hij veerde soepel overeind en trok Eva enthousiast mee naar haar eigen kamer. Met licht trillende vingers opende ze haar kamerdeur en wees ze naar het kunstwerk dat op ongeveer dezelfde plek bij haar raam stond. Wijzen was eigenlijk overbodig, omdat het geval direct alle aandacht naar zich toe zoog. Het was van een soortgelijk donkergekleurd staal, maar dan hoog en smal in plaats van laag en breed, zoals het beeld in Massimo's kamer. Ook hier was een doek overheen gedrapeerd, met een motief dat donkergele en donkerbruine kleuren afwisselde.

'*Ma dai*!' riep Massimo. 'Dat eh, dat ding, is nog lelijker!' Hij keek haar kamer rond, even nieuwsgierig als Eva net zijn kamer in zich had opgenomen. Gelukkig had ze nergens een verdwaalde beha hangen, zoals ze op haar kamer in Utrecht nog weleens had. Toen hij een schilderij opmerkte aan de muur naast hen, barstte hij in een nog harder lachen uit. Zijn lach was aanstekelijk, vond Eva.

'Ik denk dat het van dezelfde kunstenaar is,' zei ze.

'Dat weet ik wel zeker!' zei Massimo. Hij liep ernaartoe en raakte de vier vlakken aan, die een blauwe, grijze en een onbestemde kleur bruin hadden. Er staken punten uit, alsof het gekleid was. Eva zag nu pas hoe lelijk het vierkante werk eigenlijk was.

Massimo schudde zijn hoofd. 'Misschien moet ik je eens meenemen naar een museum om echte kunst te laten zien. Ik wil niet dat je denkt dat dit typisch Italiaanse kunst is.'

Hij liep voor haar uit terug richting zijn kamer, waar de kopjes kamillethee nog onaangeroerd op hen stonden te wachten.

'*Vieni qui*,' zei Massimo en hij klopte op de lege plaats naast hem op de rand van zijn grote tweepersoonsbed.

Eva werd op slag nerveus bij het idee om een bed met een jongen te delen, ook al was dat nog zo onschuldig, zittend op het randje, met kleren aan en een braaf kopje kamillethee in de hand.

Mark was de enige jongen met wie ze ooit een bed had gedeeld. Het had ook de nodige maanden geduurd voordat ze haar kleding uit had durven trekken in zijn bijzijn. Niet dat Eva een lichaam had om zich voor te schamen. Het was meer haar eigen onzekerheid die haar ervan weerhield om zomaar met een jongen naar bed te gaan. Net als haar zucht naar liefde en intimiteit in plaats van naar simpele, platte seks. Het leek haar ontzettend kil om na de meest intieme avond die ze kon bedenken elkaar vaarwel te zeggen alsof er nooit iets was gebeurd.

Eva had wel mee kunnen genieten van de uitspattingen van Mira. Die was weleens na een avondje stappen impulsief met een jongen mee naar huis gegaan. Ronald heette hij en ze had hem leren kennen in de Dikke Dries, een heel foute kroeg recht tegenover de Havana, waar ze meestal tot een uur of drie bleven dansen op hippe muziek met een vleugje latino eroverheen. Eva stond er pal naast toen Ronald tegen Mira zei dat ze er 'wel erg lekker' uitzag. Niet dat ze haar best deed om hen af te luisteren. Het was meer dat Ronald door zijn overmatige drankgebruik nogal hard schreeuwde en de Nederlandstalige meezingers ruimschoots overstemde.

'O, dank je!' brulde Mira terug.

'Graag gedaan!' zei Ronald.

Na twee zinnen, die Eva niet meer had kunnen verstaan,

stonden Mira en de jongen ineens heftig te zoenen, midden op het podium. Vijf minuten later kondigde Mira aan dat ze haar jas ging halen.

'Hè? Maar hoezo dan?' had Eva gevraagd.

'Nou, gewoon,' antwoordde Mira. 'Ronald vroeg of ik nog wat bij hem thuis wilde drinken.'

'En dat ga je doen?' vroeg Eva in een zwakke poging haar vriendin tegen te houden.

'En dat ga ik doen,' klonk het eenvoudige antwoord.

Mira had een vluchtige zoen op Eva's wang gedrukt en ook hun andere vriendinnen gedag gezegd, voordat ze aan de hand van haar vlam-sinds-vijf-minuten de donkere buitenlucht in liep.

Natuurlijk hing Mira direct de volgende ochtend aan de telefoon om haar verhaal te doen, compleet met alle details waar Eva echt niet op zat te wachten voordat ze haar ontbijt en eerste kop koffie achter de kiezen had. Soms vroeg ze zich af waar Mira zich wél voor zou schamen.

'En gaan jullie elkaar nog een keer zien?' vroeg Eva dwars door enkele pikante ontboezemingen heen waar ze zich liever geen voorstelling bij maakte.

'Nee, natuurlijk niet, lieve sprookjes-Eva!' lachte Mira aan de andere kant van de lijn. 'Wat ben je toch ook een eeuwige romanticus.'

Het geluid van een tingelend theelepeltje tegen de zijkant van de mok bracht Eva terug bij haar eigen onschuldige bedavontuur. Ze voelde zich inmiddels prima op haar gemak in het gezelschap van haar Italiaanse huisgenoot.

'Wat heb je tot nu toe geleerd op school?' vroeg Massimo.

'Heel veel woordjes. En een paar handige werkwoorden, zoals 'zijn' en 'hebben',' antwoordde Eva.

Massimo drong erop aan dat ze de werkwoordrijtjes van *essere* en *avere* voor hem opdreunde en dat deed ze. Ze vond het wel spannend om Italiaans te praten tegen een echte Italiaan die ze ook nog eens echt leuk vond. Vooral uit angst dat ze net zo'n lelijk accent had als die akelige Günther uit haar klas.

'*Brava*,' zei Massimo toen ze de rijtjes in één adem had opgenoemd. Hij lachte en Eva voelde zich trots.

'Weet je, we kunnen wel vaker samen oefenen als je wilt. Ik kan je huiswerk nakijken en gesprekken met je voeren,' stelde Massimo voor.

Eva kon zich geen betere invulling van haar middagen in Rome voorstellen. 'Oké, dat lijkt me leuk,' zei ze, met een glimlach van oor tot oor.

Ze praatten verder over van alles en nog wat. Eva leerde dat Massimo tijdelijk in deze kamer woonde, die eigenlijk bedoeld was voor internationale studenten van de taalschool. Omdat hij bevriend was met een van de docenten, had hij geregeld dat hij twee maanden in de kamer mocht verblijven terwijl zijn eigen verdieping verbouwd werd. Massimo vertelde dat hij in maart achtentwintig was geworden en dat hij een baan had als projectmedewerker bij *Ferrovie dello Stato*, de Italiaanse variant van de Nederlandse Spoorwegen. Hij hield zich vooral bezig met computertechniek, waar Eva niet veel van snapte. Normaal gesproken vond ze het oersaai om naar jongens te luisteren die over computers, websites en aanverwante zaken vertelden, maar van Massimo kon ze het hebben. Hij was het tegenovergestelde van de computernerds wier slaapverwekkende verhalen ze op de hogeschool weleens had moeten aanhoren.

'Maar, hoe komt het dan dat je zo vroeg thuis bent? Werk je niet op donderdag?' vroeg Eva.

Massimo begon te lachen. 'Ik zal je een heel handig Italiaans woord leren: *sciopero*. Weet je wat dat betekent?'

Eva schudde haar hoofd.

'Staking,' zei Massimo. 'Een van de grootste hobby's van ons Italianen is staken. Voor meer geld, meer vrije dagen of ja, gewoon om maar weer eens te staken. Je zult gauw genoeg merken dat het openbaar vervoer vaker staakt dan je lief is.'

'Goed om te weten.'

'Precies. Dat je niet denkt dat ik lui ben of zoiets.'

De ringtone van Massimo's iPhone onderbrak hun conversatie. '*Scusa*,' zei hij tegen Eva en hij drukte de telefoon tegen zijn oor. '*Ah Andrea! Come stai?*' hoorde ze hem zeggen.

Eva maakte dankbaar gebruik van het moment om haar ogen goed de kost te geven. Ze kon uren blijven kijken naar de manier waarop Massimo zijn hand door zijn donkere haren haalde en naar de spieren die hij aanspande in zijn gebruinde bovenarmen. Wat was hij adembenemend knap. Ze kon zich niet herinneren dat ze dat soort gedachten ooit over Mark had gehad.

'*Scusa, carina. Devo andare.*'

Eva keek op en veerde van schrik overeind. Massimo had zijn telefoongesprek beëindigd en graaide zijn jas en zijn elegante schoudertas bij elkaar. Hmm, hij had kennelijk erg veel haast om naar Andrea te gaan – wie dat dan ook mocht zijn. Eva liep achter Massimo aan zijn kamer uit. Voor haar eigen kamerdeur, die vlak naast de zijne uitkwam, bleef Eva tegenover hem staan. Ze voelde zijn naar kamille geurende adem op haar gezicht, zo dichtbij stond hij.

'Zie ik je morgen weer om samen huiswerk te maken?' vroeg Massimo.

Eva kon niets anders dan knikken en nakijken hoe hij in rappe tred de gang en de voordeur uit liep.

Ze ademde één keer diep in, alsof ze dat al enige tijd had nagelaten, en dribbelde toen snel haar eigen kamer binnen. Ze moest nú weten wat het woord *carina* betekende! Haar vingers bladerden minder snel door het woordenboek dan Eva wilde, maar uiteindelijk kwamen ze aan op de juiste bladzijde. Ongeduldig gleden ze over alle Italiaanse woorden beginnend met een c, *caricatura, carico, carillon*, tot ze aankwamen bij het woord dat ze zocht. Eva vond een betekenis die een stuk prettiger was dan 'domme zeekoe'. Achter *carino* stonden drie Nederlandse woorden die Eva allemaal aanstonden: Massimo vond haar lief, aardig en bekoorlijk!

7

'Wacht even!' Eva kreunde en zuchtte alsof ze drie marathons in de benen had. In werkelijkheid had ze nauwelijks drie meter gefietst. Haar gezicht was rood aangelopen en haar wenkbrauwen hingen laag boven haar ogen.

De taalschool organiseerde in de avonden en de weekends allerlei extra activiteiten om de Italiaanse cultuur en de taal beter te leren kennen. Daarom zat Eva samen met Mira, An, Catlijne en een heleboel andere studenten op zaterdagmiddag op de fiets. Of beter gezegd: fietsje. De tweewielers van het verhuurschuurtje leken gemaakt voor het formaat lilliputter en fietsten bijzonder zwaar. Eva's ketting was er al af geschoten, nog voordat ze goed en wel op het zadel was gesprongen. Gelukkig was er een handige Nederlandse jongen in het gezelschap aanwezig, voor wie het opnieuw omleggen van de ketting een peulenschil was.

'Kom, kom,' zei Mira opgewekt terwijl ze Eva met het simpelste gemak passeerde. Behulpzaam plaatste ze haar hand op Eva's voorovergebogen rug. 'Straks gaan we weer bergafwaarts.'

'Pfff, volgende keer huren we wel een scooter, hoor,' zuchtte Eva.

Gelukkig had Mira wel gelijk. Een minuut later zoefde Eva omlaag in het park, achter haar medestudenten en leraar

Stefano aan. Villa Borghese was een hoger gelegen park, aan de noordkant van Rome. Het lag net iets boven Piazza del Popolo: een druk, ovaalvormig plein, geflankeerd door twee identieke schattige kerkjes, waar de studenten zich ongeveer een halfuur geleden verzameld hadden.

Eva snoof wat van de frisse buitenlucht op. Nu ze bergafwaarts suisde, genoot ze met volle teugen van het uitgestrekte, groene park. Het rook er ook groen en dat deed Eva denken aan het bos waar ze vroeger vaak met haar ouders en haar hond wandelde, op natte, herfstachtige ochtenden of warme nazomermiddagen. De dag had alles in zich om een perfecte zaterdag te worden, ware het niet dat haar klasgenoot Günther een smet op het blazoen vormde.

'*Ciao* Eva,' zei hij met diezelfde afstotelijke blik die hij Eva de hele week al had toegeworpen.

'*Ciao*,' bromde ze terug. Zoekend keek ze om zich heen. Waar waren haar vriendinnen als ze hen nodig had? Mira, An en Catlijne waren te hevig verwikkeld in een gesprek om Eva's subtiele gebaren op te vangen.

'*Come stai?*' vroeg Günther.

'*Bene, grazie. E tu?*' Het leek alsof Eva niet zelf praatte, maar een bandje afdraaide met standaardzinnen.

'*Molto bene,*' zei Günther.

Eva had geen zin om met hem te praten. En als ze geen zin had om met iemand te praten, dan deed ze dat ook niet. Ongemakkelijk zwijgend fietsten Günther en zij een tijdje naast elkaar. Stiekem wenste Eva dat hij tegen een paaltje zou knallen of per ongeluk een ravijn in zou fietsen.

'Heb je zin om vanavond ergens wat te eten? Alleen wij tweeën,' stelde Günther voor. Hij was overgeschakeld op Engels, want dit voerde voor hun beperkte Italiaanse kennis nog te ver. Het idee om een hele avond naar zijn gezicht te kijken en eten rond te zien gaan in zijn mond, verafschuwde Eva.

'Ik kan vanavond niet,' loog ze. Iets beters kon ze zo snel niet verzinnen. Het leek wel alsof ze haar hersenen vanmorgen vergeten was aan te zetten.

'Oké, jammer,' zei Günther. 'Maar ik blijf het proberen, net zo lang tot je 'ja' zegt.'

'*Questo è un teatro*,' zei leraar Stefano tijdens de eerste stop. Eva was hem dankbaar voor de redding uit haar ongemakkelijke conversatie met Günther, ook al kon het haar geen bal schelen of ze naar een theater of een hooischuur stond te kijken. Stefano deed zijn verhaal in het Italiaans, zodat de studenten hun taalbegrip konden testen. Eva begreep, mede dankzij een gevorderde studente naast haar, dat het gebouw een Brits theater nabootste en dat op de nabijgelegen baan paardenrennen georganiseerd werden.

Toen ze hun weg vervolgden, slalomde Eva kriskras langs haar medestudenten. Alles om maar niet meer naast Günther te hoeven fietsen. Ze voelde zijn blik van een afstand in haar rug priemen.

Na een rondje door het rustgevende park met een prachtig uitzicht over een deel van Rome, fietsten ze de drukke stad tegemoet. Tot Eva's grote verbazing reden ze rechtstreeks een fietspad op. En dat in een land en een stad waar motorvoertuigen de onbetwiste nummer één waren.

'Moet je haar zien,' zei Eva en ze knikte in de richting van een meisje dat gevaarlijk heen en weer schommelde op haar fiets.

'Die Amerikanen kunnen écht niet fietsen,' zei Mira hoofdschuddend.

De studenten voor Eva stonden plotseling stil en ze moest vol op de rem. De fiets had een twee keer zo lange remweg als haar oude barrel in Utrecht. Zo verrassend als het fietspad begon, zo verrassend eindigde het ook.

'Wat is dat nou voor fietspad? Het houdt ineens op!' zei Mira verontwaardigd.

'Er staat niet eens een bordje bij!' zei Eva.

An en Catlijne, die nog net op tijd konden remmen om Eva en Mira te ontwijken, schoten in de lach. 'Die bordjesdrang van jullie Nederlanders is echt niet doorgedrongen tot in het land van de laars, hoor,' zei An.

'*Andiamo!*' brulde Stefano. Hij maakte er driftige armbewegingen bij.

De groep fietsende studenten voegde zich tussen het gewone verkeer op de weg, tot groot ongenoegen van de toch al fervent toeterende weggebruikers. Links en rechts zoefden scooters en auto's voorbij en hoewel Eva niet vaak het woord tot God richtte, greep ze nu toch wel haar kans om een schietgebedje te doen.

'Dit is echt met gevaar voor eigen leven!' schreeuwde Eva om boven het woeste verkeerslawaai uit te komen.

'Wat?!' blèrde Mira, omgedraaid op haar fietsje, terug.

'Kijk nu maar voor je!' gebaarde Eva.

Onderweg passeerde de groep enkele gebouwen en monumenten, waarover Eva naderhand niet veel meer kon vertellen. De verkeerschaos slokte het grootste deel van haar concentratie op. Ze was blij op het moment dat Stefano hen een rustigere parallelweg op stuurde, waar ze weer groepsbreed naast elkaar konden fietsen en rustig konden in- en uitademen.

'Dit is het stadion van AS Roma,' vertelde Stefano met zichtbare trots. Hij was duidelijk fan van AS Roma en niet van Lazio Roma, de andere voetbalclub die de stad rijk was.

'Italianen rijden als *pazzi*,' zei Catlijne en ze schudde meewarig haar hoofd.

'Als wat?' vroeg Mira.

'Als gekken.'

Catlijne sloeg de spijker op z'n kop. Wat een chaos was het voor het stadion. Eva keek haar ogen uit. Ze vond het ongelooflijk hoe de scooters en auto's langs elkaar manoeuvreerden om ergens een schots en scheve parkeerplaats te bemachtigen. Hoe konden ze daar na afloop van het duel nu uit rijden?

'Moet je hem zien! Hij staat gewoon te pissen!' schreeuwde An. Ze wees naar een supporter, die in de veronderstelling was dat hij een rustig plekje had gevonden om nog even ongezien te plassen voor aanvang van de wedstrijd. Tot An de aandacht van de voltallige studentengroep op hem vestigde. Zo snel als hij kon, probeerde hij zijn aandrang af te breken en de trappen op te sprinten richting het stadion.

Toen de groep verder fietste, schoof Mira naast Eva. Uitvoerig begon Mira te vertellen over een televisieshow die ze gisteravond samen met An en Catlijne had gekeken op een van de vele Rai-kanalen. 'Die presentatrices zijn echt té erg! Ze hebben allemaal van dat nepplatinablonde haar en superhoge hakken aan. En dan zitten ze allemaal heel druk tegen elkaar te schreeuwen. Zó vermoeiend! Ik snap niet dat Italianen daar graag naar kijken.'

Mira keek opzij en kreeg steeds beter in de gaten dat Eva alleen maar dromerig voor zich uit zat te staren en geen woord volgde van wat ze zei. 'En nou, toen viel een van de kandidaten ineens dood neer!'

Met een ruk keek Eva naar rechts. 'Wat?'

'Hè, hè, Eef is terug op aarde. Vertel, waar zit je met je gedachten?'

Zonder dat Eva het wilde, voelde ze dat haar wangen een kleur kregen.

'Aha! Dat gaat vast over die lekkere Italiaan in je huis! Hoe heet hij ook alweer?'

'Massimo.'

'Massimo,' imiteerde Mira haar vriendin op een overdreven dromerige manier. 'Sorry, Eef. Ik houd mijn mond al.'

Eva vertelde over de afgelopen twee middagen met Massimo. Hoe hij in zijn nonchalante outfit in de gang op haar stond te wachten, als ze de voordeur openzwaaide. Althans, dat maakte Eva ervan, in de hoop dat het waar was. 'En daarna hebben we heel gezellig op de rand van zijn bed thee zitten drinken.'

'Ja, ja, thee zitten drinken,' zei Mira met een grote grijns op haar gezicht. Met haar vinger drukte ze haar onderste ooglid iets naar beneden, om aan te geven dat zij iets heel anders verstond onder 'theedrinken'.

'Ik bedoel echt gewoon theedrinken, hoor!' schoot Eva in de verdediging. 'Hij noemde me trouwens wel *carina*. Weet je wat dat betekent?'

Mira schudde haar hoofd.

'Lief, aardig, bekoorlijk,' dreunde Eva de drie mogelijke vertalingen op, die ze nooit van haar leven meer zou vergeten.

'Ik ben blij voor je,' zei Mira. Ineens was ze bloedserieus. 'Hij klinkt als een heel leuke jongen. Veel leuker dan die stomme Mark.'

'Hij werd alleen wel gebeld door ene Andrea en verliet toen op stel en sprong het huis.'

'Dat zegt toch niks? Misschien is het een collega of een vriendin. Of zijn zus.'

'Misschien,' zei Eva. 'Weet je, eerlijk gezegd denk ik helemaal niet meer zo vaak aan Mark.'

'Goed zo!' reageerde Mira.

'Vind je dat dan niet raar? Het is pas vier weken geleden dat het uitging.'

'Nou en? Fijn toch!' zei Mira. 'Je bent niet verplicht om een jaar in de rouw te zijn, omdat hij er zo nodig met een of andere voetbaltrien vandoor wil gaan! Je bent in Rome en je hebt elke dag een heerlijke Italiaan voor het oprapen. Weet je wat jij moet doen? Gewoon genieten en eens niet zo veel nadenken.'

Eva voelde zich haast duizelig worden. De woorden van Mira tolden nog na in haar hoofd. Eva wist dat haar vriendin gelijk had en dat het nu de perfecte tijd was om de touwtjes eens wat te laten vieren, precies zoals ze zich voorafgaand aan haar Italiaanse avontuur ten doel had gesteld. Daar, te midden van een Romeinse wijk waar ze nog niet eerder was geweest, sprak Eva met zichzelf af dat het genoeg was met haar eeuwige getwijfel.

'Dank je,' zei Eva, maar Mira hoorde haar al lang niet meer. Die ging helemaal op in de nieuwe toeristische trekpleister waar Stefano en de rest van de studenten voor gestopt waren.

'Dit is Ponte Milvio, ook wel de liefdesbrug genoemd,' vertelde de leraar. Stefano wees op alle kleine en grotere sloten die aan lantaarnpalen en hekken bevestigd waren. Het waren er ongelooflijk veel. Al die slotjes symboliseerden een eeuwige liefde tussen twee geliefden. Het was een zeer populair gebruik geworden na het boek *Ho voglia di te* van de jonge Romeinse schrijver Frederico Moccia. Volgens Stefano had de burgemeester zelfs maatregelen moeten nemen om te voorkomen dat de brug zou bezwijken onder het gewicht van al die sloten.

'Wat een leuk verhaal,' vond Mira toen Eva het even later in het Nederlands aan haar uitlegde. 'Misschien moeten jij en Massimo ook zo'n slotje eraan hangen.'

'Of jij en Bart,' zei Eva. 'Hoe gaat het eigenlijk met jou en Bart? Mis je hem?'

Mira haalde haar schouders op. Aan haar gezicht zag Eva dat ze het een pijnlijk onderwerp vond en er liever niet over wilde praten. 'Ja, ik mis hem wel. Maar ook weer niet,' zei Mira. Ze had moeite de woorden uit te spreken. 'Om heel eerlijk te zijn, vind ik het ook fantastisch om lekker in mijn eentje op avontuur te zijn.'

'Hoe bedoel je in je eentje?' plaagde Eva.

'Gewoon, in mijn eentje, zonder hem. Wel samen met jou. Nou, je snapt toch wel wat ik bedoel?'

Eva knikte.

Mira keek een andere kant op en staarde voor zich uit. 'Volgens mij is dat niet zo'n goed teken. Of wel?'

'Het is maar net wat je daar zelf voor oordeel aan hangt. Je mag toch ook zonder hem genieten? Jij bent nog steeds Mira!' zei Eva. 'Weet je wat jij moet doen? Gewoon genieten en eens niet zo veel nadenken!'

De vriendinnen schoten in de lach. 'Ja, bedankt voor dat wijze advies, Eef. Van welk bijzonder intelligent persoon heb je dat gehoord?' grapte Mira.

Eva's glimlach zakte weg toen ze besefte dat Stefano en hun medestudenten allemaal uit het zicht verdwenen waren. 'Shit! Ze zijn allemaal weg! Weet jij de weg terug naar Villa Borghese?' vroeg ze.

'De weg terug naar wat?' vroeg Mira.

Dat was ook eigenlijk een stomme vraag, bedacht Eva. Ze was geen vriendinnen geworden met Mira omdat ze uitblonk in oplettendheid en een uitmuntend richtinggevoel.

'Wat moeten we doen? Net nu ik geen kaart bij me heb!' zei Eva. Hoewel ze net met zichzelf had afgesproken dat ze zich niet meer zo druk zou maken om elk wissewasje, voelde ze toch een lichte paniek opkomen.

'Nou, we hebben vijf Italiaanse lessen gehad en er zijn genoeg mensen op straat om de weg aan te vragen. Aan wie jíj de weg kunt vragen, want ik heb niet zo goed opgelet in de les,' verbeterde Mira zichzelf.

Mira zei het alsof het een heel simpele opdracht was, maar toch zag Eva er als een berg tegen op. Ze probeerde in haar hoofd de les van afgelopen donderdag af te stoffen en naar boven te halen. Toen hadden ze in het conversatiegedeelte letterlijk zo'n dialoog geoefend.

'Oké. Wie zullen we vragen? Haar?' wees Mira.

Eva keek naar links en zag een vrouw aan komen lopen die eruitzag als een verwilderde straatkat die al dagen niet gegeten had. De aanblik alleen al boezemde Eva angst in. 'Nee, zij lijkt me niet zo aardig. En hij?'

Net toen Eva voldoende moed had verzameld om op een onberispelijk uitziende zakenman af te stappen, beantwoordde hij zijn rinkelende BlackBerry met een gehaast '*pronto*'.

'En zij dan?' Mira knikte zo onopvallend mogelijk in de richting van een ouder echtpaar, dat hand in hand de liefdesbrug op liep. Eva vond ze meteen de meest schattige bejaarden die ze ooit in haar leven had gezien. Heel anders dan de oudjes die ze tegen het norse lijf liep op de gang in Sint Joseph, het bejaardentehuis waar haar oma woonde.

'*Scusi*,' zei Eva beleefd.

'*No, no, no*,' zei het oude vrouwtje. Met de angst in haar ogen en haar handtas zo stevig mogelijk onder haar arm geklemd, liep ze aan de hand van haar bejaarde minnaar in gezwinde pas verder.

'Nou ja zeg!' zei Eva verontwaardigd. 'Ze deed net of ik haar tas wilde jatten of zo!'

Mira had de tranen over haar wangen lopen en kon niet meer praten van het lachen. Haar fietsje, dat ze tussen haar benen geklemd had, viel neer op de grauwe stoeptegels.

Net toen Eva dacht dat haar beeld van Italianen, dat ze zo ontzettend gezellig en gastvrij waren, van geen kant klopte, voelde ze een zachte hand op haar arm.

'*Vi posso aiutare?*' vroeg een oude man met een gezellige buik. Hij sprak de woorden expres langzaam en duidelijk uit, waardoor Eva begreep dat de man hen wilde helpen.

'*Si, cerchiamo la Piazza del Popolo,*' zei Eva verrassend vloeiend.

Ah! Piazza del Popolo, dat was makkelijk te vinden volgens de oude Italiaan. '*Attraversare la strada, poi la terza a destra e allora: la Piazza del Popolo.*'

'*Mille grazie!*' zei Eva dankbaar.

'*Si, grazie,*' zei Mira. Ze sprak de 'ie' nog steeds verkeerd uit, maar Eva had de hoop allang opgegeven. De glimlach waarmee Mira Italiaans sprak, compenseerde haar belabberde uitspraak.

'*Di niente,*' zei de man. Hij klopte nog eenmaal bemoedigend op Eva's arm en vervolgde toen zijn langzame pas.

'Aaaahhh. Wat een lief mannetje,' zei Eva. Ze was helemaal vertederd, en niet te vergeten trots dat ze de weg 'in het echt' had gevraagd!

'Ja, echt wel,' zei Mira. 'Ik ben alleen afgehaakt na 'de straat oversteken'. Dus ik hoop dat jij hem wel begrepen hebt?'

'Ja,' zei Eva zelfverzekerd. 'Eerst de straat oversteken en daarna de derde straat rechts.'

Na een moeizame fietstocht langs trage stoplichten, onoplettende voetgangers, scheurende scooters en ziekenwagens met loeiende sirenes, bereikten Eva en Mira als allerlaatsten het schuurtje van de fietsverhuur in Villa Borghese.

'Waar waren jullie nou? We dachten dat er iets ergs was gebeurd!' zei Catlijne toen ze de twee aan zag komen rijden.

'We gaan nú telefoonnummers uitwisselen, want dit slaat natuurlijk nergens op in de eenentwintigste eeuw,' zei An. Ze griste een glinsterende Samsung uit haar broekzak en sloeg daarin de mobiele nummers op van Eva en Mira, die op hun beurt de Belgische nummers aan hun contacten toevoegden. De rust was meteen terug. Nu ze elkaars telefoonnummers hadden, zouden ze nooit meer bang hoeven zijn dat ze elkaar niet konden vinden.

'Wat zullen we morgen gaan doen?' vroeg Catlijne.

'O, wacht! Ik weet iets. Weten jullie wat ik graag wilde doen vóór we naar Rome gingen?' zei Eva. Drie paar nieuwsgierige ogen keken haar aan. Vier paar, als ze die van Günther meetelde. 'Ik heb op Google Earth gezien dat je achter Trastevere en het Vaticaan een heuvel hebt, de Gianicolo, vanwaar je heel mooi over Rome kunt uitkijken.'

Mira en An wisselden een veelzeggende blik uit. 'Eh, en dus?' vroeg An.

'Nou, dat is toch leuk?' zei Eva. Ze had gehoopt – en stiekem verwacht – dat haar vriendinnen zouden juichen als ze haar idee opperde. 'Ja, daar lekker zitten met eten en drinken, uitkijken over Rome en een beetje mijmeren over de toekomst. Ik wil toch écht een keer goed nadenken over mijn studie.'

'Nou, dat doe je maar een keer zonder ons,' zei Mira. Ze lachte erbij en bedoelde er niets kwaads mee. Het was meer dat hun ideeën over een leuke dagbesteding soms nogal uiteenliepen.

'Ik weet iets beters: laten we lekker relaxen en daarna een pizza eten en cocktails drinken in die gezellige wijk bij jou, Eva,' stelde An voor. Catlijne en Mira stemden daarmee in en Eva uiteindelijk ook. Ze wilde natuurlijk geen spelbreker zijn. Toch bleef haar mijmerplan rondzoemen in haar hoofd. Misschien had Mira gelijk en moest ze dat inderdaad maar een keer in haar eentje gaan doen. Dan kon ze ook veel beter nadenken over haar studiekeuze.

Net iets te dichtbij zag Eva opnieuw Günthers schijnbaar onuitwisbare glimlach opdoemen. Hij stond met zijn mobiele telefoon in de aanslag. Wat stond hij daar nou akelig te grijnzen? Had hij hun gesprek net afgeluisterd? Wat moest Günther toch van haar?

74

8

'*Non andare via! Accorciamo le distanze*,' hoorde Eva door de muren heen. Ze lachte in zichzelf. Massimo hield ervan om muziek te luisteren met de volumeknop op tien en zelf even hard mee te zingen. Daar kon Eva elke dag goed van meegenieten dankzij het dunne wandje dat hen van elkaar scheidde. Massimo had een aangename stem, dus daar had Eva geen problemen mee.

Twee dagen eerder hadden ze onder het mom van samen huiswerk maken voor het eerst naar Italiaanse muziek geluisterd. Massimo had een flinke verzameling cd's van de zanger Nek liggen, waarvan hij alle liedjes woordelijk kon meezingen. Hij had Eva van het nummer dat hij nu draaide, *Lascia che io sia*, woord voor woord uitgelegd wat de zanger ermee bedoelde. Uiteraard hadden de teksten nagenoeg allemaal betrekking op de liefde. En anders wel op de hunkering naar liefde of de pijn van een gebroken liefde. Met rode koontjes had Eva naar Massimo's vertalingen geluisterd en diezelfde nacht in haar bed, met slechts dat dunne wandje tussen hen in, gedroomd dat hij die mooie zinnen tegen haar sprak. Vervolgens zoende hij haar zo vol passie als alleen Italianen dat konden. Als Eva de Bouquetreeks mocht geloven tenminste, want zelf had ze daar nog steeds geen ervaring mee.

Hè, wat stond ze nou te dagdromen! Ze moest opschieten om op tijd bij Mira te zijn. Eva en Mira zouden boodschappen doen om daarna samen met de twee Belgische meiden gezellig te koken bij hen thuis. Elke dag uit eten gaan konden de meiden nu eenmaal geen hele maand volhouden. Ergens halverwege hun ver uit elkaar liggende huizen hadden Eva en Mira in een koffiebarretje afgesproken, dat zich vlak bij een supermarkt bevond.

'*Arrivederci, Massimo,*' zei Eva toen ze haar hoofd de hoek om stak. Massimo had zijn kamerdeur bijna altijd openstaan en Eva maakte daarvan graag gebruik door heel vaak binnen te lopen voor 'urgente' vragen.

'*Ah Eva, dove vai?*' Massimo vroeg waar ze naartoe ging. Ze hadden er een gewoonte van gemaakt de korte gesprekjes in het Italiaans te voeren. Eva wilde de taal graag beter leren en Massimo ontpopte zich tot een buitengewoon toegewijde leraar.

'*Da Mira, per mangiare,*' antwoordde Eva.

'*Mangiare, molto bene,*' zei Massimo. Hij sloeg zijn armen over elkaar. 'Maar wanneer gaan wij nu eens samen uit eten?'

De vraag overrompelde Eva en ze hakkelde een aantal onsamenhangende letters en kreten. Tot ze een woord wist te vormen: '*Domani?*'

'*Va bene,*' antwoordde Massimo en tevreden zwaaide hij haar uit.

Een date met Massimo! *Domani.* Morgen al! Natuurlijk waren alle middagen op het randje van het bed – die steeds verder opschoven naar het midden van het bed – ook een soort dates. Maar samen uit eten gaan, dat was pas het echte werk.

Eva snelde de deur uit en voelde direct de wind in haar gezicht slaan. Ze kon niet wachten om het aan Mira te vertellen. Ondanks de tegenwind leek het alsof ze door de Romeinse straten zweefde.

Binnen een mum van tijd zag ze het koffietentje al opdoemen. Toen ze het raam passeerde, glinsterde een bos blonde haren haar tegemoet. Die moest van Mira zijn. Vlak voordat Eva de drempel over stapte, hield ze haar pas in. Mira was namelijk verwikkeld in een gesprek met een aantrekkelijke Italiaanse man. Een zeer onderhoudend gesprek, zo te zien. Mira en de man – Eva schatte hem ergens eind twintig, begin dertig – hadden duidelijk weinig behoefte aan het beschermen van hun eigen ruimte. Hun gezichten raakten elkaar bijna, op een neuslengte na, terwijl ze staand aan de bar een cappuccino en een espresso nuttigden. De man veegde een pluk haar uit Mira's gezicht en fluisterde iets in haar oor, waar Mira vervolgens als een verlegen pubermeisje om giebelde. Eva had het gevoel alsof ze in een zoetsappige film was beland. Het tafereel dat ze stiekem vanaf de drempel volgde, paste helemaal niet bij haar nuchtere vriendin. Romantisch gedoe, zwermen vlinders in de buik, de vindt-hij-me-nu-wel-of-niet-leuk-twijfels; dat was meer Eva's werk.

'Eva! Hoi, *ciao*,' zei Mira toen ze haar vriendin in de deuropening zag staan.

'Sorry dat ik iets te laat ben,' zei Eva.

'O, maakt niet uit, joh. Ik, eh, heb me wel vermaakt,' zei Mira. Aan haar gezicht en lichaamshouding las Eva af dat Mira zich betrapt en opgelaten voelde.

'Zoiets vermoedde ik al, ja,' zei Eva. Ze verplaatste haar blik van Mira naar de charmante man, die met een even charmante glimlach terugkeek.

'*Sono* Eva.' Ze stak haar hand naar hem uit.

'Giovanni.' Hij beantwoordde haar hand met twee zoenen op haar wang, iets wat in Italië een stuk sneller gebeurde dan in Nederland. Daar moest je eerst drie verjaardagen uitzitten voordat het beleefd handen schudden plaatsmaakte voor de hartelijke zoenfase.

'*Piacere*,' antwoordde Eva, wat zoveel betekende als 'aangenaam kennis te maken'. Waarom wist ze niet, maar ze had haar bedenkingen bij Giovanni. Ondanks zijn onweerstaanbare uitstraling rook ze op de een of andere manier onraad.

'*A presto, principessa?*' zei Giovanni met zijn blik strak

op Mira gericht.

'*Si, a presto*,' antwoordde Mira. Met een zeldzame dromerigheid over zich keek ze hem na en zo bleef ze nog een tijdje naar de open deur staren.

Dat die gladde Italiaan haar vriendin zijn 'prinsesje' noemde, stond Eva helemaal niet aan. Ze bewoog haar hand op en neer voor Mira's gezicht, dat langzaam haar richting op draaide. 'Zo, ben je daar weer?'

'Ja, ja, ik ben er weer,' zei Mira. 'Ik was iets te vroeg en toen ontmoette ik Giovanni. We hebben heel gezellig gepraat.'

'Het zag er inderdaad nogal gezellig uit,' zei Eva om haar vriendin uit te dagen.

'Zeg, je hoeft niet te doen alsof we hier ik-weet-niet-wat hebben gedaan, Eef. We hebben gewoon koffiegedronken en gekletst, meer niet.'

'Hmhm. Nou, kom, laten we boodschappen halen. De rest hoor ik later wel.'

'Er is helemaal geen rest!' sputterde Mira tegen. Ze liet zich aan Eva's arm meeslepen naar de nabijgelegen Spar.

Zoals altijd duurde het even voordat de vriendinnen het menu hadden bepaald. Eva wilde het liefst met een duidelijk boodschappenlijstje de schuifdeuren door, terwijl Mira de voorkeur gaf aan ter plekke bedenken waar ze zin in had. De gebruikelijke moeizame conversatie volgde.

'Waar heb jij zin in?'

'Hmm, ik weet niet. En jij?'

'Pasta. Maar risotto vind ik ook goed, hoor.'

'Risotto. O ja, dat kan ook. Of lasagne, maar dat duurt wel lang.'

Na uitvoerig overleg besloten de vriendinnen risotto te maken met grote roze garnalen erin, een uitje, champignons, paprika en een stuk verse Parmezaanse kaas. Ze trokken ook een flesje chianti uit de schappen, en nog eentje voor de zekerheid.

Met witte tasjes vol heerlijk eten en drinken vervolgden de vriendinnen hun weg richting Mira's huis in de wijk ten noorden van het Vaticaan. Ze praatten niet. Eva genoot van de omgeving, van het Sint-Pietersplein met de indrukwekkende, symmetrische zuilengalerij die ze doorkruiste, en gewoon van de mensen en het leven van alledag dat zich voor haar ogen afspeelde. Met een schuin oog zag ze dat Mira volledig opging in zichzelf in plaats van in de wereld om haar heen.

'Ik wil niet zeuren, hoor, maar loop je niet wat hard van stapel?' vroeg Eva zo voorzichtig mogelijk. Mensen op hun onhebbelijkheden wijzen vond ze een van de lastigste dingen om te doen. Vooral omdat ze het zelf ook niet leuk vond om te horen dat er iets aan haar mankeerde.

Mira stopte met lopen. 'Lekker dan. Dat zeg ik toch ook niet tegen jou?'

'Sorry, zo bedoelde ik het niet,' zei Eva. Hoe harder Mira ging praten, hoe zachter de woorden uit Eva's mond klonken. 'Ik wil gewoon niet dat je iets doet waar je later spijt van krijgt. Ik bedoel met Bart.'

'Je zei anders zelf dat ik gewoon mocht genieten. Zonder hem. Als Mira.'

'Dat heb ik inderdaad gezegd, ja. Maar daarmee gaf ik je nog geen vrijbrief om vreemd te gaan.'

Mira trok haar meest chagrijnige gezicht en keek demonstratief de andere kant op, naar de muur die de immense Vaticaanse musea omsloot.

'Laten we er maar over ophouden,' zei Eva. Ze trok Mira aan haar arm en ging tegenover haar staan. Het laatste wat Eva wilde, was ruziemaken met haar beste vriendin, en al helemaal niet om een Italiaanse vent die ze een halfuur geleden nog niet eens kende.

'Ik, ja, ik weet het ook even niet meer,' zei Mira. 'Ik twijfel gewoon heel erg aan mijn gevoelens voor Bart. Het lijkt wel alsof ik hem helemaal niet leuk meer vind.' Ze haalde een keer diep adem. 'Normaal ben ik niet zo, dat weet jij net zo goed als ik. Maar Giovanni, hij is zo...' Mira zocht naar het juiste woord. 'Zo romantisch.'

'Dat ik jou dat nog eens zou horen zeggen,' zei Eva en ze

lachte. Het waren haar zaken ook helemaal niet, al zou ze het erg jammer vinden als Bart na al die maanden van het toneel verdween. Eva vond Mira en Bart een superleuk stel, terwijl haar bij Giovanni juist een onbehaaglijk gevoel bekroop.

'Kom hier, jij.' Mira omhelsde Eva, midden op het drukke looppad, en knuffelde haar net zo lang als ze daar zin in had. Van de voetgangers die hun pas moesten inhouden om de menselijke blokkade te ontwijken, trokken Eva en Mira zich niets aan.

Vrolijk lachend om allerlei onbenulligheden vervolgden ze hun weg naar Mira's huis. Eva liep achter haar vriendin het ruime trappenhuis door omhoog, tot ze aankwamen op de derde etage.

'*Ciao!*' riep Mira toen ze de deur opende.

'*Ciao!*' riepen An en Catlijne in koor terug vanuit de huiskamer.

'O, de huisbazin is thuis,' zei Mira zachtjes tegen Eva toen ze de lange jas van haar hospita aan de kapstok zag hangen. 'Ik waarschuw je alvast: ze is een beetje… apart.'

Het bereiden van de risotto ging gepaard met de nodige onhandige botsingen, die leidden tot veel hilariteit. De keuken in het huis van Mira, An en Catlijne was zo klein dat je er met vier personen nauwelijks in paste, laat staan dat je er met vier man sterk nog je kont kon keren. Eva stond in het uiterste hoekje rechts, haast in de koelkast, de champignons in dunne plakjes te snijden.

'Hè, ga nou toch eens aan de kant,' grapte An toen ze een mesje nodig had uit de la waar Eva tegen aangedrukt stond.

'Het zal mij benieuwen of die risotto ooit af komt,' lachte Eva.

'Dat komt helemaal goed,' zei Catlijne. 'Ik zet nú het vuur aan. Zijn de champignons al gesneden?'

'Bijna.'

Mira zat ondertussen op de houten keukentafel en keek toe hoe de anderen aan het werk waren. Ongedurig wipte ze haar been heen en weer, tot ze ineens een idee had en op de grond sprong. 'Weet je wat? Ik maak alvast de chianti open, dan maak ik mezelf ook nog nuttig. Tenzij iemand daar bezwaar tegen heeft.'

'Hoezo zou iemand daar bezwaar tegen hebben?' vroeg An.

'Eh, An, denk je wel aan je...' Catlijne hield midden in de zin haar mond.

'O ja,' zei An en ze verliet op stel en sprong de keuken, de doormidden gesneden paprika op een snijplankje achterlatend.

Eva en Mira keken haar onbegrijpend na en richtten toen hun vragende blikken op Catlijne.

'O, niks hoor,' reageerde Catlijne luchtig. De rode kleur die ze kreeg vertelde echter een ander verhaal.

'Weet je het zeker? Laatst in dat koffietentje zei je ook...' ging Eva stug door.

'Weet ik, weet ik. Niks aan de hand, geen zorgen,' zei Catlijne. Een kind kon zien dat ze loog, maar ze gaf het niet toe. 'Wil jij die paprika even afmaken?'

'Ja, hoor,' zei Mira en ze sneed de resterende glimmend rode groente in smalle reepjes.

De risotto smaakte heerlijk en dat de meiden zo ongeveer bij elkaar op schoot zaten, gaf het eten nog een extra dimensie. Mira schonk de glazen nog een keer vol tot de eerste fles chianti leeg was.

'Lekker, hè?' zei Mira. Ze goot nog een slok naar binnen van een van de heerlijkste wijnen die ze ooit had gedronken. De smaak was niet te vergelijken met de bocht die ze in haar favoriete Utrechtse kroeg voorgezet kreeg.

Plotseling vulde een kreun de kleine ruimte.

'Iemand is het roerend met je eens dat het lekker is!' zei An.

Vier blikken schoten van de een naar de ander, voordat ze het alle vier uitproestten van het lachen.

'Wat is dat?' vroeg Eva in de hoop dat het geluid niet was wat ze dacht dat het was.

'Wíe is dat, kun je beter vragen,' zei Mira. 'Nou, dat is

dus onze huisbazin.'

Opnieuw proestten ze uit, helemaal toen An de meest afschuwelijke gezichten trok op de momenten dat een zucht of kreun de keuken binnendrong.

'De huisbazin houdt er een nogal onstuimig leven tussen de lakens op na,' legde Catlijne zachtjes uit.

'Om kwart voor acht 's avonds?' vroeg Eva met een halve blik op de klok.

'Kwart voor acht 's avonds? Kwart voor acht 's ochtends? Eén uur 's middags? *Non importa!*' zei An.

De rest van de avond bleven de meiden melig, ruimte voor een serieus gesprek was er niet. Zeker niet toen de huisbazin met de haren door de war haar slaapkamer uit kwam zetten, met de meest behaarde man die de meiden ooit hadden gezien. En hadden willen zien. Eva verafschuwde het idee dat ze ooit tegen zo'n beer aan zou liggen. Toen de huisbazin en haar minnaar erbij kwamen zitten in de woonkamer, hadden de meiden de grootste moeite om hun lachen in te houden en te doen alsof ze hevig verdiept waren in de zoveelste oppervlakkige spelshow op tv. Mira hield het helemaal niet meer toen ze zag dat de harige man per ongeluk zijn gulp open had laten staan.

'*Vino*,' verklaarde ze haar onbeleefde lachbui tegenover de huisbazin.

Eva had in lange tijd niet zo dubbel gelegen van de lach. Haar ongemakkelijke gevoelens, haar twijfels over Massimo's gevoelens voor haar en de nog veel grotere twijfels over haar studie die elke dag wel ergens in haar hoofd sluimerden, werden volledig naar de achtergrond verdreven.

Even wierp Eva een blik op An, die zich heerlijk had genesteld op de versleten bank en onbezorgd de wereld in keek. De vlucht van An uit de keuken en de onbevredigende verklaring van Catlijne die erop volgde, waren allang opgestegen en vervlogen. Maar ondanks alle afleiding en lachbuien was Eva het voorval zeker niet vergeten.

9

'Je ziet er prachtig uit, Eva,' zei Massimo.

'*Grazie*,' zei Eva en ze voelde zich op slag verlegen worden. Tevreden keek ze naar beneden, naar het zwarte jurkje dat ze had aangetrokken. Samen met de licht glimmende panty en de donkerroze pumps met bijpassend ceintuur voelde Eva zich fashionable en sexy. Ze was blij dat Massimo er net zo over dacht.

Daar had ze namelijk een behoorlijke voorbereidingstijd voor nodig gehad. Thuis – want zo voelde het inmiddels – had ze menigmaal voor de stoffige spiegel in haar kamer van links naar rechts en weer terug gedraaid, om diverse outfits te keuren. Het grootste deel van haar meegebrachte garderobe had ze geprobeerd. Haar kamer was getransformeerd tot één grote kledingbende, vergelijkbaar met zo'n vreselijk onoverzichtelijke uitverkooptafel bij de H&M, waar Eva uit principe nooit en te nimmer in wroette. Steeds zuchtte ze en liet ze haar armen werkeloos langs haar lichaam bungelen. Keer op keer besloot ze dat het wéér niet goed genoeg was. Niets leek goed genoeg voor haar date met Massimo. Geen wonder; in haar hoofd had ze die avond al veel te belangrijk gemaakt. Vanaf het allereerste moment dat Eva haar Italiaanse huisgenoot had ontmoet, had ze reikhalzend naar dit ogenblik uitgekeken en er bijna elke nacht over gedroomd.

Terwijl Massimo een tafeltje voor hen regelde in zijn favoriete *ristorante*, keek Eva om zich heen. De sfeer beviel haar wel. De tafeltjes, gedekt met rood met wit geruite kleedjes, stonden niet allemaal recht. Samen met de verkleurde foto's aan de muren oogde de ruimte gezellig rommelig, vond Eva. Er was in het hele restaurant geen toerist te bekennen en dat leek haar een goed teken.

Stiekem luisterde ze mee met de conversatie tussen Massimo en de oude ober en ze kon bijna alles volgen. Haar kennis van de Italiaanse taal verbeterde met de dag en daar was Eva heel blij mee. Haar maag knorde opnieuw. Eva kon maar moeilijk wennen aan het late tijdstip waarop Italianen hun avondeten tot zich namen, zo tegen acht of negen uur. In Nederland at ze het liefst stipt om zes uur. Of soms zelfs al om halfzes, als een echte Hollander.

'*Siediti*,' zei Massimo en hij trok een stoel voor Eva naar achteren.

'*Grazie*,' zei Eva nog een keer. Met haar linkerhand streek ze nog snel even over haar haren, om te voorkomen dat er rare pieken rechtovereind op haar hoofd stonden. Dat zou toch zonde zijn van alle tijd die ze aan haar uiterlijk had besteed.

Daar zat ze dan. Eva kon haast niet geloven dat ze weer een afspraakje had na haar pijnlijke liefdesverdriet om Mark. En dan nog wel met een jongen als Massimo. Een charmante Italiaan, met een bijna perfect uiterlijk en een warme stem die zangerige Italiaanse woorden tegen haar sprak. De zenuwen gierden door haar lijf. Als ze maar geen stomme dingen zou zeggen. Of nog erger: als er maar geen spinazie van haar voorgerecht tussen haar tanden zou blijven kleven, waar ze dan pas twee uur later, na het dessert, achter zou komen nadat ze een aantal keren hard had gelachen. Toen dezelfde oude ober twee menukaarten op hun tafeltje neerlegde, besloot Eva dat ze beslist geen spinazie zou bestellen.

'Weet je, Eva,' zei Massimo en hij hield toen zijn mond.

Eva zat letterlijk en figuurlijk op het puntje van haar stoel.

Nee, natuurlijk weet ik het niet! schreeuwde een ongeduldige stem vanbinnen.

'Weet je dat ik nog nooit zo'n leuke huisgenoot heb gehad?' zei hij dertig heel lange seconden later.

Eva glimlachte een beetje rozig naar hem. Ze had al een glas wijn leeggedronken voordat ze een hap had gegeten. Hoewel ze het haast bestierf van de trek, had ze haar hoofd geschud toen Massimo haar een broodje uit het versleten mandje voorhield. Ze kreeg geen hap door haar keel nu ze zo dicht tegenover de jongen zat voor wie ze er zulke warme gevoelens op na hield.

Daarbij wist Eva niet goed wat ze van zijn opmerking moest denken. Was het eigenlijk wel zo positief dat Massimo haar net zijn 'huisgenoot' had genoemd? Stiekem hoopte ze toch op een duidelijke, niet voor andere uitleg vatbare liefdesverklaring van zijn kant van de tafel. Maar misschien moest ze ook eens ophouden zo veel te verwachten. Goed, Massimo was altijd erg vriendelijk tegen haar, lachte om haar en hielp haar met veel plezier met haar huiswerk. Maar dat hoefde nog niet te zeggen dat hij Eva mooi en aantrekkelijk vond of verliefde gevoelens voor haar koesterde.

Eva werd moe van zichzelf en zuchtte per ongeluk hardop.

'Wat is er?' vroeg Massimo. Hij keek lichtelijk bezorgd naar haar. 'Vind je het niet leuk hier?'

'Jawel! Absoluut,' zei Eva snel. 'Ik ben een beetje moe van het studeren. Dat is alles.' Dat was gelogen. Van die vier uur Italiaanse les en tweeënhalve huiswerkoefening per dag kon toch geen mens moe worden.

'Dan maken we het vanavond niet te laat, *cara*,' zei Massimo.

Shit, wat had ze nu weer gezegd? Eva wilde helemaal niet vroeg naar huis! Integendeel. Ze wilde zo lang tegenover deze mooie Italiaan zitten als mogelijk was. Opnieuw zuchtte ze, maar deze keer hield ze haar zucht wel veilig binnen.

De vriendelijke ober kwam aanlopen met twee voorgerechten en daar was Eva hem erg dankbaar voor. Ze voelde dat haar maag zich omdraaide van alle spanning, vermengd met wijn, en dringend behoefte had aan voedsel om de boel te neutraliseren.

'Vertel eens, Eva. Wat doe je als je niet hier *in Italia* bent?' vroeg Massimo. Hij werkte een grote hap spaghetti naar binnen en stoorde zich er duidelijk niet aan dat er enkele slierten uit zijn mond bungelden.

Eva schoot in de lach, mede veroorzaakt door de zenuwen en de wijn, en legde Massimo uit dat je zo in Nederland niet kon eten. En zeker niet in een restaurant.

'Jullie snijden de spaghetti in stukjes?' Massimo schudde ongelovig zijn hoofd. Zijn blik was veelzeggend. '*Ma dai.* Nou, hier mag je gewoon zo eten. Spaghetti hebben we niet uitgevonden om netjes te eten.'

Op slag voelde Eva zich meer ontspannen. Ze liet de spieren in haar lichaam, die ze kennelijk al een hele tijd had aangespannen, voor de eerste keer die avond los.

'Maar nu heb je nog geen antwoord gegeven op mijn vraag.'

Hmm, Eva had een volhouder tegenover zich zitten. Daar hield ze wel van, aangezien ze zelf ook behoorlijk hoog scoorde op de schaal van volhardendheid.

'Ik ben twee jaar geleden begonnen aan de studie Communicatiemanagement. Communicatie, pr, marketing, ik leer alle disciplines steeds beter kennen,' vertelde Eva.

Op Massimo's voorhoofd zag ze voorzichtige denkrimpels verschijnen toen ze verder vertelde over haar studie. 'Bespeur ik daar een lichte twijfel in je stem?' vroeg hij. Het was meer een constatering dan een vraag.

Eva viel stil en haalde haar schouders op. Hoe kon het dat deze jongen, die ze nog niet eens twee weken geleden had ontmoet, zo de spijker op z'n kop sloeg? Ze richtte haar ogen op het smoezelige tafelkleed. Voor het eerst durfde Eva eerlijk tegen zichzelf te zijn en de twijfels over haar studie hardop uit te spreken. Maar Massimo daarbij recht in zijn ogen kijken, dat was net even te moeilijk. 'Tja, ik twijfel inderdaad aan die studie. De laatste tijd steeds meer,' zei Eva.

De vragen die Massimo stelde, zetten Eva stuk voor stuk behoorlijk aan het denken. De date waarover ze van tevoren zo veel zoete dromen had gekoesterd veranderde in een compleet andere, nogal confronterende avond. Het leek haast alsof Eva op stap was gegaan met een spiegel die geen genade kende.

'Waar droomde je als klein meisje van?' was de volgende vraag die Massimo op haar afvuurde.

Inmiddels stond de volgende gang op tafel. Eva had moeite het vele praten en eten met elkaar te combineren. Het probleem dat ze weleens te veel at als ze naar een restaurant ging, daar had ze vanavond geen enkele last van. Eva mocht blij zijn als ze de helft van alle gangen op tijd naar binnen wist te werken.

Poeh, wat een levensvraag, dacht Eva. Haar hersenen moesten flink aan het werk, aangezien ze over die kwestie sinds het begin van haar studie niet meer had willen nadenken. Het was ook niet alsof ze al heel haar leven één vastomlijnd toekomstbeeld had gehad. Ze kon weleens jaloers zijn op mensen die precies voor ogen hadden wat ze later voor werk wilden doen. Sommige wisten dat zelfs al voordat ze de basisschooldeuren achter zich dichttrokken. Ze waren er dan al heilig van overtuigd dat ze piloot wilden worden, of arts, en werden dat uiteindelijk ook.

Zo was het bij Eva niet gegaan toen ze een meisje van een meter twintig was, met twee blonde staartjes en verwassen kleren met vlekken erop. De ene dag wilde ze een stoere politieagent worden, de volgende dag hondentrainer of lerares. Dat was er niet veel beter op geworden toen ze haar eindstand van een meter zesenzestig had bereikt. Ze had diverse open dagen bezocht toen ze nog op de middelbare school zat en ook meerdere malen tegenover haar decaan gezeten. Hoewel Eva dat mens vaak genoeg bespotte met haar vriendinnen, vanwege haar afzichtelijke oogschaduw of naar koffie geurende adem, had de decaan haar wel gewezen op een groot talent: schrijven. Tot grote ergernis van haar medeleer-lingen won Eva in de klas standaard alle verhalenwedstrijden. Bovendien schreef ze geregeld verhalen voor de schoolkrant. Haar decaan had gevraagd of journalistiek niet wat voor haar was. Voor het eerst had Eva toen níet haar wenkbrauwen in een lelijke frons getrokken.

'Het is niet dat ik altijd al wist wat ik wilde worden,' begon Eva aarzelend te vertellen. Massimo keek haar nog steeds aan met die grote, geïnteresseerde ogen van hem. Ze moest moeite doen om niet weg te smelten, want dan zou ze geen zinnig woord meer kunnen uitkramen. 'Behalve dat ik al van jongs af aan van schrijven houd. Verhalen, scenario's, gedich-ten. Al was ik niet zo goed in dat laatste genre,' zei Eva met een gezonde portie zelfspot.

Massimo lachte terug. 'Doe je dat nog steeds?' vroeg hij.

'Nou ja, wel voor school natuurlijk en ik vind het leuk om mijn weblog bij te houden, maar daar houdt het wel mee op. Om eerlijk te zijn wilde ik na de middelbare school journa-listiek gaan studeren.'

'Waarom heb je dat dan niet gedaan?' vroeg Massimo.

'Het is gewoon zo lastig dat zo veel mensen journalist wil-len worden en dat er steeds minder werk is. Kranten worden dunner, tijdschriften verdwijnen, de omroepen moeten bezuinigen. En trouwens, volgens mij ben ik er ook veel te verlegen en te bescheiden voor.' Eva trok het kastje met prak-tische bezwaren open dat ze de laatste jaren veelvuldig had gebruikt.

Massimo was in geen enkel opzicht onder de indruk van die argumenten. 'Ja, dat kun je over andere beroepen net zo goed zeggen. Er zijn ook veel mensen die zanger of acteur willen worden. Of directeur. Als je zo denkt, kom je nooit ergens, *cara*.' Hij nam een slok rode wijn. In de grote karaf die Eva en Massimo samen deelden, restte nog slechts een zielig bodempje. 'Als jij dat wilt en als jij daar goed in bent, dan kom je er wel. Bescheiden of niet. Ook als je moet win-nen van honderd of duizend of honderdduizend anderen.'

Massimo nam de laatste slok wijn en zette zijn glas terug op tafel. Hun borden en glazen waren inmiddels bijna leeg. Hij legde een hand op Eva's linkerarm, die ze op de tafel om haar andere arm had gevlochten. Eva kreeg het prettig warm van zijn aanraking. Hij keek haar recht aan. 'Waarom probeer je het niet alsnog? Je bent nog hartstikke jong!' Massimo zei het op een manier zoals alleen Italianen dat konden, compleet met gepassioneerde mimiek en versterkende gebaren.

'Je hebt op zich wel gelijk, maar het past niet bij me om zomaar te stoppen met die studie. Of met wat dan ook. Ik maak altijd af waaraan ik ben begonnen,' sputterde Eva in een laatste poging tegen. Ze keek naar het tafelblad.

'Op zich? Natuurlijk heb ik gelijk!' zei Massimo. 'En waarom zou je iets afmaken als je het écht niet leuk vindt? Daar heeft niemand iets aan en jijzelf al helemaal niet.'

'Oké, *bene*, je hebt helemaal gelijk,' zei Eva. Massimo's energie werkte aanstekelijk. Eva voelde zich met de seconde zekerder van haar zaak worden.

'Ik heb een idee,' zei Massimo. 'Een goede vriend van mij werkt als verslaggever bij een krant, *La Repubblica*. Ik kan wel vragen of je volgende week een dag met hem mee mag lopen? Dan kun je met eigen ogen zien of het journalistschap wat voor je is.'

Eva's ogen lichtten op. 'Dat lijkt me fantastisch! Kun je dat regelen, denk je?'

Massimo knikte. 'Maar natuurlijk!'

Eva kon niet wachten tot het zover was. Wat spannend!

Massimo's telefoon trilde op het tafelblad. In de gauwigheid zag Eva de naam 'Andrea' oplichten op het display. Alweer. Massimo excuseerde zich en zei *pronto* in de hoorn. Andrea was kennelijk heel grappig, want Massimo lachte veelvuldig om haar.

Na de tweede gang dronken Eva en Massimo nog een pittige espresso en deelden ze een tiramisu, waarvan Eva de heerlijke smaak eenmaal buiten het restaurant nog steeds in haar mond proefde. Even dacht ze terug aan de Makro-tiramisu van haar voormalige baas Piet, die zeer lullig afstak tegen dit ware Italiaanse meesterwerk. Die espresso kon Eva wel gebruiken nadat Massimo en zij geen druppel hadden overgelaten van de karaf rode wijn.

'Poeh, wat is het koud,' zei Eva. De wind sloeg direct stevig in haar gezicht toen ze achter Massimo aan over de ongelijke keitjes liep. Overdag was het doorgaans heerlijk warm zomerweer, maar 's avonds en 's nachts kon het flink afkoelen.

'Koud?' Massimo sloeg een arm om Eva heen en ze kroop nog iets dichter tegen hem aan. 'Laten we naar huis lopen en nog een *camomilla* drinken samen.'

'Goed idee,' zei Eva.

De hele terugweg naar hun gezamenlijke onderkomen aan de Via della Lungara hield Massimo haar op die manier vast. Eva voelde zich heerlijk onder zijn schouder en vond het jammer dat hij zijn arm moest weghalen om de sleutel van de zware, bruine voordeur te zoeken.

Direct na binnenkomst liep Eva naar de keuken en zette ze een pannetje water op het vuur voor de kamillethee. Het enige waar ze nog over na kon denken, was hoe het zou zijn om met Massimo te zoenen. Of zou hij nu ineens van alles uit de kast halen om haar meteen tussen de lakens te krijgen? Straks lag hij naakt op zijn bed op haar te wachten! De wildste gedachten schoten door haar hoofd, maar die werden gelukkig onderbroken door de eerste kleine belletjes die in de steelpan verschenen.

Toen ze met de twee dampende mokken thee – Eva had expres de grootste bekers gepakt die ze in de rommelige keuken kon vinden – Massimo's kamer binnenliep, had hij zich zoals altijd op zijn bed genesteld. Gewoon met zijn spijkerbroek en sweater aan, natuurlijk. De cd van Nek, die Eva intussen wel kon dromen, speelde op de achtergrond. Massimo was verdiept in een tijdschrift en fronste zijn wenkbrauwen op een manier die hem nog aantrekkelijker maakte.

'Alsjeblieft,' zei Eva en ze zette de bekers voorzichtig neer op het tafeltje voor het bed.

Massimo keek op uit zijn tijdschrift en sloeg het dicht.

'Je mag wel blijven lezen, hoor,' zei Eva vlug.

'Dat zou wel erg onbeleefd zijn na zo'n leuke avond met jou,' zei hij en hij ging rechtop zitten.

Eva ging naast hem zitten. 'We hebben het de hele avond vooral over mij gehad. Vertel jij nu maar eens iets over jou.'

'Wat wil je weten, *cara*?' vroeg hij met een mysterieuze glinstering in zijn ogen.

'Van alles. Eh, wat voor werk je precies doet, bijvoorbeeld.'

'Je wilt serieus meer weten over computers? Nou, dat denk ik niet. Volgens mij vraag je dat meer uit beleefdheid.'

'Misschien,' zei Eva. Ze beantwoordde zijn glimlach met een glimlach.

'Het is nogal ingewikkeld en voor jou waarschijnlijk nogal saai.'

'Eigenlijk past dat saaie helemaal niet bij je,' vond Eva.

Massimo lachte. 'Dank je. Laten we het er maar op houden dat dit mijn nerdkant is. Verder ben ik een stuk minder saai, hoor.'

'Nou, vertel daar dan maar wat over.'

Massimo vertelde over zijn voorliefde voor sporten, en dan met name oosterse vechtsporten. Over zijn grote familie, met ontelbaar veel ooms en tantes en neefjes en nichtjes, waar hij zich heel erg bij thuisvoelde. Massimo was oprecht verbaasd toen Eva vertelde dat de familiebanden in Nederland steeds meer tot los zand aan het verworden waren.

'Zonde. Eeuwig zonde,' vond hij. 'Weet je wat leuk zou zijn? Als ik je een keer meeneem naar mijn familie. Dan zul je wat meemaken.'

Hij goot de laatste slok thee zijn keel in. Vermoeid liet Massimo zich op zijn rug vallen op zijn bed. Hij mompelde wat onverstaanbare kreten, die leken te klinken als *ma dai* of *mamma mia*, de uitspraken die geregeld aan zijn mond ontglipten.

Eva nam ook de laatste slok en keek ondertussen van opzij naar Massimo. Ze wilde niets liever dan hem zoenen, eindelijk haar lippen op zijn onweerstaanbare mond drukken. Ze zette haar lege mok neer op het bijzettafeltje en liet zich ook achterovervallen. Ze schoof iets dichter naar Massimo toe, tot hun lichamen elkaar raakten.

10

De vuilniswagen stond zoals elke ochtend te grommen voor het raam. Inmiddels wist Eva – hoe slaapdronken ze ook was – dat het dan tussen halfzeven en zeven uur was en dat ze nog heel even onder haar deken kon doorbrengen. Langzaam werd Eva wakker en ze trok met veel moeite haar oogleden een stukje omhoog. Ze voelde meteen een akelige hoofdpijn opkomen. Het felle licht dat door het raam de kamer in scheen, deed pijn aan haar ogen, zo op de vroege ochtend. Waarom had ze de gordijnen eigenlijk niet dichtgedaan voordat ze ging slapen?

Eva tilde haar hoofd een stukje op van het kussen en keek slaperig om zich heen. Het duurde een tijdje voordat ze werkelijk terug was in de gewone wereld en besefte dat ze niet op haar vertrouwde vliering lag. Het stalen kunstwerk bij het raam droeg een Afrikaanse doek met een even lelijk, maar ander motief dan ze gewend was. De kledingstukken die over een stoel hingen, waren onmiskenbaar van een man. Bij het zien van de donkere haren op het kussen naast haar wist Eva het helemaal zeker: ze was in de kamer van Massimo!

Verschrikt schoot ze overeind, waardoor ook Massimo de eerste tekenen van leven begon te vertonen. Hij kreunde zoals mensen dat doen als ze net wakker worden en er alles voor overhebben om nog een paar minuten in hun warme bed te mogen blijven liggen. Eva tilde de deken een stukje omhoog en zag tot haar grote opluchting hetzelfde zwarte jurkje dat ze de avond ervoor na lang wikken en wegen had uitgekozen. Het was wat opgekropen en zat licht gedraaid rond haar taille, maar ze was tenminste niet bloot. In de gauwigheid zag ze dat Massimo zijn spijkerbroek en lichtgrijze sweater ook nog aanhad. Dat betekende dat ze het vast niet met elkaar hadden gedaan. Het zou toch zonde zijn als dat gebeurd was, zonder dat Eva zich er ook maar één fragment van kon herinneren. De vraag bleef wat er dan wél was gebeurd: hadden ze gezoend en elkaar de liefde verklaard? Of was het bij praten gebleven? Of hadden ze zo'n haast gehad om seks met elkaar te hebben, dat ze niet eens de moeite hadden genomen hun kleren uit te trekken? De watten die Eva in haar hoofd voelde, werkten niet bevorderlijk voor het denkproces.

Massimo rekte zich onder de deken uitgebreid uit en draaide zich vervolgens naar Eva om. Hij wreef de slaap uit zijn ogen en glimlachte naar haar. Eva vond dat hij er schattig uitzag en hoopte dat hij dat ook van haar zou vinden, ondanks de verschrikkelijke smaak die ze in haar mond proefde en de make-up waarvan ze zeker wist dat die niet meer op de juiste plek op haar gezicht zat.

'*Buongiorno, bella,*' zei Massimo met een rauwe ochtendstem.

'*Buongiorno,*' zei Eva. Ze schraapte haar keel toen ze merkte dat haar stem oversloeg. Een kort ogenblik keken ze elkaar diep in de ogen. Eva voelde een aangename tinteling door haar buik trekken.

'Hoe laat is het?' vroeg Massimo.

Eva duwde zichzelf iets verder overeind om de rode cijfers van zijn alarmklok te kunnen zien. 'Het is bijna kwart over zeven.'

'*No!*' Massimo wierp de deken met kracht van zich af en draaide zijn benen naar de rand van het bed. Eva schrok ervan, maar voordat ze adequaat kon reageren sprintte hij de

kamer al uit, richting de badkamer, waar Eva een aantal tellen later het geluid van kletterende waterstralen vandaan
hoorde komen.

Daar lag ze dan. Alleen. In het bed van een knappe Italiaan.
Ze ging rechtop zitten, trok haar knieën op en vlocht haar
armen eromheen. Met haar kin rustend op het puntje van
haar knieën probeerde ze het laatste uur van de avond
opnieuw af te draaien. Ze zag zichzelf bij thuiskomst de keuken in lopen en thee maken voor haar en Massimo, zoals ze
dat bijna elke avond deed voordat ze naar bed ging. Maar
deze keer was ze niet naar haar eigen bed gegaan, maar was
ze kennelijk bij Massimo in bed beland.

'Ik moet snel gaan,' zei Massimo vanuit de deuropening.
Eva keek naar hem terwijl hij zijn blouse haastig dichtknoop-
te en ondertussen zijn voeten in zijn nette, zwarte schoenen
probeerde te wringen.

'Eh, oké,' zei Eva. Ze was nog te slaperig om met een beter
antwoord te komen.

'Zie ik je snel weer?' vroeg Massimo.

Eva knikte, en weg was hij. De voordeur viel met een doffe
klap dicht en toen wist ze even helemaal niet meer hoe ze zich
voelde. Massimo liet haar in zijn bed liggen terwijl hij naar
zijn werk vertrok; zo leek het wel alsof ze al jaren een relatie
met elkaar hadden!

Haar ogen schoten door de kamer. Dit was een kans, een
uitgelezen kans, om ongestoord in zijn spulletjes te neuzen en
meer over zijn leven te weten te komen. Nee, dat kun je niet
maken, zei Eva tegen zichzelf. Alsof zij het zou waarderen als
Massimo tussen haar ondergoed en foto's ging graaien als zij
de voordeur achter zich dichttrok.

Maar haar nieuwsgierigheid won het uiteindelijk van haar
verstand. Eva sloeg de deken aan de kant en plantte haar voeten op de houten vloer. Ze liep naar de donkerbruine kast die
tegenover het bed stond. De deuren kraakten toen Eva ze
opendeed. Haar ogen gleden langs de planken, gevuld met
kleren, kleren en nog meer kleren. Dat was nog eens iets

anders dan de drie spijkerbroeken, stapel witte T-shirts en het handjevol truien en blouses dat de gemiddelde Nederlandse jongen bezat. Ze trok een grote la open en kon het niet laten de bovenste boxershorts op te pakken. De gedachte aan Massimo in alleen een boxershort deed haar hart sneller kloppen. Eva schudde haar hoofd, vouwde ze weer op en legde ze netjes terug voordat ze de la dichtdeed.

Ze liep naar de eettafel, die bezaaid was met allerlei troep, en vond een foto van hem en wat vrienden – gezien hun gezichten in niet al te nuchtere toestand. Eva moest erom lachen. Zelfs met zijn glimmende wangen en warrige coupe haar zag hij er nog meer dan oké uit. Onder de foto lag een briefje. Hoewel het verkeerd voelde om zoiets persoonlijks te lezen, deed Eva het toch. Ze was ook geen heilige. Zo ging dat nu eenmaal, het was hetzelfde als een ansichtkaart voor een huisgenoot op de deurmat die gewoon 'lees mij!' schreeuwde.

Heel erg bedankt voor alles, Massimo. Ik kan me geen betere vriend voorstellen dan jij. Het briefje dateerde nog niet van zo heel lang geleden, drie dagen voordat Eva in Rome was aangekomen, en was ondertekend door – hoe kon het ook anders – Andrea. Eva legde het briefje terug en maakte een nog grotere rommel van de tafel, zodat Massimo niet kon zien dat zij tussen zijn spullen had lopen loeren. Wie was toch die Andrea? En hoe viel dat te rijmen met Eva's date met Massimo? Die nota bene in zijn bed geëindigd was – op welke manier dat dan ook was geweest.

Haar gedachten ordenen, daar had Eva dringend behoefte aan, en de beste plek om dat te doen was onder de douche. Op het moment dat de warme waterstralen langs haar lichaam naar beneden stroomden en de frisse geur van douchecrème opsteeg, kwam Eva weer tot zichzelf. Eigenlijk moest ze opschieten om naar school te gaan, maar ze wist dondersgoed dat ze daar in deze toestand geen woord van zou onthouden. Ineens bedacht ze dat ze vandaag ook naar het Forum Romanum kon gaan, om daar de hele dag in haar eentje tussen de oude rotsblokken te struinen. Precies zoals ze zich dat voor ze naar Rome vertrok had voorgesteld. Het was een impulsief plan – althans, voor Eva's begrippen. Haar leven was in Nederland, voordat Mark het had uitgemaakt, tot op de minuut nauwkeurig gepland. Maar ze wilde toch zo graag flexibeler worden? Resoluut draaide ze de kraan dicht en besloot ze de les te laten voor wat die was. Ze zou het later wel uitleggen aan Mira, An en Catlijne.

Buiten voelde het zelfs op de vroege ochtend al benauwd aan. De hitte overviel Eva op het moment dat ze de voordeur achter zich dichttrok. Ze begreep nu een heel klein beetje waarom toeristen zo'n lelijke zonneklep op hun hoofd zetten. Nadat Eva een stuk of vijftig voetstappen had gezet, was ze er al aardig aan gewend. Als ze de afgelopen twee weken iets geleerd had, dan was het wel om mee te gaan in het relaxte Italiaanse ritme. Gewoon je tempo met een kwart verlagen, dan verliep alles een stuk prettiger. Eva merkte dat ze met de dag rustiger werd.

Ze bleef stilstaan op een plateau, vanwaar ze een fantastisch uitzicht had over het Forum Romanum. Daarachter schitterde het Colosseum, een bouwwerk dat zelfs vanuit de verte al vreselijk imposant was. Eva was hier voor de eerste keer en genoot met volle teugen. Met de meiden was ze er nog niet aan toe gekomen om dit stuk van de stad te verkennen. Ze waren zo druk geweest met kletsen en cappuccino's drinken, hun Italiaans oefenen en shoppen aan de Via del Corso, dat de culturele activiteiten er volledig bij ingeschoten waren. Zelfs de beroemde Sint-Pieterskerk, die heel dicht bij het huis van Mira, An en Catlijne stond, hadden ze nog niet van binnen bezichtigd.

De monumenten rondom de school hadden ze al wel bekeken, sommige zelfs meerdere keren. Zoals Piazza Navona, de omliggende uitgestrekte *palazzi* en het Pantheon. Op Campo de' Fiori raakte Eva maar niet uitgekeken op de kruidenkraampjes, waar de kruiden in nette piramidevormen naast elkaar te koop stonden. Ze wilde van alles kopen, van zout en peper tot kruiden waarvan ze het bestaan niet wist, maar realiseerde zich elke keer net op tijd dat ze bijna geen tijd had om die kruiden te gebruiken. Vaak ging Eva uit eten en als ze wel zelf kookte, kon ze gebruikmaken van de vele potjes met onbestemde kruiden en specerijen die Massimo en eerdere bewoners daar hadden neergezet.

Bij de Trevifontein, waar Eva's reisgids buitengewoon lyrisch over was, was ze gillend gek geworden van de mensenmassa die zich op het betrekkelijk kleine plein verzamelde. Eva had nog twee andere tijdstippen geprobeerd, een keer vroeg in de ochtend en een keer in de avondschemering, maar het mocht niet baten. Het leek alsof die mensen nooit weggingen, vooral die akelige verkopers met hun kleurige speeltjes waaruit om de haverklap ringen de lucht in schoten, en blikkerig miauwende katjes waar je over struikelde als je niet goed uitkeek. Elke keer weer vroeg Eva zich af wie dat soort prullen in vredesnaam kocht. In nuchtere toestand dan, want An had twee avonden daarvoor na iets te veel heerlijke cocktails ook zo'n piepend beestje aangeschaft.

Het voor Eva nieuw ontdekte gedeelte van Rome overweldigde haar. Ze was zo onder de indruk dat ze de zonnekleppenparade niet eens opmerkte. Eva vond het ongelooflijk om zich voor te stellen dat sommige brokstukken die hier vlak voor haar neus op de grond gedrapeerd lagen uit de tijd vóór Christus stamden. Het Forum was het hart van de klassieke stad geweest. Toen vormden die brokstukken nog hele gebouwen die fier overeind stonden en gingen mensen op deze plek naar de markt of een tempel.

'*Photo, photo?*'

Eva ontwaakte uit haar eigen wereldje toen een meisje uit China of Japan – dat verschil kon ze nooit goed zien – vroeg of ze een foto van haar en haar vriend wilde maken.

'*Of course,*' antwoordde Eva. Ze kreeg direct een hypermoderne camera in haar handen gedrukt en zag op het beeldscherm twee Aziaten met een verschrikkelijke neplach. Hun glimlach zag er zo geforceerd uit dat Eva moeite had haar lach in te houden. Ze gaf de camera terug aan het meisje, dat haar met lichte buiginkjes meer dan drie keer bedankte. Samen met haar vriend liep ze in een driftige draf verder de heuvel op, waar ze aan de andere kant van de grote weg vast een bezoek gingen brengen aan de Markt van Trajanus.

Eva grinnikte hardop. Ze had een keer gehoord dat toeristen uit Azië in drie dagen tijd heel Europa bezichtigden. Dat had ze nooit geloofd, maar nu, na het zien van dit haastige stel, kreeg Eva het gevoel dat dat verhaal weleens dicht bij de waarheid zou kunnen liggen.

Haar mobiele telefoon trilde in haar broekzak. Het was Mira, die sms'te: *Waar ben je? X.* Typisch Mira, die schreef nooit een woord te veel in haar berichtjes. Eva daarentegen typte altijd net zo lang door tot ze alle tekens van het sms'je had opgebruikt. Daar betaalde ze tenslotte voor. In een snel tempo gleden Eva's vingers over de knopjes van haar roze telefoon. *Buongiorno! Ben op het Forum Romanum. Had geen puf voor les. Je hoort het straks wel. Let je goed op, ook voor mij? Thnx!:) Ik bel je vanavond. Bacio!* sms'te ze terug naar haar vriendin.

Na een diepe zucht en een diepe graai in haar portemonnee stond Eva dan echt op het vooraf gedroomde Forum te genieten. Op de middelbare school had ze nooit zoveel opgehad met geschiedenis. Sterker nog, samen met aardrijkskunde was dat het eerste vak dat ze zonder nadenken had laten vallen. Maar sinds Eva achttien jaar was geworden en zelf een aantal keer een stedentrip had gemaakt met vriendinnen, had ze de smaak van historie helemaal te pakken.

Het Forum was een geschiedenisles waar je u tegen zei. Met open mond keek Eva uit over de vlakte met kleine en grote poorten en neergestorte rotsblokken. De zon die er fel op scheen gaf het Forum een warme gloed. Door te lezen in haar moeders reisgids, die inmiddels zijn dienst had bewezen en standaard in haar tas zat, leerde Eva wat de plekken vroeger betekend hadden. De verhoging voor Eva's neus, waarop alleen resten van een trap, een vloer en stukken zuil overgebleven waren, zag er ineens heel anders uit toen ze las dat de Basilica Julia vroeger als rechtbank had gediend. Ze stelde zich voor hoe oude Romeinen hier terecht moesten staan voor het bestelen van een marktkoopman en een buitenproportioneel gewelddadige straf opgelegd kregen.

Nadat Eva het hele Forum had uitgekamd, besloot ze de naastliggende Palatijn op te gaan. Dat was een heuvel, met daarop de resten van de paleizen van een hele rits beroemde keizers van het Romeinse Rijk. In de gids las Eva dat toeristen hier adem konden halen na de drukte op het Forum, en dat vooruitzicht stond haar wel aan. Ze had een flesje Fanta en wat kleffe chocoladecroissantjes die ze stiekem best lekker vond meegenomen en wilde daar op de heuvel in alle rust van genieten. Nou ja, in alle rust. Eva wist dondersgoed dat haar gedachten een loopje met haar zouden nemen vanaf het moment dat ze op een bankje zou neerstrijken en haar reisgids dicht zou slaan. Ze had nog net even snel gelezen dat ze vanaf de Palatijn een 'wervelend uitzicht' had over Circo Massimo.

Massimo. Massimo. Massimo. De naam van haar huisgenoot danste door haar hoofd en duwde alle andere gedachten die ze had zonder pardon aan de kant. Ze dacht terug aan hun eerste ontmoeting, de keer dat ze de slappe lach hadden vanwege de 'kunst' in hun huis, de ontelbare kopjes kamillethee die ze samen hadden gedronken op de rand van zijn bed, de keren dat hij haar *carina* en *cara* had genoemd en zei dat ze er mooi uitzag. En niet te vergeten hun eerste officiële avondje uit samen. Alle leuke en spannende momenten die door haar hoofd flitsten ten spijt, er was slechts één centrale vraag waar het vandaag om draaide: wat was er gisteravond precies tussen hen gebeurd?

Haar ogen bleven hangen op het stadion dat zijn naam droeg. Ze had geen idee waardoor het precies kwam. Misschien kwam het door alle dingen die Massimo had gezegd, door de warme zon op haar lichaam of gewoon door die heerlijke verliefdheid. Maar het deed er niet toe. Het belangrijkste was dat daar, midden op de Palatijn, tegen het einde van de middag, zowel het hoofdstuk 'Massimo' als het hoofdstuk 'toekomst' helder werden. Plotseling herinnerde ze zich, ondanks haar benevelde toestand, het einde van de avond weer. Ze zag Massimo weer op zijn rug liggen, waarbij er een klein randje van zijn gebruinde buik onder zijn sweater uit piepte. En ze zag zichzelf tegen hem aan liggen.

'Zal ik dit liedje voor je vertalen? Dan nemen we daarna afscheid,' had hij voorgesteld.

Eva kreeg een brok in haar keel bij dat vreselijk dramatische woord. Met een paar wijntjes achter de kiezen maakte ze alles nog mooier of nog erger dan ze in nuchtere toestand deed. Afscheid klonk zo definitief en dat moment wilde ze het liefst zo lang mogelijk voor zich uit schuiven. Ze richtte haar blik tot het hoge plafond. De vertaling van het nummer *Lascia che io sia* kon Eva nagenoeg dromen, omdat hij dat liedje al minstens twee keer eerder woordelijk voor haar had vertaald. Ze had alleen niet de behoefte dat geheim met hem te delen. Ze deed niets liever dan luisteren naar zijn warme, Italiaanse stemgeluid. Daarbij kon het haar weinig schelen wat hij precies zei; alle woorden klonken Eva even mooi in de oren.

Toen ze zo naast hem op bed lag, had ze pas gemerkt hoe moe ze eigenlijk was. Haar spieren ontspanden zich en haar oogleden begonnen steeds verder naar beneden te zakken. Hoezeer Eva daar ook tegen probeerde te vechten, haar zware oogleden bleven steeds langer gesloten. Totdat ze dicht bleven en Eva in een heel diepe slaap was gevallen. Oké, ze was dan wel met Massimo in bed beland, maar niet op de manier waarvoor ze stiekem toch een beetje gevreesd had. Niet dat Eva niet met hem naar bed wilde. Ze wilde dan alleen wél alles kunnen navertellen.

Eva veerde overeind van het bankje waarop ze zat. De kruimels van het croissantje dwarrelden naar beneden en belandden tussen de takjes op de grond. Het flesje Fanta rolde langzaam van het houten bankje en kwam met een doffe klap neer. Ze herinnerde zich opeens ook het hele gesprek van gisteravond over haar studiekeuze. De vraag van Massimo, 'waarom probeer je het niet alsnog?', gonsde door haar hoofd. Ineens wist Eva precies wat ze moest doen, of eigenlijk twee jaar geleden al had moeten doen: ze wilde journalistiek studeren en dat ging ze nú regelen. Dan hoefde ze zich in september niet wéér over die strontvervelende marketingtechnieken te buigen.

Uit haar handtas toverde Eva haar mobiele telefoon tevoorschijn. In een glimp zag ze dat het vandaag 15 mei was. Vaag stond Eva bij dat die datum belangrijk was bij opleidingen met een numerus-fixussysteem, zoals journalistiek dat ook hanteerde. Voor het eerst baalde Eva dat ze geen iPhone had. Dan had ze makkelijk even het nummer op kunnen zoeken van de Dienst Uitvoering Onderwijs. Zonder na te denken belde ze 'thuis'.

'Mama! Met Eva, hallo. Ja, goed, heel goed. Met Mira ook, ja, we hebben het erg gezellig. Mijn huis? Ja, mooi.' Vooral mijn huisgenoot, dacht Eva, maar dat zei ze niet. Haar moeder zou steil achteroverslaan als ze wist dat haar dochter met een Italiaan – 'pas maar op, hoor, dat zijn toch allemaal van die onbetrouwbare charmeurs' – in één huis woonde en elke dag op zijn bed zat. Of lag, zoals vannacht. Sommige dingen hoefden moeders niet van hun dochters te weten, ook niet als ze volwassen waren en op kamers woonden. 'Een verjaardag van tante Ans. Goh, wat leuk,' zei Eva quasigeïnteresseerd. 'Hé, maar waar ik voor belde. Kun je mij het telefoonnummer van DUO even sms'en? Ik, eh, wil wat informatie vragen over een andere studie. Voor na de zomer alvast. Maar dat leg ik je later nog wel uit, goed?'

Drie minuten na het gesprek, dat langer duurde dan Eva had gewild door haar moeders uitvoerige familieverslagen en doortastende vragen naar het hoe en waarom van haar telefoontje, ontving Eva het gewenste sms'je. Er stond alleen een telefoonnummer in en *doevoorzichtiggroetjespapmam*. Haar moeder was dan wel behendig met het versturen van sms'jes, de leestekens en spaties kreeg ze maar niet onder de knie.

Eva twijfelde geen moment en belde het nummer dat in het berichtje stond. De rekening zou vast extreem hoog worden, met al die gesprekken vanaf de Palatijn naar Nederland, maar dat was van later zorg. 'Ja, u spreekt met Eva Smit. Ik wil me graag inschrijven voor de opleiding journalistiek in Utrecht.' Ze legde de situatie uit; dat ze momenteel communicatie studeerde aan dezelfde faculteit en graag de overstap wilde maken naar de studie waar ze al een tijdje van droomde. Ook al had ze die droom heel diep weggedrukt in de tijd dat ze met haar volle aandacht bij Mark zat. Maar dat laatste vertelde Eva er natuurlijk niet bij.

De starre vrouw aan de andere kant van de lijn werkte tot Eva's ergernis voor geen meter mee. Ze vroeg of Eva het wel serieus meende, omdat ze zich nu pas aanmeldde voor de opleiding.

'Mevrouw, ik ben hartstikke serieus! Ik sta hier in Rome te bellen vanaf de Palatijn, omdat ik het nu helemaal zeker weet!'

'Tja, mejuffrouw Smit, helaas is de inschrijfdatum voor studies met een loting net verstreken. Het is al vijf uur geweest,' zei de vrouw. 'Ik ben bang dat ik niets meer voor je kan doen. Behalve dat ik je op de reservelijst kan zetten. Als mensen zich terugtrekken, kom je alsnog in aanmerking voor een plekje.'

Shit! Eva kon niet beschrijven hoe erg ze nu baalde. Wist ze eindelijk wat ze wilde, was ze te laat! 'Maar ik ben maar een kwartier te laat,' reageerde ze beteuterd.

'Te laat is te laat,' antwoordde de vrouw.

'Bedankt voor niks,' zei Eva en ze hing op. Reservelijst, hoe durfde ze? Eva wist best dat het kinderachtig was om het gesprek zo af te breken. De vrouw aan de telefoon had de regels tenslotte ook niet zelf bedacht. Maar aan de andere kant: hoe star kon je zijn?

Eva sloot een ogenblik haar ogen om tot bedaren te komen. Ze snoof wat lucht op die het midden hield tussen warmte, smog en een sterk geurende bloem. Eva gokte dat het lavendel was, maar gezien haar belabberde kennis van bloemen kon het evengoed de geur van onkruid zijn.

Toen ze haar ogen opende, stokte haar adem nog sterker dan toen de vrouw van DUO haar verzoek niet had willen inwilligen. Eva's ogen werden naar een jongen met lichtblonde haren toe gezogen. Die jongen vertoonde eng veel gelijkenis met Günther, de Duitse klasgenoot die Eva met de dag meer angst aanjoeg met zijn starende blik en bezitterige gedrag. Ze kneep haar ogen tot smallere spleetjes om haar beeld scherper te stellen. Shit, dacht ze, het is hem echt! Wat deed hij nu hier?

Eva voelde zich spontaan misselijk worden. Alsof ze een vertraagde kater kreeg. Dit kon ze er nu even helemaal niet bij hebben. Schichtig keek ze om zich heen. Voor het eerst in twee weken baalde ze als een stekker dat het zo warm was in Rome en dat de begroeiing in de stad ook geen naam mocht hebben. In een uiterste poging zichzelf te verstoppen dook Eva op de grond, achter het bankje dat uit niet meer onderdelen bestond dan drie smalle planken en twee met mos bedekte poten. Ze hield zich zo stil als ze kon, maar zag vanuit haar ooghoeken de grote gympen van Günther steeds meer haar richting uit sloffen.

'Eva? Wat een toeval,' zei Günther. Hij leek er zelf in te geloven.

'Günther! Nou, zeg,' antwoordde Eva vanaf de grond. Zo van onderaf zag haar Duitse klasgenoot er nog afstotelijker uit.

'Wat doe je daar?' vroeg Günther.

'Eh,' stamelde Eva terwijl haar hersenen hevig kraakten. Wat moest ze hier nu weer van maken? Ze kon zichzelf wel voor haar kop slaan dat ze met zulke zielige noodplannen op de proppen kwam. 'Ik heb mijn, eh, ring laten vallen. Ja, echt zó onhandig van me!'

Günther trok een meelevende blik en hurkte naast Eva neer. Zijn gezicht was slechts een neuslengte verwijderd van het hare. 'Ik help je wel, Eva,' zei hij en hij legde zijn hand op de hare.

Eva schrok er zo van dat ze haar hand in een snelle reflex terugtrok. 'Ja, dank je, Günther,' zei ze. Ze schoffelde met haar zojuist teruggetrokken hand wild door het droge zand, op zoek naar een ring die niet bestond. Eva had de pest aan ringen omdat die haar bij de eerste minuscule zweetdruppel verschrikkelijk begonnen te irriteren. Bovendien had ze slechts een keer in haar leven iets gestolen uit een winkel en dat was omdat ze een ring om haar vinger had geschoven die ze er met geen mogelijkheid meer af had gekregen. Zelfs thuis, na het aanbrengen van slaolie en vaseline, gaf die ring nog geen millimeter mee. Uiteindelijk had ze Mira moeten bellen om haar in het nauw gedreven vinger te redden.

'Laat maar, Günther. Zo erg is het ook weer niet,' zei Eva na vijf minuten zoeken. Ze kon Günther geen seconde langer verdragen. Vlug veerde ze overeind en klopte ze het zand en gruis van haar nieuwe, blauwe zomerjurkje, waar Massimo haar laatst een compliment voor had gegeven. Zonder dat ze daarvoor eerst tien keer door zijn blikveld hoefde te paraderen of er letterlijk naar hoefde te vissen.

Langzaam kwam het grote lichaam van Günther ook overeind. Eva vond dat hij veel te dicht bij haar kwam staan en zette zo achteloos mogelijk een pas naar achteren.

'Zeg, wat brengt jou hier eigenlijk?' vroeg ze.

'Ik hoorde je vriendinnen zeggen dat je hier was.'

'O,' zei Eva. Haar hart sloeg over. 'En sinds wanneer spreek jij Nederlands?'

'Niet. Maar ik kan het wel aardig verstaan. Zeker toen ik jouw naam hoorde,' zei Günther. 'Een les missen is niks voor jou.'

Eva fronste. Wat stond hij nou te lullen? Hij deed net alsof hij haar door en door kende. Ze haalde haar schouders op. 'Ik had gewoon geen zin om naar de les te gaan vanmorgen. Maar als je het niet erg vindt, ga ik nu weer verder. Ik heb, eh, met iemand afgesproken.'

'Oké,' zei hij.

Eva draaide zich om en wilde zo snel en zo ver mogelijk bij Günther vandaan. Dat lukte niet omdat een hand haar ruw bij haar bovenarm greep.

'Als je maar niet met een jongen hebt afgesproken. Dat zou me erg jaloers maken,' zei Günther. 'Weet dat ik je in de gaten houd, *cara*.' Hij keek haar doordringend aan. Nu kreeg ze het écht benauwd door dat bezitterige gedoe. Die jongen leek wel knettergek!

Ze zei niets, wurmde zich los en liep toen in een draf richting de uitgang. Ze keek geen één keer meer achterom. Wat een engerd! En hoe hij *cara* tegen haar zei… Brrr. Ze dacht aan Massimo en wenste dat hij nu hier was om haar als een echte Romeinse keizer tegen haar Duitse stalker te beschermen.

11

'Wat?!' Mira's ogen stonden wagenwijd open. Nog even en haar pupillen zouden uit haar oogkassen schieten.

'Ja, het is echt waar,' zei Eva. Ze richtte haar blik op het stevige schuim van de cappuccino die voor haar neus stond af te koelen. Samen met Mira zat ze in het cafeetje tussen hun twee huizen in, waar Mira eerder de gladde Giovanni tegen het lijf was gelopen. Ze waren aan het enige tafeltje dat in de kleine bar aanwezig was gaan zitten, omdat sommige gesprekken nu eenmaal beter zittend gevoerd werden dan staand.

'Toen stond hij ineens voor mijn neus, midden op de Palatijn! Die engerd. Ik dacht dat ik erin bleef,' zei Eva. Ze maakte er een dramatisch gebaar bij om haar verhaal nog wat aan te dikken.

Mira trok haar wenkbrauwen op. 'Hè? Wat deed Massimo ineens tussen die ouwe resten?'

'O, ik dacht dat je Günther bedoelde.'

'Nee joh,' zei Mira en ze maakte een wegwerpgebaar. 'Ach, die jongen is gewoon zielig. Maar daar heb je echt niets van te vrezen, hoor. Nee, ik had het over je avontuur in je eigen, eh, Circo Massimo.'

Eva voelde het bloed naar haar wangen stijgen. 'O, dat.'

'Ja, dat ja,' zei Mira. Ze leunde achterover op de gammele stoel en sloeg haar armen over elkaar. Haar glimlach ging van

107

oor tot oor. Mira zat te genieten van de verliefdheid en de bijbehorende twijfels van haar beste vriendin. Ze vond het altijd prachtig om te zien hoe Eva, in tegenstelling tot zijzelf, van elke mug een ontzettend dramatische olifant kon maken.

'Ik weet even niet hoe ik het nu moet aanpakken,' zei Eva. 'Ik bedoel, wat had dat briefje van Andrea te betekenen? En al die telefoontjes? Ik krijg het idee dat zij toch wel iets meer is dan gewoon een vriendin.'

'Ik zal je eens vertellen hoe je het moet aanpakken,' antwoordde Mira. 'Had ik je eerder niet al gezegd dat je niet zo veel moet nadenken en gewoon moet dóén? Andrea of geen Andrea. Jij vindt hem toch leuk?'

'Heel leuk. Maar ik weet toch niet of hij mij ook leuk vindt,' zei Eva.

Mira keek alsof Eva zojuist had opgebiecht dat ze in werkelijkheid een man was. 'Ten eerste: hij gaat elke dag samen met je huiswerk maken. Dat doet hij echt niet omdat hij het zo leuk vindt om *so, sai, sa, siamo, siete* en de laatste weet ik even niet meer op te dreunen, of gesprekken te voeren over waar de dichtstbijzijnde *supermercato* is.' Mira nam een flinke slok cappuccino en likte het achtergebleven schuim van haar lippen. 'Ten tweede: jullie zijn uit eten geweest en bij elkaar in bed beland.'

'Ja, maar…'

Mira stak haar hand in de lucht. 'Nee, niet op die manier. Dat heb je me wel genoeg duidelijk gemaakt. Maar naast elkaar wakker worden scoort anders ook best hoog op de schaal van intimiteit.'

Daar kon Eva het alleen maar roerend mee eens zijn. 'Wat vind jij dan dat ik moet doen? Moet ik hem zoenen?'

'Ja. Om te beginnen,' zei Mira met een knipoog. 'Jeetje, Eef. Waarom ben je nou zo onzeker?'

'Omdat, ja, ik heb gewoon nog nooit echt gedate!' reageerde Eva. En zo was het: tussen de eerste zoen met haar Italiaanse vakantievriendje en haar lange relatie met Mark zaten geen noemenswaardige date-ervaringen. 'Nu het uit is met Mark, heb ik duidelijk wat date-advies nodig.'

'Oké. Luister dan maar naar de expert,' grapte Mira. 'Neem het initiatief. Jij hebt alle touwtjes in handen. Als jij in een roze satijnen pyjamaatje in zijn deuropening gaat staan en vraagt of je bij hem mag liggen, dan hoef je echt niet bang te zijn dat hij liever een briefje gaat schrijven aan die Andrea.'

Als Mira het zei, klonk het allemaal zo simpel. Haar vriendin was er een meester in de dingen des levens terug te brengen tot de kern. Niets meer en niets minder, ontdaan van alle ruis.

'Oké. De volgende keer dat ik hem zie, ga ik niet nadenken, maar doen wat in me opkomt,' zei Eva beslist. Ze had al zin om de Nieuwe Eva in de praktijk te brengen.

'Zo mag ik het horen, Eef,' glunderde Mira.

'En met jou en Bart?'

'Wat is daarmee?' Dat was weer typisch Mira, die deed alsof haar neus bloedde.

'Nou, laatst zei je dat je twijfelde aan je gevoelens voor hem. Doe je dat nog steeds?' vroeg Eva.

Mira zuchtte. Ze had geen zin om het erover te hebben, maar begreep ook dat Eva net zo lang zou volhouden tot ze haar een antwoord had gegeven. 'We hebben gisteren ruziegemaakt aan de telefoon. Heel erge ruzie.'

'Waarover?'

'Waar níet over, kun je beter vragen. Ik laat niet vaak genoeg iets van me horen, ik mis hem niet genoeg, ik ga ervandoor met een Italiaan,' somde Mira wat ruziethema's op. 'Ik was er op een gegeven moment zó klaar mee, dat ik boos heb opgehangen. Ik hoef hem echt even een paar dagen niet te spreken.'

'O, wat balen,' zei Eva, en ze dacht na over het advies dat ze haar vriendin wilde geven. Dat hoefde niet meer, want Mira leek ineens in een heel andere wereld te zijn beland. Haar ogen begonnen te twinkelen en ze keek dromerig voor zich uit. Eva kon er geen touw aan vastknopen, tot ze haar gezicht richting de deuropening draaide.

Daar stond Giovanni op de drempel, met zijn perfect gemodelleerde gladde haren, perfect passende maatpak en perfecte schoenen van perfect Italiaans leer. Hij leek rechtstreeks uit een parfumreclame te zijn weggelopen. Giovanni haalde zijn hand door zijn haren en wierp een blik op het scheefhangende schilderijtje tegenover de deur, waar zijn eigen spiegelbeeld in reflecteerde. Zijn gezicht verraadde dat hij genoot van zijn eigen aanblik. Pas toen hij zich los had gewurmd van zijn spiegelbeeld, merkte hij de twee vriendinnen aan het tafeltje op en produceerde hij de meest charmante glimlach die hij in huis had.

Eva keek naar Mira en vroeg zich af wat er met haar nuchtere, niet-romantische vriendin gebeurd was. Tot een zinnige conversatie zou het in deze toestand niet meer komen. Dat terwijl Eva Mira nog wilde vertellen dat haar plan om over te stappen naar de studie journalistiek volledig in het water was gevallen.

'*Ciao*! Aarde aan Mira!' zei Eva terwijl ze wild met haar hand voor Mira's gezicht zwaaide.

Mira hield haar ogen echter onverstoorbaar gericht op Giovanni, die met elegante tred richting hun tafeltje liep. '*Ciao, principessa*,' zei hij zangerig en hij spreidde theatraal zijn armen.

Gadverdamme, dacht Eva, doe niet zo overdreven. Maar Mira dacht daar duidelijk anders over. Ze stond op en liet zich gewillig door zijn gespierde armen omsluiten. Giovanni drukte een welkomstzoen op elke wang. Net iets te dicht bij Mira's lippen om door te kunnen gaan voor vriendschappelijke kussen, als je het Eva vroeg. In de seconden dat Giovanni en Mira elkaar in de ogen keken, voelde Eva zich totaal overbodig. Het gezegde 'je het vijfde wiel aan de wagen voelen' kreeg een heel nieuwe dimensie.

'*Ciao*,' zei Giovanni tegen Eva. Hij gaf haar ook twee zoenen.

'*Ciao*,' zei Eva zonder te laten merken wat ze van hem dacht. Giovanni had wel een paar heel mooie, donkere ogen, dat moest ze hem nageven.

'Laat me nog een koffie voor jullie bestellen,' bood Giovanni galant aan.

'O, dat hoeft niet, hoor,' zei Eva snel.

Mira draaide haar gezicht met een ruk om en wierp haar vriendin een van haar meest dodelijke blikken toe.

'Of misschien toch wel,' herstelde Eva zich.

Giovanni keek met een ietwat meewarige blik van Mira naar Eva en toen weer snel terug naar Mira, zijn 'prinsesje'.

'We moeten wel zo naar die rondleiding,' zei Eva in het Nederlands nadat ze een verontschuldigend gebaar naar Giovanni had gemaakt.

'Ga jij anders alvast maar, dan kom ik zo wel, goed?' zei Mira.

'Weet je het zeker?'

Mira knikte heftig. 'Ja, ja, ik weet het zeker. Ga nou maar. Ik kom er zo echt wel aan.'

'Geen gekke dingen doen, hoor,' zei Eva.

'Geen gekke dingen. Beloofd.'

Eva twijfelde nog steeds. Niet alleen aan de oprechtheid van Giovanni's intenties, maar ook aan Mira's belofte om geen gekke dingen te doen. Maar ze wist evengoed dat Mira een volwassen vrouw was, die haar eigen keuzes maakte. Ook al waren die doorgaans anders dan de keuzes die Eva maakte.

'*Vado a scuola*,' meldde Eva aan Giovanni.

'*Va bene. Arrivederci*,' antwoordde hij. Giovanni was blij dat Eva aankondigde dat ze naar school ging. Hij kon duidelijk niet wachten tot hij Mira helemaal voor zich alleen had. En ook Mira had zichtbaar behoefte aan een privémomentje met Giovanni.

Eva droop af, als een verstoten kat met de staart tussen de benen. Bij de deur bedacht ze zich en liep ze in grote passen terug naar het flirtende stel. Ze trok Mira aan haar arm en keek haar doordringend aan. 'Bart zei die dingen alleen maar omdat hij zo veel van je houdt en omdat hij je niet kwijt wil. Vergeet dat niet, Mira.'

Resoluut draaide Eva zich om en liep ze de koffiebar uit. Ze keek niet meer om. Ze wilde die slijmerige grijns van Giovanni niet meer zien en de verliefde, haast slaafse blik van Mira evenmin. Het enige wat ze nog kon doen, was hopen dat Mira zichzelf op tijd tot de orde zou roepen. Al had Eva daar ernstige bedenkingen bij.

Eva stak de Tiber over, over een van de vele bruggen die op bescheiden afstand van elkaar lagen, en zigzagde door de Romeinse straten richting Scuola Leonardo da Vinci. Gek hoe ze de weg al zo goed kende, ondanks dat ze hier pas twee weken woonde en de straten behoorlijk slingerden.

De eerste dagen was Eva continu verdwaald in een stad die in haar ogen meer weghad van een doolhof. Ze had zich afgevraagd of de persoon die de stadsplattegrond had getekend wel echt door Rome had gelopen, want de afstanden en bochten leken soms nergens op te slaan. Na vijf minuten lopen kwam Eva dan precies op het pleintje uit vanwaar ze haar wandeling was begonnen. De moed was haar een aantal keren in de schoenen gezonken. Zeker omdat Mira wat betreft oriëntatie meer een blok aan haar been was dan dat ze werkelijk iets bijdroeg.

Eva zag al een groepje studenten staan wachten voor de grote poort van de school, die gesloten was omdat het weekend was. Tot haar verbazing zag ze An en Catlijne tussen de studenten staan.

'Hé, *ciao*! Ik wist niet dat jullie ook meegingen,' zei Eva opgewekt. Dat maakte het gemis van haar beste vriendin alvast een beetje goed.

'Dat weten wij ook pas net,' zei An.

'Gaat Mira niet mee?' vroeg Catlijne.

Eva vroeg zich af of de Belgische meiden iets van het bestaan van Giovanni hadden vernomen. 'Eh, Mira wist het ook nog niet. Misschien komt ze zo nog.'

'O, o,' zei An, terwijl ze de linkerkant op knikte. 'Kijk eens wie we daar hebben.'

Dat kon maar één iemand betekenen, dacht Eva, en dat was Günther. 'O, nee hè,' kreunde ze en ze deed haar uiterste best zijn priemende blik te ontwijken.

'Wij beschermen je wel,' zei Catlijne en ze sloeg een vriend-schappelijke arm rond Eva's schouders.

'*Grazie, Catalina*,' zei Eva, op die vreemde manier waarop Italianen 'Catlijne' uitspraken. De Belgische vriendinnen moesten er smakelijk om lachen.

'*Ah! Scusa per il ritardo. Andiamo, andiamo!*' zei een voor Eva onbekende lerares die als een wervelwind aan kwam stuiven. Haar kapsel zag eruit alsof het net getroffen was door een ern-stige windhoos met een harde hagelbui eroverheen. En dat terwijl Eva de hele dag al had gesmeekt om een zuchtje wind dat maar niet kwam.

De lerares gebaarde driftig in de richting van een verborgen straatje en nam de leiding in een straf tempo. Het groepje stu-denten volgde als een kudde makke schapen.

'Jemig, moet dat mens soms de trein halen?' verzuchtte An.

Eva reageerde niet op Ans klaagzang. Ze had het te druk met om zich heen kijken of Mira er al aankwam. Maar Mira was in geen velden of wegen te bekennen en Eva vreesde dat ze nog steeds met Giovanni stond te flirten. Of erger nog… Eva schudde haar hoofd. Mira was verstandig genoeg om te beseffen dat er in Utrecht een heel lief vriendje op haar zat te wachten en dus richtte ze haar volle aandacht op de tour.

De taalschool had deze zaterdag een rondleiding op het programma staan, waar studenten uit alle klassen en van alle niveaus aan konden meedoen. Het groepje dat deelnam bestond doorgaans uit de meest geïnteresseerde studenten, omdat de feestgangers elke buitenschoolse activiteit aan zich voorbij lieten gaan. De rondleiding was geheel in het Italiaans, had de receptioniste aan Eva gemeld. Dat had haar niet afge-schrikt. Integendeel. Het leek Eva wel een uitdaging, zo op de helft van haar taalcursus. En nu Eva had gehoord hoe gehaast de lerares sprak, leek het haar zelfs een bijzon-der grote uitdaging om wijs te worden uit de Italiaanse uit-leg.

'Ik hoop niet dat ze de hele tijd zo snel praat. Dan begrijp ik er niks van, hoor,' zei Catlijne met licht trillende stem.

Eva herkende veel van zichzelf in Catlijne en dat was bij tijd en wijle een behoorlijk confronterende spiegel. Soms zag Eva een eigenschap in Catlijne die ze zelf ook had en die ze eigenlijk best storend vond, als ze er van een afstandje naar keek.

'Ah, joh, maak je niet zo druk,' zei An. 'Dan gaan we toch gewoon weg en een lekkere *vino bianco* drinken? Pizzaatje erbij en mij hoor je niet klagen.'

Eva hijgde en steunde, net als An en Catlijne, om de snelle lerares bij te benen. Tot ze uitkwamen bij een paleis, Palazzo di Montecitorio, en ze eindelijk weer op adem konden komen.

'Nou, dit is wel de laatste keer dat ik meega, hoor,' zei An vermoeid. Haar ogen schoten langs het plein, de oude, hoge gebouwen en het drukke verkeer dat hen omringde. De rondleiding zou zo'n anderhalf tot twee uur duren en Eva zag dat An nu al moeite had om haar aandacht erbij te houden. Dat zou nog wat worden.

'*Benvenuti al tour. Sono Laura e vado a raccontarvi dell'imperatore Augusto,*' sprak de lerares in vloeiend Italiaans. Ze leek wel een waterval, het ging maar door.

Eva's mond viel open. Help, of beter gezegd: *aiuto*. Ze begreep er nu al niks meer van! Behalve dan dat het over keizer Augustus en zijn *orologio* ging.

'Wat is een *orologio*?' vroeg Catlijne zachtjes.

'Dat wilde ik net aan jou vragen,' fluisterde Eva terug. 'Wacht, ik kijk in mijn woordenboek.' Haar vingers zochten snel naar de juiste pagina in het handzame boekje, dat Eva al zo vaak had gebruikt dat de hoekjes versleten waren. 'Shit, staat er niet in. Ik heb echt geen idee. Een horloge ofzo?'

'*Che c'è?*' vroeg de lerares met haar strenge blik strak op Eva gericht.

'*Eh, niente,*' stamelde ze terug. Haar wangen kregen een kleur toen zo'n twintig paar ogen haar aanstaarden.

De lerares hief haar kin op en vervolgde toen haar stortvloed aan uitleg. An rolde met haar ogen en tikte met een vinger tegen haar voorhoofd om duidelijk te maken dat zij deze Laura maar een raar mens vond.

In elke zin hoorde Eva voor haar gevoel wel zes keer *orologio* voorbijkomen, dus het was vast en zeker een belangrijke term. De Italiaanse woorden duizelden haar en omdat ze er geen touw aan kon vastknopen, werd ze met de minuut chagrijniger. Zeker als ze besefte dat ook nog eens haar journalistieke ambities in één telefoongesprek van tafel waren geveegd en dat Mira zich zó liet inpakken door de eerste de beste gladjanus.

Er leek geen eind te komen aan de rondleiding. De lerares, die eruitzag als een humorloze, verzuurde bibliothecaresse – de bril met jampotglazen was het enige wat er nog aan ontbrak – was niet te stoppen. Inmiddels was de groep weer in beweging gekomen en leidde de lerares ze langs diverse plaquettes op de muren van *palazzi*, die Eva anders zeker weten voorbij was gelopen. Het frustreerde haar enorm dat ze niet begreep waarom die plaquettes belangrijk waren voor de historie van Rome. Ze keek opzij naar Catlijne, die haar deed denken aan een hopeloos verdwaalde kitten. Haar Belgische evenbeeld begreep er duidelijk ook geen snars van. Ans gezicht stond daarentegen op onweer omdat het haar allemaal veel te lang duurde.

De rondleiding eindigde in het voorportaal van een kerk, de San Lorenzo in Lucina, zag Eva op het bordje. De lerares stak van wal over een of ander inventarisatiesysteem op de muur, dat schijnbaar erg oud en boeiend was. Haar hand gleed van naam naar naam naar naam. Alsof de deuk in Eva's zelfvertrouwen door de rondleiding op zichzelf al niet erg genoeg was, voelde ze ineens warme adem in haar blote nek.

'*Ciao*, Eva,' fluisterde Günther veel te dicht bij haar oor, aangevuld met enige consumptie.

Eva schrok en rechtte in een reflex haar rug. Ze keek hem aan. 'Günther,' zei ze totaal overbodig. '*Ciao.*'

'*Come stai?*' vroeg hij.

Eva had helemaal geen zin om wéér die standaard Italiaanse conversatie met hem te voeren. Waarom moest Günther werkelijk overal opduiken waar zij ook was? 'Ja, *bene. Grazie*,' antwoordde ze kortaf. Ze vroeg expres niet hoe het met hem ging, want dat kon haar geen moer schelen.

Günther snapte die hint helaas niet. '*Molto bene, grazie,*' zei hij zonder dat het hem gevraagd werd. 'Ik wist niet dat jij ook meeging met de rondleiding.'

Ja, dat zal wel, dacht Eva, maar ze hield haar mond. Stoïcijns keek ze voor zich uit en deed ze net alsof ze geïnteresseerd naar de lerares luisterde, die nog steeds haar mond vol had van het namensysteem op de kerkmuur.

'Ik ben erg blij om je te zien,' fluisterde Günther in haar oor. 'Maar ik zou nog blijer zijn als ik je eindelijk eens helemaal voor mij alleen had. Net als die gladde Italiaan met wie je laatst uit eten ging.'

Eva keek hem verbaasd aan. Hoe wist hij dat nou? 'Hè? Hoe bedoel je?'

'Ik zei toch: ik houd je in de gaten,' antwoordde hij.

Eva walgde van zijn warme adem in haar gezicht en verafschuwde de lichte aanraking van zijn hand op haar blote bovenarm. Ze hoopte dat haar Belgische vriendinnen haar te hulp zouden schieten, maar die hadden niet in de gaten dat ze zich zo in het nauw gedreven voelde door Günther. An leek staand in slaap te zijn gevallen en Catlijne staarde met een intens verdrietige blik naar de marmeren vloer. Het leek alsof ze ieder moment in huilen kon uitbarsten.

Eva probeerde helder na te denken, maar ze kon niets beters bedenken dan heel, heel, heel hard wegrennen. Weg van dat strenge Italiaanse mens, dat ze toch niet begreep, en weg van die verschrikkelijk irritante en enge Günther.

Haar benen renden in volle vaart door de straten, terug richting Trastevere, de wijk waar ze woonde en waar ze nu het allerliefst wilde zijn. De schemering gaf de stad een minder zorgeloze aanblik dan overdag, zeker in de donkere steegjes die ze doorkruiste en waar enkele louche figuren haar verbaasd nakeken. Maar dat kon Eva niet schelen. Nog één minuut langer in de buurt zijn van Günther, dat was pas iets om zich écht zorgen over te maken!

116

12

Hijgend kwam Eva aan bij de grote, bruine deur. Ze bukte licht voorover om op adem te komen. De hele weg van de kerk naar haar huis aan de vertrouwde Via della Lungara, dwars door allerlei straatjes waar Eva nog niet eerder was geweest, had ze in een moordend tempo afgelegd.

'*Va bene, ragazza*?' vroeg een oud vrouwtje dat Eva sloffend passeerde. Ze trok er een zorgelijk gezicht bij, dat nog eens versterkt werd door de vele rimpels die het vrouwtje had.

Eva rechtte haar rug. Ze knikte en glimlachte naar de vriendelijke, oude dame. '*Si, va bene. Grazie, signora.*'

Ze stak de sleutel in het slot en duwde de zware deur met haar volle gewicht open. Het binnenplaatsje gaf Eva net als altijd een geruststellend gevoel. Waarom wist ze niet precies. Misschien door de stilte, het mooie, Bijbelse beeld dat er stond of door de bomen met witte knoppen, die op het punt stonden open te breken.

Voordat ze de deur van haar eigen huis opende, haalde ze nog een keer diep adem. Eva had Massimo nog niet gezien nadat ze samen de nacht hadden doorgebracht en hij er bij het ochtendgloren als een haas vandoor was gegaan. Ze wist wat haar nu te doen stond: niet nadenken, gewoon doen.

'*Ciao!*' riep Eva toen ze de drempel over stapte. Geen reac-

117

tie. Eva bleef stilstaan om goed te luisteren, maar ze hoorde niets.

Ze schopte haar ballerina's uit en voelde nu pas hoe zeer haar voeten deden. Het waren dan wel platte schoenen waar Eva prima een dag op kon rondstruinen, maar voor zo'n lange sprint over hobbelig wegdek waren ze toch niet erg geschikt. Langzaam schuifelde ze naar haar kamer, totdat ze iets onder haar voeten voelde dat een ritselend geluid maakte. Eva keek omlaag en zag dat ze met haar voet op een gekreukt blaadje stond. Haastig raapte ze het op en vouwde ze het open. Haar ogen gleden nieuwsgierig over het papier.

Cara Eva, je kunt woensdag na school met mijn vriend Tiziano Menchi mee. Hij werkt als verslaggever bij La Repubblica. Zijn nr. is 0039339542101. Fijne avond. Ik ben laat terug van Andrea. Massimo.

Haar ogen bleven op de onderste regel hangen, bij zijn naam die elke dag ontelbaar vaak voorbijkwam in haar gedachten. En bij die van Andrea, die helaas vaker opdook dan haar lief was. Eva las het korte briefje opnieuw en kon het toen pas geloven: Massimo had geregeld dat zij een dag mee mocht met een echte journalist! Van een heel bekende Italiaanse krant, *La Repubblica*, nog wel! Wat spannend! Eva's hart ging als een bezetene tekeer in haar borstkas. Ze hoopte dat ze er net zo veel energie van zou krijgen als de drie Italiaanse radiostudentes die ze aan het begin van haar reis in Rome was tegengekomen. Eva besloot zich niet van de wijs te laten brengen door de starre vrouw van DUO. Dat ze in september niet aan die opleiding mocht beginnen, belette haar natuurlijk niet om alvast een kijkje in de journalistieke keuken te nemen. Het zou haar alleen maar helpen om te zien of die studie nu écht was wat ze wilde en niet alleen een vlucht omdat ze schoon genoeg had van haar communicatie- en marketingvakken.

Met het briefje in haar hand en een heerlijk gevoel in haar hele lichaam liet Eva zich achterovervallen op haar bed. Wat was het toch een groot avontuur, haar maand in Rome. Van tevoren had Eva voornamelijk nagedacht over de taalcursus. Niet dat de lessen niet interessant of leerzaam waren, maar er was zo veel meer dat Eva elke dag meemaakte. Ze leerde om veel alleen op pad te gaan. Aan het begin had ze stevig gebaald toen bleek dat Mira en zij niet in één huis woonden, maar nu vond ze het eigenlijk wel prettig. En dat had echt niet alleen met de aanwezigheid van Massimo te maken. Eva merkte dat ze zich steeds beter in haar eentje kon redden en daar was ze heel trots op. Bovendien zag ze haar toekomst weer veel zonniger in. Haar liefdesverdriet om Mark leek niet meer te bestaan vanaf de eerste dag dat ze Massimo had ontmoet en haar hernieuwde interesse in het journalistieke vak gaf Eva ook vleugels.

Alleen nu even niet. Eva was kapot van haar lange sprint dwars door Rome. Zo kapot dat ze vrij snel wegdoezelde. Het was dat haar telefoon afging en Eva wakker schrok van een harde ringtone vlak bij haar oor, anders was ze hoogstwaarschijnlijk pas de volgende ochtend wakker geworden van de grommende vuilniswagen onder haar raam. Met de slaap nog in haar ogen en een licht, verdwaasd gevoel in haar hoofd draaide ze het display naar boven. Het was Mira.

'*Pronto*,' zei Eva. De vorm van 'hallo' zeggen, die Italianen alleen gebruikten als ze de telefoon opnamen, hadden Eva en Mira vrij snel geadopteerd als ze elkaar in de Italiaanse hoofdstad belden. Eva schoot bijna in de lach toen ze terugdacht aan de eerste keer dat Mira dat woord had opgepikt en het gewoon ergens op straat had gebruikt. De vrouw tegen wie ze *pronto* zei, had haar wenkbrauwen opgetrokken en Mira vervolgens aangekeken alsof ze van een andere planeet kwam.

Eva hield haar lach in. Gelukkig maar, want vanaf de andere kant van de lijn klonk er niets dan gesnik. 'Mira?' vroeg Eva bezorgd. Nog steeds hoorde ze niets, behalve dan zo veel achtergrondgeluiden dat het leek alsof Mira in zo'n rode toeristenbus met een open dak zat te bellen.

'Ik, ik heb iets...' hakkelde Mira. Midden in haar zin stopte ze en haalde ze luid en duidelijk haar neus op. Dat klonk zo hard dat Eva haar telefoon iets verder van haar oor hield.

'Wat heb je iets?' vroeg Eva. Ze vreesde het ergste, maar zei het niet. Ze wilde het niet uitspreken voordat haar vermoeden voor de volle honderd procent bevestigd was.

'Ik heb iets, nou ja, zeg maar, iets heel stoms gedaan,' sputterde Mira in de hoorn. Het was de eerste echte volzin die ze formuleerde nadat ze een minuut onsamenhangende kreten had uitgekraamd.

'Wat dan?' vroeg Eva. Ze kon haar nieuwsgierigheid haast niet meer bedwingen.

'Dat vertel ik liever niet door de telefoon. Mag ik naar je toe komen?'

'Ja, natuurlijk. Maar wil je het niet aan An en Catlijne vertellen? Die zijn veel dichterbij.'

'Kan me niet schelen, ik wil het aan jou vertellen,' zei Mira beslist. 'Heb je iets te snacken in huis?'

'Nee. Ik heb nog niet eens gegeten. Ik ben na de rondleiding in slaap gevallen,' antwoordde Eva.

Mira zei dat ze er nu aan kwam en hing op voordat Eva *ciao* kon zeggen. Precies negentien minuten later belde Mira aan. In de tussentijd had Eva een pannetje water opgezet voor een grote beker thee. Gek eigenlijk, dat je iemand die in de problemen zat altijd thee aanbood. Alsof dat de oplossing was. Tijdens het wachten schoten de vreemdste gedachten door Eva's hoofd. Naast Mira was er altijd dezelfde vaste hoofdrolspeler en dat was Giovanni.

Samen lagen de twee vriendinnen op het grote bed op Eva's vliering, te midden van lege chipszakken en papieren wikkels. Mira was op haar weg naar Eva helemaal losgegaan in de buurtsuper en stond voor de deur met een paar witte plastic zakjes met chips, chocola, koekjes, nootjes en Eva's favoriete olijven, 'zodat ze toch nog iets van groente binnenkregen'. Op de grond stonden twee grote, dampende mokken thee. Ze hadden al binnen dertig seconden bekeken dat de bank die onder Eva's vliering stond niet geschikt was om met zijn tweeën op te zitten. Als de een bewoog, dan bewoog de ander mee. Het was om zeeziek van te worden. Eva had een flinke plas hete thee over haar bovenbeen gekregen toen Mira met haar volle gewicht naast haar neerplofte. Eva wist meteen weer waarom ze zelf ook nooit op die bank zat.

'Vertel het me nou maar, Mira.'

'Dat kan ik niet. Het is echt heel erg,' zei Mira. Ze lag op haar buik met haar handen onder haar kin gevouwen. Eva lag op haar zij en keek naar haar vriendin, die haar blik al vanaf het begin afgewend hield.

'Je bent toch niet de halve stad door gelopen om het me níet te vertellen?'

Mira zweeg. In Eva's ogen duurde dat lang, veel te lang zelfs. Maar ze wachtte geduldig tot haar beste vriendin de juiste woorden had gevonden.

Mira schraapte haar keel en sprak toen zachtjes, op serieuzere toon dan Eva van haar gewend was. Als Eva het goed had, zag ze een traan in haar ooghoek glinsteren. Zelf huilde Eva minstens een keer per week, om de grootste en de meest lullige drama's, maar Mira niet. Die huilde alleen als iets haar écht heel erg dwarszat.

'Giovanni en ik... We... Toen jij... Hè, het lukt me niet,' zei Mira en ze duwde haar hoofd in Eva's deken.

'Natuurlijk wel. Haal nog één keer diep adem en dan zeg je het gewoon. Oké?'

Mira deed wat Eva haar opdroeg en sprak ineens zonder aarzeling of onderbreking: 'Ik ben met Giovanni mee naar huis gegaan.'

Eva's mond viel open. 'Je bent wat?' vroeg ze verbaasd.

'Ja, je hebt het wel goed gehoord, Eef,' zei Mira en ze haalde haar neus op. Haar spieren ontspanden zichtbaar. Mira was duidelijk opgelucht dat ze haar grote geheim kwijt was.

'Jeetje, ik weet even niet wat ik moet zeggen,' zei Eva eerlijk.

'Zeg nou maar gewoon wat je wilt zeggen. Dat ik hartstikke dom ben!' Mira keek boos en de tranen stroomden nu in volle vaart over haar wangen naar beneden. Ze vormden al gauw een kleine, natte cirkel op het bed.

'Dat wilde ik helemaal niet zeggen,' reageerde Eva. Omdat ze ook niet wist wat ze dan wel tegen haar vriendin wilde zeggen, pakte ze Mira vast en drukte ze haar dicht tegen zich aan. Mira begroef haar gezicht in Eva's vestje en begon nog harder te huilen. Haar rug schokte ritmisch mee met de lange uithalen die ze maakte. Eva wreef zachtjes over Mira's rug en voelde mee met haar verdriet.

Na een tijdje krabbelde Mira overeind, ze veegde de tranen uit haar gezicht en keek Eva terneergeslagen aan. Net als twee weken geleden, toen Mira op Schiphol de wc niet meer uit wilde komen omdat ze Bart zo erg zou gaan missen.

'Jeetje, meis,' zei Eva. 'Vertel. Wat is er precies gebeurd? En belangrijker nog: waarom?'

'Tja, dat weet ik eigenlijk ook niet. Het ging heel snel. Toen jij wegging naar die rondleiding, hebben we nog een tijdje koffie zitten drinken. Hij vroeg of ik een hapje met hem wilde eten. En ja, dat leek me wel kunnen. Toch?'

Eva knikte. 'Natuurlijk kan dat.'

'Giovanni was zó lief voor me.' Mira vertelde uitvoerig over de pluk haar die de knappe Italiaanse man liefkozend uit haar gezicht had geveegd en de complimenten die hij over haar blonde haar en aantrekkelijke, vrouwelijke figuur had gemaakt. 'Op de drempel van het restaurant zei hij dat hij nog nooit zo'n mooie vrouw had gezien en dat hij er alles voor over zou hebben om me helemaal te begeren.'

Eva's mond viel steeds verder open. Ze luisterde aandachtig naar haar vriendin en wilde nu écht weten hoe stom Mira precies was geweest. Eva vond de complimenten waarmee Giovanni rijkelijk had gestrooid nogal *over the top*. Het leek wel alsof ze in zo'n zoetsappige, Jane Austen-achtige woensdagavondfilm op RTL 4 terecht was gekomen.

'En toen, ja, toen…' Mira stopte met praten en beet zachtjes op haar onderlip. Haar blik hield ze strak op de houten vloer gericht, om oogcontact met Eva te vermijden.

'En toen heb je dus 'ja' gezegd,' concludeerde Eva.

Mira knikte beschaamd.

'En toen?'

Mira haalde haar schouders op. 'Nou, toen ben ik dus met hem meegelopen naar zijn huis, vlak bij het restaurant waar we hadden gegeten. Echt een supermooi appartement. Ik ging even naar de wc en toen ik de woonkamer weer in liep, had hij heel lief allemaal kaarsjes aangestoken, een muziekje opgezet, alles erop en eraan. We begonnen te dansen en nou ja, van het een kwam het ander. Je kent het wel.'

Eva knikte, ook al kende ze dat helemaal niet. Bij haar kwam niet zomaar 'het een van het ander'. Zij woonde al twee weken samen met een jongen waar ze hartstikke verliefd op was en had nog niet eens met hem gezoend. 'Ben je, eh, met hem naar bed geweest?'

Het bleef stil. Veel te lang, vond Eva. 'Ja,' zei Mira uiteindelijk.

'Mira, ik begrijp het niet. Hoe kan het dat je je zo hebt laten meevoeren door Giovanni? Was je soms plotseling vergeten dat je wat met Bart hebt?' Hoewel Eva wist dat het een pijnlijk onderwerp betrof, kon ze het moeilijk niet over Bart hebben. Hij was de ware hoofdrolspeler in dit verhaal en Giovanni had zichzelf inmiddels al een veel te grote rol toegeëigend.

'Nee, ja, ach, weet ik veel!' Mira ging rechtop zitten en keek fel uit haar ogen. 'Ik was nog hartstikke kwaad op Bart vanwege ons laatste gesprek. Weet je, Eef, om eerlijk te zijn dacht ik helemaal niet meer na. Ik had een paar wijntjes op en dan gaan die dingen gewoon wat makkelijker.'

'Wat een onzin,' flapte Eva eruit. Ze schrok er zelf van en wenste dat ze die drie woorden weer in kon slikken, zonder dat Mira ze had gehoord.

'Bij jou gaan die dingen inderdaad behoorlijk moeilijk, Eva Smit. Maar laat ik je uit je brave-hendrikdroom helpen: bij andere mensen gaat het wel zo.' Mira sloeg haar armen over elkaar en keek beledigd over de rand van de vliering naar beneden. 'En wat staat daar voor ont-zet-tend lelijk kunst-werk, trouwens!'

Eva schoot in de lach. 'Ja, ik weet het. Bij Massimo staat ook zo'n afzichtelijk geval, met een nog lelijkere doek ero-verheen.'

'Dat kan niet!' lachte Mira.

'Maar goed, zo makkelijk kom je niet van me af. Terug naar Giovanni,' zei Eva en ze zag dat het gezicht van Mira direct weer in dezelfde droevige plooi als eerst zakte. 'Hoe was het?'

Verbaasd keek Mira haar vriendin aan. 'Wil je weten hoe hij in bed was? Goed, natuurlijk. Ik denk niet dat ik zijn eerste was,' antwoordde Mira. 'Maar ik voel me nu zó verrot dat ik het haast ben vergeten. Nadat we, eh, klaar waren, trilde mijn telefoon op de vloer. Bart belde, maar ik heb natuurlijk niet opgenomen, hè? Toen besefte ik pas wat er was gebeurd. Ik voelde me ineens misselijk worden. Ik dacht: Mira, muts, wat heb je nou weer gedaan?'

'Ben je verliefd op hem? Op Giovanni, bedoel ik?' vroeg Eva.

Mira liet zich op haar rug vallen en staarde naar het pla-fond. 'Volgens mij niet. Of misschien toch wel. Ik vind hem heel leuk en aantrekkelijk en zo. Maar ik ben niet zo met hem bezig als jij met die Massimo van je.'

Eva kreeg het weer warm. Dat gebeurde haar de hele dag door op momenten dat ze aan Massimo dacht. Als ze zijn naam op tv, in de les of ergens op straat voorbij hoorde komen of als ze thuis door de muren heen zijn aanwezigheid kon voelen. Ze liet zich er niet door afleiden. 'En wat ga je nu doen? Ga je het aan Bart vertellen?'

'Dat weet ik niet.'

'Ben je nog wel verliefd op Bart?'

'Eerlijk gezegd weet ik even helemaal niets meer. Het is allemaal zo verschrikkelijk verwarrend,' piepte Mira.

Hoewel Eva vond dat Mira iets heel erg stoms had gedaan – misschien wel het allerstomste wat ze kon bedenken – had ze ook medelijden met haar vriendin. Ze ging naast Mira op haar rug liggen. Hun armen raakten elkaar.

'Je had gelijk aan het begin,' zei Eva.

'Waarmee?'

'Dat ik het hartstikke dom van je vind.'

'Nou, bedankt,' zei Mira beledigd. 'Daar heb ik wat aan.'

'Zeg, als je me even laat uitpraten, dan had je gehoord dat ik met je meevoel, ook al vind ik het nog zo dom van je. Ik vind het heel vervelend voor je dat je nu in zo'n lastig parket zit.'

'*Mille grazie, cara*,' zei Mira en ze kneep even in Eva's hand.

'Eén pluspunt: je spreekt '*grazie*' nu tenminste wel goed uit,' zei Eva.

Mira schoot in de lach en Eva lachte met haar mee. 'Nou, je weet wel hoe je mijn dag goed moet maken, hè Eef?'

Een doffe klap onderbrak hun gelach en stokte abrupt het gesprek.

'*Ciao, Eva!*' klonk de stem van Massimo vrolijk door de gang.

'*Ciao!*' riep Eva terug vanaf de vliering. Ze keek opzij naar Mira.

'En wat ga jíj nu doen?' vroeg Mira.

13

Daar was het. Eva zag het kantoorgebouw van *La Repubblica* al boven de omringende gebouwen uit torenen. Haar hart ging belachelijk tekeer onder het enige nette bloesje dat ze uit Nederland had meegenomen. Alsof ze net drie intensieve Zumba-lessen had gevolgd. Terwijl ze in werkelijkheid vanaf school een heel klein stukje naar de bus had gesjokt en vervolgens in de metro was gestapt, om hier vlak bij het kantoor van de bekende Italiaanse krant weer uit de ondergrondse wereld te stappen. Even deed ze haar ogen dicht en liet ze allerlei flarden logische en helemaal niet logische gedachten aan zich voorbijtrekken. Liever hier dan straks op de redactie, als ze een goede indruk wilde achterlaten en zich wilde concentreren op alles wat de journalisten aan haar zouden vertellen. Als ze pech had, gebeurde dat alles in rap Italiaans.

Eva keek op haar telefoon en zag dat ze, zoals gewoonlijk, vijfentwintig minuten te vroeg was. Ze besloot een blokje om te lopen door het deel van Rome waar ze nog niet eerder was geweest.

Bij toeval stuitte Eva op een klein, maar gezellig stadspark. Ze ging naast een oud mannetje op een houten bankje zitten. Hij keek van zijn krant – *La Repubblica* uiteraard – naar Eva op, glimlachte en keek toen kort omhoog naar de strakblauwe lucht. Alsof hij iemand daarboven wilde bedanken voor de mooie, blonde jongedame die uit het niets, op een heel gewone woensdagmiddag, zijn bankje had uitverkoren om op plaats te nemen.

Eva pakte haar mobiele telefoon en begon een berichtje te typen aan Mira. Om haar beste vriendin een hart onder de riem te steken in de week die plotseling een totaal andere wending had gekregen dan Mira voor hun Italiaanse avontuur had kunnen bedenken. Eva's vingers drukten razendsnel op de toetsjes en wisten even snel weer de woorden die ze zojuist had getypt. Wat moest ze zeggen? Wat viel er nog te zeggen als je was vreemdgegaan? Voor het eerst in haar leven besloot Eva een sms'je te schrijven zonder het maximale aantal tekens te gebruiken. *Ciao cara. Ik denk aan je. X*, schreef ze. Kort maar krachtig. Eva frummelde haar telefoon weer terug in haar chique, donkerblauwe spijkerrokje en genoot van de tijd die nog restte voordat ze zich in een eng, maar ook vreselijk leuk avontuur zou storten.

Nog zeven minuten en zesentwintig seconden. Eva stond op van het bankje, klopte wat zand en gruis van haar kleding en glimlachte beleefd naar het oude mannetje dat naast haar zat. Hij was zichtbaar teleurgesteld dat zijn bankgezel er de brui aan gaf.

Vol goede moed vervolgde Eva haar weg naar de krantenredactie, waar de vriend van Massimo als verslaggever in dienst was.

'*Buongiorno*,' zei ze tegen de zwaar opgemaakte receptioniste. '*Sono* Eva Smit. *Ho un appuntamento con* Tiziano…' Hoe heette hij ook alweer van zijn achternaam? Eva viste een frommeltje papier uit haar handtas en las 'Menchi', geschreven in Massimo's mooie handschrift. 'Tiziano Menchi,' zei Eva. Na alle lessen van de afgelopen tijd wist ze gelukkig dat ze de 'ch' als een 'k' moest uitspreken.

De receptioniste glimlachte en meldde aan iemand aan de andere kant van de lijn, ergens in datzelfde kantoorgebouw, dat 'Eva Smit' aan de balie stond. Ze sprak haar naam uit alsof het de raarste naam was die ze ooit had gehoord.

'*Poi avanzare. Il terzo piano.*' De receptioniste wees met haar hand met keurig gelakte nagels richting de grijze liftdeuren.

'*Grazie,*' antwoordde Eva.

Ze had begrepen dat ze mocht doorlopen en op de derde verdieping moest zijn. Haar hart bonsde in haar keel toen de lift omhoogging naar de redactie. Eva realiseerde zich dat ze steeds dichter bij haar journalistieke droom kwam. Tegelijkertijd besefte ze dat vandaag net zo goed een grote teleurstelling kon worden. Ze hoopte maar dat Tiziano een aardige jongen zou zijn en geen arrogante praatjesmaker. Of erger nog: een soort Giovanni die haar best een dagje op sleeptouw wilde nemen, zolang dat dagje dan maar wel tussen zijn lakens zou eindigen.

Toen de liftdeuren langzaam opzijschoven, wachtte een paar vriendelijke mannenogen Eva op. Ze voelde gelijk dat ze het prima met Tiziano zou kunnen vinden en haar zenuwen verdwenen als sneeuw voor de zon. Alsof ze achter waren gebleven in de lift, die alweer op de weg terug was naar beneden.

'Eva?' vroeg de jongen.

'*Si, sono* Eva Smit.' Ze stak haar hand uitnodigend naar hem uit en schonk hem haar allercharmantste glimlach.

'Tiziano Menchi,' zei hij terwijl hij haar hand beetpakte. Niet te hard en niet te zacht.

'*Piacere,*' zei Eva.

'*Piacere. Benvenuta.*' Tiziano meldde dat hij haar eerst de redactie zou laten zien en gebaarde naar de linkerdeur.

Eva liep volgzaam achter hem aan en betrad de redactieruimte, die uitgestrekt voor haar lag. Haar ogen schoten snel door de ruimte en namen allerlei dingen en mensen in zich op. Ze zag een man die met zo'n callcenterkoptelefoon zat te bellen en ondertussen als een bezetene op zijn afgesleten toetsenbord zat te rammen. Een stukje verderop zat een vrouw verzonken in gedachten voor zich uit te staren, waarschijnlijk in de hoop dat ze binnen nu en vijf minuten de meest briljante invalshoek zou verzinnen. Achterin, boven een blauwe machine waar schoon drinkwater uit getapt kon worden, waren twee jonge mannen met elkaar verwikkeld in een verhitte conversatie. Althans, zo zou de gemiddelde Nederlander het gesprek interpreteren. Eva wist inmiddels wel beter. Ze had de afgelopen weken de nodige Italianen meegemaakt die volledig van de kook raakten. Als ze moesten wachten op de bus die maar niet kwam of als het verkeerslicht in hun ogen te lang op rood bleef staan. Maar de ware Italiaan leerde je pas kennen als hij achter het stuur van zijn handzame Fiatje plaatsnam en geconfronteerd werd met voetgangers die liepen alsof de straat van hen was.

'*Vaffanculo!*' had een man van een jaar of veertig, gehuld in een chic maatpak, op een ochtend naar Eva geroepen toen ze in gedachten verzonken richting de taalschool op Piazza dell' Orologio sjokte. Het gebaar dat hij maakte uit het raampje aan de bestuurderskant was niet mis te verstaan. Hoewel het Eva haast niet lukte om in zo'n smal steegje aan de kant te gaan, had ze haar best gedaan en passeerde de pisgele Fiat Punto haar. Maar niet voordat de man nog even demonstratief het gaspedaal hard ingetrapt had. De tweede keer dat het Eva was gebeurd – nota bene in hetzelfde steegje – had ze teruggescholden en evengoed haar middelvinger opgestoken, omdat Massimo haar had verteld hoe goed het voelde om daar, om halfnegen 's ochtends, de nieuwe dag mee te beginnen. En hij had nog gelijk gehad ook.

'*Grazie per poter vedere la redazione,*' zei Eva nadat Tiziano haar een aparte kamer in had geleid. Ze had de Italiaanse zin voor 'bedankt dat ik langs mag komen op de redactie' van tevoren meerdere malen gerepeteerd.

'*Di niente,*' zei Tiziano. Hij ging af en toe over op het Engels. 'Zo, dus Massimo is een vriend van je?'

'Mijn huisgenoot,' antwoordde Eva.

'Huisgenoten. Hmhm.' Tiziano knikte en had een veelzeggende blik in zijn ogen. Eva wilde direct in de verdediging schieten, maar bedacht zich op het laatste moment. Wat maakte het haar eigenlijk uit wat Tiziano zou denken? Misschien was het niet eens zo vervelend als hij dacht dat Massimo en zij een setje waren. Dan hoefde ze in ieder geval niet bang te zijn voor toenaderingspogingen van zijn kant.

Het gesprek begon steeds beter te vlotten en Eva had meteen al spijt dat ze zijn eerdere blik zo verkeerd geïnterpreteerd had. Ze moest niet vergeten dat Tiziano een flinke tijdsinvestering stak in haar, de nog-niet-eens-beginnende-journalist, en dat allemaal omdat zij zo graag wilde weten hoe het leven van een verslaggever eruitzag.

'Later vandaag neem ik je mee naar een senaatsvergadering in Palazzo Madama,' vertelde Tiziano in rustig Italiaans. Eva was blij dat ze het zo goed begreep. Opgelucht ook, aangezien haar zelfvertrouwen een fikse deuk had opgelopen na die afschuwelijke rondleiding.

'Dat is toch vlak bij Piazza Navona?' merkte Eva op.

'Precies,' zei Tiziano. 'Lijkt dat je interessant?'

Eva knikte, ook al viel ze alleen bij het woord 'senaatsvergadering' bijna in slaap. Ze was geen groot fan van politiek en alles wat daarbij kwam kijken. Politiek verslaggever worden op het Haagse Binnenhof leek haar eerlijk gezegd de ergste baan die ze zich kon bedenken binnen alle facetten van de journalistiek. Maar voor nu stelde ze geen eisen. Vandaag vond Eva alles even prachtig.

'Maar nu gaan we eerst een rondje lopen langs mijn collega's en daarna op straat een paar mensen interviewen,' zei Tiziano.

'Interviewen, wauw!' reageerde Eva. Ze schraapte haar keel en riep zichzelf tot de orde. Tiziano hield natuurlijk iedere dag interviews over van alles en nog wat. Ze hoefde haar enthousiasme ook weer niet te overdrijven. 'Een interview. Wat boeiend,' herstelde ze zich.

Eva ontmoette een uiteenlopend palet aan redacteuren. Sommigen toonden veel interesse in Eva en de reden van haar bezoek, anderen waren ronduit nors en hadden liever gehad dat ze gewoon een bekertje koffie kwam brengen, zonder dat ze verder haar mond opentrok. Eén vrouw bleef Eva bij omdat ze zo zachtjes praatte en ontzettend beleefd was. Ze stelde zich voor als Roberta met een achternaam die te moeilijk was om te onthouden.

'Maar als u zo bescheiden bent, hoe krijgt u dan de goede antwoorden uit een interview?' vroeg Eva haar uit oprechte interesse. Daarbij wisselde ze Italiaans af met Engels, want zo vergevorderd was ze nu ook weer niet.

'O, maar ik kom wel thuis met wat ik hebben wil. Daar hoef je je geen zorgen over te maken. Heel veel mensen vinden het veel prettiger om door een bescheiden persoon geïnterviewd te worden in plaats van door een of andere blaaskaak,' antwoordde ze met diezelfde bedeesdheid.

Eva lachte en mocht Roberta meteen. Het was een vrouw naar haar hart, vooral omdat Eva veel in haar herkende. Zelf was ze ook geen type dat hoog van de toren blies of altijd en overal in de schijnwerpers of op de bühne wilde staan. Daarom hadden veel mensen die Eva in haar leven was tegengekomen, voordat ze ging studeren, geregeld met verbazing gereageerd wanneer ze zei dat ze overwoog om journalist te worden. De meewarige blikken die erop volgden, stonden in Eva's geheugen gegrift. Misschien werd het tijd om die eens voorgoed uit haar hoofd te bannen. Ze had er bij nader inzien veel te veel aandacht aan geschonken en was uit het oog verloren wat zíj wilde. Natuurlijk kon 'dat bescheiden meisje' wel journaliste worden! Eva had het levende voorbeeld nu recht voor haar neus zitten.

Inmiddels was Eva met het randje van haar billen op Roberta's bureau gaan zitten, niet van plan weg te gaan voordat de vrouw zei dat ze verder moest met haar werk. Roberta vertelde prachtige voorbeelden van interviews die ze had gedaan met bekende Italianen, zoals de wielrenner Mario Cippollini, die ook wel de bijnaam 'mooie Mario' had, en de excentrieke premier Silvio Berlusconi. Die laatste had zich tegenover haar verschrikkelijk versproken over een affaire met een meisje van een jaar of achttien, terwijl Roberta hem vroeg naar een heel ander soort affaire. Een zuiver politieke, welteverstaan.

'*No!*' reageerde Eva. Ze hield haar hand voor haar borst en kon het verhaal haast niet geloven.

'*Si, veramente,*' verzekerde Roberta haar. 'Het spijt me, maar ik moet nu echt weer verder met mijn artikel.'

'O, maar natuurlijk! Sorry dat ik u zo lang van uw werk heb gehouden,' zei Eva.

'Maak je geen zorgen. Het was me een waar genoegen. Hier heb je mijn kaartje. Als je nog eens een kop koffie wilt drinken of nog wat wilt vragen, dan weet je me te vinden,' zei Roberta.

'*Mille grazie,*' zei Eva en ze maakte een soortgelijk beleefd knikje terug. Het was dat ze niet op vrouwen viel, anders was ze nu tot over haar oren verliefd geweest. Wat een aardige vrouw en wat een fantastisch voorbeeld voor haar journalistieke ambitie! Eva had het gevoel alsof ze vleugels had, en dan was het avontuur buiten de deur nog niet eens begonnen.

Haar ogen gleden langs alle hoeken van de redactie, op zoek naar haar gids Tiziano. Ze spotte hem aan het bureau van een collega die eruitzag alsof hij een heel hoge functie bekleedde. Al kon je daar in Italië ook niet altijd van op aan, omdat het dragen van een mooi maatpak hier niet exclusief toebehoorde aan managers en andere hoge piefen.

'Tiziano, sorry,' zei Eva met een verontschuldigende blik.

'*Non importa,*' zei Tiziano en hij maakte een gebaar alsof hij alle tijd van de wereld had.

Samen verlieten Tiziano en Eva de redactie om op pad te gaan, gewapend met een schrijfblok, een pen en een telefoon die evenwel dienst kon doen als opnameapparaat voor langere interviews. De lift voer hen snel naar de begane grond, langs de zwaar opgedirkte receptioniste naar de draaideuren.

'Waar gaan we eigenlijk heen?' vroeg Eva in de frisse buitenlucht. Ze bedacht zich dat ze die vraag, zoals het een goede journalist betaamt, ook wel iets eerder had mogen stellen.

'Goed dat je het vraagt,' antwoordde Tiziano. 'We hebben een stadsrubriek waarin we mensen op straat interviewen over een heet hangijzer van het moment.'

'En waarover gaat het vandaag?' vroeg Eva.

'Over het plan om het collegegeld te verhogen en het aantal opleidingen op universiteiten te verminderen,' legde Tiziano uit.

'Leuk!' reageerde Eva. Echt een onderwerp dat dicht bij haarzelf als studente stond. Tijdens de wandeling dacht ze na over het antwoord dat ze zelf zou geven, als Tiziano ineens op de Oudegracht zou opduiken en haar die vraag zou voorleggen. Veel tijd om na te denken kreeg ze niet, want het was niet ver lopen naar het universiteitsterrein waar Tiziano heen wilde.

'Kom,' zei hij en hij ging direct voortvarend te werk. Hij tikte een tweetal aan dat op een grasveldje druk met elkaar zat te praten. Daar kon Eva nog wat van leren. Zij zou eerst drie keer langs zijn gelopen, wachtend op het moment dat ze uitgepraat waren. Een moment waarop je bij praatgrage Italianen een eeuwigheid kon wachten.

'*Ridicolo!*' was het antwoord van de eerste jongen. Hij gebaarde er driftig bij om nog eens te onderstrepen hoe 'belachelijk' hij dat plan wel niet vond.

Ook zijn vriend veerde overeind en maakte enkele niet mis te verstane gebaren bij zijn relaas over de 'corrupte eikels bij de overheid'.

Eva moest zich flink concentreren. De jongens praatten snel en sommige kwade woorden gingen verloren in de wind. Ze volgde Tiziano op de voet bij de volgende drie mini-interviews die hij hield. Haar hart klopte sneller dan normaal. Ze vond het zo spannend, en dan hoefde ze alleen nog maar te observeren.

'Eva, wil jij het volgende interview doen?' vroeg Tiziano. Hij was nog druk bezig aantekeningen te maken op een klein kladblok dat eruitzag alsof hij ermee onder de douche had gestaan, erop had gestampt en het vervolgens op de verwar-

133

ming te drogen had gelegd.

'Eh...' stamelde Eva. Nee! Nee! Nee! Dat kan ik niet! was de eerste gedachte die in haar opkwam. Maar Tiziano had haar arm al vastgepakt en trok haar mee. Hij wees naar een oudere dame, die iets verderop met een boodschappentas op straat liep.

'Vraag haar maar,' zei Tiziano. 'We kunnen natuurlijk niet alleen maar studenten aan het woord laten. Dat zou veel te eenzijdig zijn.'

Eva slikte. Nu ging haar hart helemaal als een gek tekeer. Ze probeerde zichzelf te vermannen gedurende de vijf voetstappen die ze verwijderd was van de vrouw. Na alle interviews die ze had meegeluisterd, wist ze precies wat ze moest vragen.

'*Scusi, signora*?' zei Eva. Ze merkte dat haar stem trilde en hoopte dat Tiziano het niet hoorde. Hij stond naast haar en volgde alles wat ze deed. Dat maakte het er niet makkelijker op. Eva functioneerde nu eenmaal beter als niemand naar haar keek.

'*Sì*?' zei de vrouw. Haar blik was gelukkig vriendelijk.

'Wij zijn journalisten van *La Repubblica*,' ging Eva verder.

'*Ah, La Repubblica*!' reageerde de vrouw. Die krant las ze al járen niet meer en ze vertelde ook alvast waarom, geheel ongevraagd. Het gaf Eva wel rust dat het gesprek was opgestart. Ze durfde de klaagzang van de vrouw op beleefde wijze te onderbreken en de twee vragen te stellen waar het in de stadsrubriek om draaide. Tiziano noteerde de antwoorden, maakte nog een foto en toen namen ze afscheid van de pittige Italiaanse tante.

'*Molto bene, Eva*,' zei Tiziano en hij glimlachte naar haar.

'*Veramente*?' vroeg Eva. Ze voelde zich best onzeker met zo'n ervaren verslaggever aan haar zijde.

'Vooral dat je haar zo dapper onderbrak. *Brava*. Anders stonden we hier over anderhalf uur nog,' lachte Tiziano. Hij keek op zijn horloge. 'O, we mogen wel opschieten, anders zijn we te laat voor de vergadering.'

'Oké,' zei Eva.

Tiziano zette flink de pas erin richting Palazzo Madama, waar de senaatsvergaderingen plaatsvonden, en Eva moest grote stappen nemen om hem bij te houden. Dat lukte, want het journalistieke avontuur gaf haar een forse stoot energie. De zwakke middagzon, die zacht brandde op haar huid, voelde heerlijk aan.

'Gaat het?' vroeg Tiziano. Hij keek haar onderzoekend aan.

'Ja, hoor,' antwoordde Eva neutraal en ze wendde haar blik weer af.

'Of denk je soms aan Massimo?'

Eva bleef stilstaan. Ze keek hem aan, met grote ogen, en hoopte dat er een goed antwoord in haar op zou komen. Dat kwam niet. Goed, Eva wist dat ze met een vriend van Massimo op stap was en dus wist ze ook dat de kans erin zat dat Tiziano over hun relatie, of hoe ze het dan ook moest noemen, zou beginnen. Ondanks dat Eva zich de afgelopen uren had kunnen voorbereiden op die onvermijdelijke vraag, duurde het akelig lang voordat ze een antwoord gaf.

'Hoezo?' vroeg ze. De vraag was vooral bedoeld om tijd te winnen om nog een moment helder te kunnen nadenken.

'Omdat Massimo vast niet zomaar belt om te vragen of een meisje uit Nederland een dagje met me mee op pad mag,' zei Tiziano. Hij had zijn armen over elkaar geslagen en keek haar plagerig aan. Tiziano genoot duidelijk van haar onzekerheid. 'Het is niet alsof we beste vrienden zijn en elkaar elke dag spreken.'

'Niet? O, dat dacht ik,' zei Eva.

'Ik had hem denk ik al dik een jaar niet meer gezien of gesproken.'

'Echt waar?' vroeg Eva. Ineens voelde ze zich sterker worden, en een stuk zekerder. Ondanks dat Eva in eerste instantie was geschrokken, was ze Tiziano dankbaar dat hij over Massimo begonnen was. Dat de jongen voor wie ze sinds dag één stiekem verliefde gevoelens koesterde een 'vriend' had opgebeld die hij al een jaar niet meer had gesproken, verraste Eva. Wat een moeite! Speciaal voor haar!

'Waar ken je hem eigenlijk van?' vroeg ze nieuwsgierig.

'Van uitgaan. Via vrienden,' antwoordde Tiziano. 'Massimo en ik hielden allebei wel van nachtenlang stappen.'

'En nu?' vroeg Eva. Een jongen die avond aan avond in elke willekeurige bar aan een flesje bier stond te lurken, vond ze wel een afknapper. En dat was nog zacht uitgedrukt.

Tiziano haalde zijn schouders op. 'Tja, ik kan alleen maar voor mezelf spreken. Sinds ik bij de krant werk, ben ik een stuk verstandiger geworden. Laten we het daar maar op houden,' zei haar journalistieke gids met een knipoog. 'Als huisgenoot ken jij Massimo denk ik beter dan ik, nietwaar?'

Ze voelde dat haar wangen een kleur kregen. Alweer. Sinds ze een klein meisje was, baalde ze ervan dat ze van kleur verschoot zodra alle aandacht plotseling op haar gevestigd werd. Of als iemand haar een persoonlijke of moeilijke vraag stelde die ze niet wilde of kon beantwoorden. Andere mensen bluften zich nog weleens ergens doorheen, maar Eva niet. Haar wangen verraadden het direct als ze niet de waarheid sprak of als iemand het bij het gênante rechte eind had.

'Hij is bijna elke avond thuis,' zei Eva. Dat was niets dan de waarheid. Het bloed stroomde weg uit haar gezicht en haar wangen kregen weer hun oude, vertrouwde kleur terug.

'Dan neemt hij ook niet meer elke avond een meisje mee naar huis dus,' merkte Tiziano terloops op. Zijn oog viel op een koffiebarretje dat ze passeerden. 'Ah, ik heb zin in een espresso. Wil jij er ook eentje?'

Eva schudde haar hoofd. Had ze dat nou goed gehoord? Was Massimo echt zo'n vrouwenverslinder? Dat zou wel een goede verklaring zijn voor Andrea, de mysterieuze beller en schrijfster van het zoetsappige briefje. Voordat Eva door kon vragen, was Tiziano de koffiebar al ingelopen om staand aan de bar, in het gezelschap van diverse andere mannen en vrouwen in pak, een cafeïneshot zijn keelgat in te gieten. Dat was goedkoper dan aan een tafeltje gaan zitten en bovendien:

hoelang kon een mens doen over zo'n piepklein espressokopje, dat nog niet eens voor de helft gevuld was?

Haar telefoon trilde tegen haar bovenbeen. Ze wurmde haar mobiel uit het zakje en zag 'onbekend' knipperen op het verlichte scherm. '*Pronto?*' zei Eva. Geen reactie. '*Pronto?*' zei ze wat dwingender.

'Eva, *bella*,' klonk het aan de andere kant van de lijn.

Ze schrok zich een ongeluk. Het was Günther! Hoe kwam hij aan haar nummer? Ze kon zich niet herinneren dat ze hem dat had gegeven.

'*Buongiorno*,' zei ze neutraal.

'Heb je een leuke middag?' vroeg Günther.

'Ja, fantastisch. Hoezo?'

'Wie is die jongen bij je? Een ander dan die Italiaan waar je laatst mee uit eten ging. Probeer je me soms jaloers te maken?' zei Günther.

Eva slikte. Hoe wist Günther dat ze met een jongen op stap was? Had ze dat tijdens de les verteld? 'Eh, nee. Dat is een journalist van een krant die me mee op sleeptouw neemt,' antwoordde Eva. Al had ze eigenlijk geen idee waarom ze zich tegenover hem stond te verantwoorden.

'Dat weet ik, *cara* Eva. Van *La Repubblica*,' zei Günther. Had ze dat óók verteld? Hmmm, ze moest toch eens beter op haar woorden gaan letten. 'Ik zag jullie net samen uit het kantoorgebouw komen.'

Nu leek haar hart er echt even mee op te houden. Günther had die dingen niet toevallig opgepikt in de klas, nee daarvoor kende hij veel te veel details. Die *creep* volgde haar!

'Ik moet ophangen. De journalist komt net de koffiebar uit en we moeten snel verder voor de reportage,' zei Eva.

'Lieg niet, Eva. Je staat daar in je eentje te wachten. In je mooie bloesje met strepen en je donkere spijkerrokje,' zei Günther.

Ze drukte hem weg. Eva had genoeg gehoord om te snappen dat Günther niet 'gewoon' een oogje op haar had – meer dan genoeg zelfs. Ze stak haar hoofd om de hoek van de koffiebar. '*Andiamo?*' zei ze dwingend.

Tiziano keek achterom en vervolgens op zijn zilverkleurige horloge. 'Ah, *si*,' zei hij en hij gooide de laatste slok espresso naar binnen. Bij het verlaten van het barretje zwaaide Tiziano gemoedelijk naar de eigenaar. Hij gebaarde in de richting van Palazzo Madama en Eva volgde hem. Ze nam zich voor de rest van de dag niet meer van Tiziano's zijde te wijken. Het gevoel dat Günther ergens in haar buurt rondliep en elke beweging volgde, maakte haar behoorlijk onrustig.

Na de security check, waar het gemiddelde vliegveld nog een puntje aan kon zuigen, stond Eva binnen de muren van het Italiaanse politieke gebouw. Haar blik schoot door de ruimte en ze was gelijk diep onder de indruk. Het leek alsof Günther en zijn telefoontje in een keer niet meer bestonden. Eva had niet eens in de gaten dat haar mond een stukje openhing toen ze midden in de journalistenkamer stond.

'Vind je het mooi?' vroeg Tiziano met een glimlach die iets van vertedering in zich had.

Eva knikte, maar zei niets. Ze was veel te druk met het in zich opnemen van de wandbedekkende historische schilderingen. Op de zware tafel in het midden van de ruimte lagen meer verschillende kranten dan Eva ooit bij elkaar had gezien. De mannen en vrouwen in nette pakken die zich in de ruimte bevonden, stonden druk met elkaar te praten of met iemand te bellen. Eva voelde de dynamiek die er hing en kreeg er op slag nieuwe energie van. Die kon ze ook goed gebruiken aangezien al haar ledematen en vooral haar hoofd na al die nieuwe indrukken schreeuwden om rust.

'*Andiamo*,' fluisterde Tiziano in Eva's oor. Zonder te antwoorden liep ze achter hem aan.

'Wauw.' Het woord ontschoot aan haar mond voordat ze er erg in had. Na de ruimte van zo-even, waar journalisten en politici naderhand hun informele gesprekken voerden onder het mom van 'je hebt het niet van mij', dacht Eva dat ze niet verder onder de indruk kon raken. Tot ze de werkelijke zaal van de senaat betrad en zag dat ze hier vergaderden in roze pluche! Tiziano lachte om haar enthousiasme en bekeek de zaal, waar hij al een jaar regelmatig op de tribune zat, ineens weer met een nieuwe, frisse blik. Hij leidde haar naar de eveneens roze pluchen stoelen die bedoeld waren voor de journalisten van diverse media.

Eva liet zich in een zachte stoel zakken en voelde zich alsof ze in het theater zat. Op de beste plaatsen op het balkon, vol spanning wachtend tot de show zou beginnen.

'Hij is de bekendste politiek journalist van ons allemaal,' zei Tiziano zachtjes in Eva's oor. Vlak boven haar knieën wees hij zo onopvallend mogelijk in de richting van een man van een jaar of vijftig, al wist ze dat bij die ijdele Italiaanse mannen nooit zeker. 'Elke politicus krijgt hartkloppingen als hij hem aan ziet komen lopen met zijn schrijfblokje in de aanslag. Hij heeft de sappigste roddels over veel van hen weten te achterhalen en dat heeft hun carrières niet allemaal even goed gedaan.' Tiziano vertelde verder over die geruchten, tot groot vermaak van Eva. Het leek wel alsof ze in een of ander roddelprogramma was beland, zoals RTL Boulevard, of op haar favoriete website nu.nl/achterklap. De ene roddel was nog schunniger dan de andere.

Een politicus met dikke, grijze haren die nerveus heen en weer liep te drentelen tussen de stoelen van de vergaderzaal, een verdieping onder de journalistentribune, had volgens de meest gevreesde verslaggever een ellenlange waslijst met dure hotelovernachtingen gedeclareerd. De politicus in kwestie zag deze waarschijnlijk als werkgerelateerde zaken, omdat hij er gebruik van maakte samen met zijn platinablonde stagiaire van amper twintig jaar oud. Tiziano wist Eva ook van alles te vertellen over de journalisten om hen heen. De glimlach op haar gezicht werd steeds breder. Eva voelde zich volledig opgenomen in de wondere wereld van de politieke verslaggeving in het hart van Italië.

Ze ging iets meer overeind zitten om over de balustrade voor haar neus heen te kijken, naar de politici die nu snel achter elkaar de zaal in kwamen druppelen. De mannen en vrou-

wen die al een tijdje zaten te wachten, steeds verder onderuitgezakt in het comfortabele pluche alsof ze er al een urenlange
vergadering op hadden zitten, kwamen langzaam overeind.

Eva zette zich schrap voor een eindeloze, dodelijk saaie
politieke bijeenkomst, zoals ze die weleens op de televisie had
gezien. Elke keer als Eva tijdens het zappen stuitte op een
door de NOS live uitgezonden debat, vroeg ze zich af wie
daar in hemelsnaam een hele middag naar ging zitten kijken.
Zij in elk geval niet. Als het belangrijk was, zou ze de uit-
komst later wel op nu.nl lezen.

Hier in Italië waren politieke debatten niet saai, ontdekte
Eva. Nog geen minuut. Net als op straat, in winkels en vooral in het verkeer, toonden de politici in de zaal zich precies
diezelfde verhitte Italianen. Schelden, provocerende handge-
baren, demonstratief de rug toekeren; Eva keek haar ogen
uit. Dit was geen politieke vergadering, maar een politiek
spektakel! Als het er op het Binnenhof in Den Haag nou zo
aan toe ging, wilde zij ook wel politiek verslaggever worden.

'Gaat dit altijd zo?' fluisterde Eva.

Tiziano stopte met aantekeningen maken en draaide zijn
gezicht naar haar toe. 'Hoe?' vroeg hij verbaasd.

'Zo, eh, heftig,' omschreef Eva het omzichtig.

'Ja,' antwoordde Tiziano. 'Gaat het in Nederland anders
dan?'

Eva schoot zo in de lach dat ze zich haast verslikte. 'Daar
gaat het zeker anders!' Ze legde hem uit hoe zo'n debat precies verliep: gestructureerd en genuanceerd. 'Als een
Kamerlid de zaal uit loopt, is dat jaren later nog opmerkelijk
nieuws.'

'*Veramente?* Hier vliegen ze elkaar regelmatig aan. Wat wil
je, met Silvio Berlusconi als het grote politieke voorbeeld,'
vertelde Tiziano. 'Als je geluk hebt, maken we dat vandaag
misschien ook nog wel mee.'

Het idee alleen al deed Eva glimmen. Politici die letterlijk
met elkaar op de vuist gingen. *Fantastico.* Daar kon je mee
thuiskomen.

Ze concentreerde zich zo goed mogelijk op de Italiaanse woorden die in rap tempo uit de politieke monden vloeiden. Van tevoren had Tiziano haar de thema's van de vergadering van vandaag alvast uit de doeken gedaan. Daardoor begreep ze dat de politici het op dit moment hadden over de invoering van een omstreden nieuwe verkeersregel, die de gemoederen aardig hoog deed oplopen. Eva deed haar uiterste best om de argumenten voor en tegen uit de woordenbrij te onderscheiden, al bleef dat een aardige klus na pas tweeënhalve week Italiaanse les.

'*No, no, no,*' hoorde ze Tiziano naast haar zeggen, nadat de tribune plotseling in de lach was geschoten. Eva begreep de humor niet, maar glimlachte voor de vorm een beetje mee.

Het debat was zo onderhoudend dat Eva helemaal niet in de gaten had dat ze al zo'n anderhalf uur op de tribune zat.

'Let op,' zei Tiziano vlak bij haar oor. Zijn stem deed haar opschrikken uit haar eigen gedachten, waarin ze – geen idee hoelang al – verzonken was. Ze schoof naar voren, ging op het puntje van het pluche zitten en spitste haar oren. Hij hield zijn pen in de aanslag, vlak boven de gelinieerde velletjes van zijn handzame kladblok.

Plotseling begon een politicus, een oude man die Eva er aardig bedeesd uit vond zien, keihard te schreeuwen. Ze kon niet alles verstaan, maar ze kon er in ieder geval één bekend scheldwoord uit opmaken. De vrouw die achter de spreektafel stond, hield op slag haar mond. Van verbazing, zo leek het. Een ijzige stilte, opgeschrikt door geroezemoes afkomstig van het journalistenbalkon, vulde de ruimte. De vrouw zette haar leesbril af, haalde een hand door haar perfect gladgestreken, lange haren en liep met grote, dreigende passen op de man af. Met haar rechterhand haalde ze uit en gaf ze hem een flinke klets op zijn licht kalende hoofd. Er moest een andere man aan te pas komen om de vrouw tot bedaren te brengen. Ze fluisterde nog iets in het oor van de man die ze had geslagen. Daarna trok de politica haar mantelpakje recht, hief haar kin op en liep op haar hoge naaldhakken als een catwalkmodel de vergaderzaal uit.

'*Ma dai*,' zei Eva. Toen ze het zei, moest ze meteen aan Massimo denken. Het was zijn stopwoordje, dat Eva de afgelopen dagen ongemerkt van hem had overgenomen.

Tiziano moest smakelijk om haar lachen. 'Speciaal voor jou, Eva,' zei hij, waarna hij zich weer vol verve op zijn aantekeningen stortte. Eva kon hem geen ongelijk geven. Als iets mooi was om in de krant over te schrijven, dan was het wel zo'n spektakel als zich zojuist onder hun ogen had voltrokken.

Niet veel later was het debat ten einde en koersten alle journalisten, met hun schrijfblok of opnameapparaat in de aanslag, naar de ontmoetingsruimte voor nog een onderonsje en een gezellig afzakkertje.

Tiziano keek de ruimte rond en Eva vroeg zich af naar wie hij zo naarstig op zoek was.

'Kom,' zei hij en hij pakte Eva's hand stevig vast. Hij trok haar mee door de borrelende menigte, waarin niet elke politicus of journalist even goed meegaf. Eva excuseerde zich keurig in het Italiaans als ze iemand aanstootte en er geheel per ongeluk voor zorgde dat zijn of haar drankje over het hoogstwaarschijnlijk zeer dure jasje heen ging. Toen Eva weer opkeek, stond ze ineens oog in oog met de vrouw die nog geen halfuur geleden de mannelijke politicus een aardige optater had verkocht.

Tiziano bracht de vrouw eerst in een vriendelijke stemming door een of ander slijmerig complimentje te maken. Eva lachte vanbinnen toen ze zich afvroeg wat er zou gebeuren als een verslaggever dat in Nederland zou doen bij zo'n stug Kamerlid. Als Eva het goed begreep, probeerde Tiziano op slinkse wijze te achterhalen wat de vrouw en de man tegen elkaar hadden gezegd nadat de klap op zijn hoofd al was geschied. De politica keek Tiziano recht in zijn ogen en schonk hem een gemaakte glimlach, maar hield wel haar roodgestifte lippen stijf op elkaar. Ook na de derde vraag die hij haar stelde.

'Ik moet gaan,' zei de vrouw en ze maakte duidelijk aanstalten om te vertrekken. Haar handtas had ze al om haar schouder gelegd en ze wierp tot drie keer toe een blik op het smalste horlogebandje dat Eva ooit had gezien. Het deed de pols van de politica nog smaller lijken dan die al was.

'Ik vond het fantastisch dat u hem een klap verkocht,' zei Eva. Haar Italiaans was zeker niet perfect, maar volstond voor het moment.

De vrouw draaide haar gezicht naar Eva toe en lachte. Het was deze keer geen geforceerde lach, maar een echte, zag Eva. 'En wie ben jij?' vroeg de politica met haar kin iets opgeheven. Uit haar blik sprak een en al nieuwsgierigheid.

'Eh, ik ben Eva Smit. Een journalist uit Nederland,' zei Eva. Wat klonk dat goed: een journalist.

'*Veramente*?' zei de vrouw. Ze zette een stap in Eva's richting en boog haar gezicht naar haar toe, tot haar lippen vlak bij Eva's oor eindigden. 'Zal ik je vertellen wat ik net tegen hem zei?' vroeg de vrouw.

Eva knikte heftig. Haar hart ging als een gek tekeer. Ze was bang dat de vrouw haar belachelijk hoge hartslag op de een of andere manier zou kunnen horen. Zo voelde het dus als een journalist oog in oog stond met een primeur! 'Ik zei dat iedereen graag zou willen weten van zijn geheime bankrekening in Zwitserland, waar hij ongezien miljoenen aan regeringsgeld naartoe sluist.'

Voordat Eva iets kon antwoorden of kon opkijken, was de vrouw al verdwenen. Ze had een envelop vast die de politica in haar handen had gedrukt. Tiziano gaf wildenthousiast een ruk aan Eva's schouder. 'Vertel! Wat zei ze? Wat zei ze?' drong hij aan. Zijn ogen stonden zo ver open dat het leek alsof hij iets gebruikt had.

'Ze vertelde dat...' Eva keek in het gezicht van een nors uitziende verslaggever, die onmiskenbaar zijn oor te luister legde. Ze slikte haar woorden in en gebaarde Tiziano dat ze naar buiten moesten gaan.

Ze vlogen door de gangen en de zalen met de prachtig

hoge plafonds, haalden hun spullen uit de garderobe en verlieten Palazzo Madama. Een stukje verderop hield Eva haar pas in en ging ze tegenover Tiziano staan. Ze dook weg in haar zomerjasje om zich te wapenen tegen de wind die steeds harder begon te waaien. Als het maar geen slecht weer zou worden, dacht Eva.

'Als je nog langer je mond houdt, vrees ik dat ik jou een klap moet verkopen,' grapte Tiziano.

Eva lachte. Ze slikte een denkbeeldige brok weg. De spanning had haar keel volledig uitgedroogd. Ze zocht de woorden bij elkaar en sprak voor alle zekerheid op zachte toon. 'Ze zei dat iedereen graag zou willen weten van zijn bankrekening in Zwitserland. Ik denk dat dit het bewijs is voor de fraude,' zei Eva terwijl ze de envelop een beetje liet wapperen.

Tiziano's ogen sprongen haast uit zijn kassen. Zijn wangen verschoten van kleur. Nadat hij vijf keer *'veramente?'* had geroepen en Eva als een gek stond te knikken, geloofde hij haar en ging hij helemaal uit zijn dak. 'Fraude! *Fantastico!*' brulde hij. Zijn woorden echoden na tussen de hoge gebouwen die hen omringden. 'We moeten nu naar de redactie en een verhaal schrijven voor de krant van morgen!' schreeuwde hij enthousiast.

'Nu?' vroeg Eva verbaasd. Ze hoorde haar bed al roepen. Ze wilde niets liever dan achterover op het matras storten, haar verzuurde benen laten rusten en met kleren en al als een blok in slaap vallen.

'Ja, je dacht toch niet dat we het verhaal nu lieten liggen en het risico lopen dat andere media het eerder brengen dan wij? Kom op, meekomen jij!'

De metro bracht Eva en Tiziano snel – maar lang niet zo snel als ze wilden – bij de kantoorflat waar Eva nietsvermoedend, maar bovenal gespannen aan deze dag was begonnen. Nog steeds voelde ze de spanning door haar lichaam stromen. Maar dit was adrenaline, prettige spanning.

Tiziano deed natuurlijk het meeste werk. Schrijven in perfect Italiaans, dat lukte alleen na jarenlang intensief Italiaanse lessen op het hoogste niveau te volgen. Zeker in kranten werden werkwoordsvervoegingen en moeilijke woorden gebruikt, waar Eva nog nooit van had gehoord. De energie en passie die Tiziano uitstraalde tijdens het typen van het artikel, gaven Eva ook weer energie. Aangevuld met de sterke espresso, die zij voor Tiziano en haarzelf had gezet, kwam Eva weer een beetje tot leven.

'Luister,' zei Tiziano en hij legde woord voor woord uit wat hij had geschreven op basis van het document en wat de vrouw tegen Eva had gezegd. 'Wat vind je ervan?'

'Super!' zei Eva. 'Ik had het zelf niet beter kunnen schrijven. En zeker niet zo snel.'

'Kwestie van ervaring,' zei Tiziano. 'Dat leer je vanzelf, hoor. Over een tijdje typ je me er zo uit. Wedden?'

Eva lachte. Tiziano zette het stuk in het computersysteem dat de krant gebruikte en regelde met een redacteur die avonddienst had dat het nog in de papieren editie van morgen kon verschijnen.

'Mag ik nog wat vragen?' zei Eva tijdens hun frisse avondwandeling.

Tiziano stond erop om haar netjes bij haar huis af te leveren, omdat het zo laat was geworden. Hij knikte.

'Versprak ze zich nu per ongeluk? Of wil ze dat het in de krant komt?'

'Soms verspreken politici zich, maar vaker lekken ze informatie met voorbedachten rade. Zij heeft er natuurlijk belang bij om haar grootste politieke tegenstander af te serveren in een landelijke krant,' legde Tiziano uit.

Het was de laatste leerzame les van de lange dag. Ze stonden inmiddels voor de donkere deur aan de Via della Lungara.

'Nou, Eva, je dag bij *La Repubblica* zit erop,' zei Tiziano.

'Ja,' zei Eva. Ze kon niet de woorden vinden om deze dag goed te omschrijven. Het leek trouwens wel een week in plaats van een dag, zo veel nieuwe indrukken had ze opgedaan. 'Ik vond het... Ik weet niet waar ik moet beginnen.'

'Je hoeft het niet uit te leggen. Je blik, je lach en je aanstekelijke enthousiasme hebben me alles wat ik wil weten verteld,' zei Tiziano. Hij gaf haar een charmante knipoog, waar ze tegenwoordig allang niets meer achter zocht. Eva had inmiddels wel in de gaten dat Italiaanse mannen dol waren op flirten, zonder dat ze daarmee direct de liefde verklaarden aan de vrouw in kwestie.

'Ik weet echt niet hoe ik je moet bedanken,' zei Eva en ze had direct spijt van die opmerking. Ze vreesde dat Tiziano met een of ander onzedelijk voorstel op de proppen zou komen. Maar haar vrees bleek gelukkig ongegrond.

'*Di niente*,' zei haar Italiaanse privéverslaggever en hij maakte een gebaar alsof hij iets wegwuifde in de stevige wind die langs haar oren streek. 'Ik vond het hartstikke leuk om je vandaag mee op sleeptouw te nemen en ik hoop dat je er veel van hebt geleerd.'

'O, absoluut!' zei Eva en ze knikte er hevig bij. Ze gooide er ook nog wat gebaren tegenaan, zoals dat hoorde in Italië. 'Wat ik vandaag gezien heb, is dat ik journalistiek echt een fantastisch vak vind. Nog mooier dan ik al dacht.'

'En ik heb gezien dat jij heel goed kunt worden. Op je eerste dag al een primeur. In het Italiaans nog wel. Wat wil je nog meer?' voegde Tiziano daaraan toe. '*Grazie ed arrivederci, Eva.*' Hij gaf haar twee zoenen op haar wang en liep toen richting de trap, die hem naar de brug leidde die Eva elke ochtend overstak als ze naar school liep. Nog één keer draaide hij zich om en hij vervolgde achterstevoren zijn weg. 'De lezers van *La Repubblica* zullen je morgen dankbaar zijn!' riep Tiziano haar uit de verte toe.

Eva's hart maakte een sprongetje.

14

Eva liep haar vertrouwde vliering af en deed haar best zo min mogelijk geluid te maken. Dat was een flinke opgave aangezien het smalle, houten trapje nogal kraakte als ze haar voeten erop neerzette. Ze was vanochtend al opgestaan voor de vuilniswagen lawaai stond te maken voor haar huis. Het werd tijd dat ze eens tot échte actie overging wat Massimo betrof en daarom had Eva bedacht dat ze hem deze ochtend ging verrassen met een ontbijtje op bed. Daarna wilde ze uitgebreid de tijd hebben om op weg naar school *La Repubblica* te bestuderen.

Ze schoot haar badjas met bijpassende slofjes aan en liep op haar tenen naar de badkamer. Terwijl Eva haar lichaam inzeepte, liet ze het avontuur van de vorige dag nog eens door haar gedachten gaan. Ze sloot haar ogen en zag zichzelf weer staan op de redactie en later zitten in de zachte, roze stoelen in Palazzo Madama. Het moment dat de politica in haar oor had gefluisterd over de politicus en haar stiekem een envelop met het nodige bewijs voor de fraude had overhandigd, stond in Eva's geheugen gegrift. Haar hart was nog nooit zo hard tekeergegaan als toen. Hoewel Tiziano het meeste werk had verricht, voelde Eva dat ze een behoorlijke bijdrage had geleverd. Ze wist dat Tiziano haar dankbaar was voor haar schijnbaar prikkelende opmerking, waardoor de politica overstag was gegaan. De douche deed haar goed. Ze voelde zich fris en fruitig toen ze de kraan dichtdraaide.

In hun gezamenlijke keuken maakte Eva een ontbijt met de dingen die ze nog in de koelkast had liggen. Een vijfsterren-ontbijt werd het niet, maar daar ging het niet om. Het ging om het gebaar. En om de hartstochtelijke zoen die erna zou komen, uiteraard. Eva kreeg het al warm als ze eraan dacht. Ze moest vooral niet vergeten haar tanden te poetsen met het oog op die zoen. Ze liet twee versgekookte eitjes schrikken onder de kraan en zette ze in de dopjes op het dienblad. Ze legde een paar zoete croissantjes uit de broodtrommel op een bordje en vulde twee glazen met jus d'orange. Nu was het alleen nog wachten tot de percolator met koffie begon te pruttelen. De geur van pittige koffie steeg op en maakte Eva op slag klaarwakker.

Opgetogen liep ze met het dienblad stevig in haar beide handen geklemd naar zijn kamer. Ze was zo benieuwd hoe Massimo zou reageren op haar idee! Met haar rechterarm duwde Eva de deurklink naar beneden en ze liet zichzelf zijn kamer binnen.

'*Buongiorno*, Massimo,' zei ze vrolijk.

'*Buongiorno*,' zei Massimo slaperig. 'Wat is dit?'

'Een verrassingsontbijtje,' zei Eva. Nu ze oog in oog stond met de jongen die ze zo leuk vond, was Eva toch zenuwachtiger dan toen ze gisteren het plan had bedacht.

'En waar heb ik dat aan te danken?' vroeg hij blij verrast.

'Omdat ik… Nou, ja, om je te bedanken voor al je hulp met het Italiaans,' verzon Eva ter plekke. Waarom zei ze niet gewoon dat ze hem leuk vond? Of schreeuwde ze dat hij de knapste jongen was die ze ooit had gezien? Wel zo duidelijk.

'Wat lief van je,' zei hij. 'En voor het geval je het nog niet wist: heel graag gedaan.'

Eva zette het dienblad voorzichtig op zijn bed terwijl Massimo rechtop ging zitten, met een iets minder slaperig hoofd dan toen ze zijn kamer was binnengelopen.

'En trouwens ook omdat ik je wil vragen of je zin hebt om

met me uit te gaan,' zei Eva. Zo, het hoge woord was eruit. 'Vanavond.'

Massimo trok een gezicht dat Eva moeilijk kon plaatsen. '*Oh no, mi dispiace,*' zei hij. 'Ik heb vanavond al afgesproken met Andrea. We gaan uit eten in een stadje verderop en ik blijf daar slapen.'

Natuurlijk. Hoe kon het ook anders? Hoewel ze Andrea helemaal niet kende, had Eva nu al een hekel aan het meisje dat Massimo om de haverklap opbelde en briefjes voor hem achterliet. En waar hij kennelijk ook al samen mee uit eten ging en zelfs bij sliep!

'Jammer,' antwoordde Eva droog.

'Misschien de avond erna?' vroeg Massimo.

'Misschien,' zei Eva, maar ze dacht iets heel anders. Ze ging toch zeker niet aansluiten in de lange rij vrouwelijke veroveringen van Massimo? Hij bekeek het maar met zijn Andrea. '*Devo andare a scuola.*' Ze wilde weg uit zijn kamer en uit hun huis. En wel zo snel mogelijk.

'*Grazie.* Voor het ontbijt,' zei Massimo met een glaasje jus in zijn hand.

Eva liep haar eigen kamer binnen. Ze gaf een ruk aan haar legging, die niet meegaf, schoot met haar blote voeten in haar gestipte ballerina's en smeet snel wat spullen in haar handtas. Eva's lichaam voelde zwaar aan. Het leek alsof ze gisteren tijdens haar journalistieke avontuur haar energie van vandaag al had opgebruikt. Wat een teleurstelling. En wat een onverwachte afwijzing. Ze had nergens zin in: niet in een uitgebreide make-upsessie en zeker niet in een uitgebreid ontbijt samen met Massimo. Eva had nooit begrepen waarom mensen zonder ontbijt de deur uit gingen. Tot nu. Met haar handtas over haar rechterschouder en haar Italiaanse tekst- en werkboek onder haar arm geklemd liep ze haar kamer uit. Ze liet de gezamenlijke voordeur met enige kracht dichtvallen. Buiten haalde Eva diep adem en ze liep over de vredige binnenplaats richting de grote, antieke poort naar de straat.

Met elke stap die ze richting de kiosk zette, verbeterde haar humeur aanzienlijk. Eva stak de brug over de Tiber over en genoot een kort moment, leunend met haar ellebogen op de brede stenen rand, van het mooie uitzicht over een klein stukje van de stad. Haar stad. Een glimlach vormde zich rond haar lippen en de rust keerde terug in haar lichaam. Ondanks alle haastige Italianen die haar passeerden en zo veel ongedurigheid uitstraalden dat Eva het bijna in haar eigen lijf kon voelen.

Bij de kiosk op het pleintje, dat ze op weg naar school elke ochtend schuin overstak, sloot ze achter een oud mannetje aan. Toen de norse verkoper met een streng knikje liet weten dat Eva aan de beurt was, vroeg ze om *La Repubblica*.

'*Due, per favore,*' voegde Eva eraan toe op het moment dat de man een krant opgevouwen voor haar had neergelegd. De verkoper trok zijn wenkbrauwen op en keek haar een kort ogenblik bevreemd aan, voordat hij haar verzoek zonder wat te zeggen opvolgde. Met twee dikke kranten onder haar armen geklemd, tussen de boeken die ze al droeg, liep ze de koffiebar naast het pleintje binnen.

'*Un cappuccino ed un cornetto, per favore,*' bestelde Eva met het grootste gemak een typisch Italiaans ontbijt. Het was gelukkig niet zo druk aan de bar, dus kon ze – staand, zoals dat volgens Italiaans gebruik hoorde – breeduit de krant neerleggen. Ver hoefde ze niet te kijken, want ze begreep na drie woorden al dat het artikel over de fraude van Tiziano en haar groot op de voorpagina was geplaatst! Eva kon haar geluk niet op en bedankte de oudere man achter de bar, die haar een kop koffie met een prachtige schuimkraag en een croissantje met een dikke, mierzoete glazuurlaag toeschoof, zo vriendelijk dat hij er verbaasd van opkeek.

Eva scande de tekst en begreep flarden van de inhoud. Vooral omdat Tiziano haar gisteravond laat nog woord voor woord had uitgelegd wat hij had geschreven. Eva was alleen zo moe geweest dat haar ogen af en toe dichtvielen. Onder aan het artikel stond een verwijzing naar pagina vijf. Zonder naast zich te kijken sloeg Eva de krantenpagina om. De vrouw naast haar, die net een slok van haar espresso wilde nemen, keek verschrikt op.

'*Scusi*,' zei Eva en ze keek de vrouw aan met een verontschuldigende blik. De dame maakte een gebaar dat het geen probleem was, maar verplaatste zich voor de zekerheid met espresso en al naar het andere uiteinde van de bar.

Onverstoorbaar bladerde Eva verder naar pagina vijf en zag daar een flink stuk tekst, inclusief foto van de twee politici in kwestie. Net toen ze dacht dat haar gevoel van tevredenheid het absolute maximum had bereikt, viel haar oog op een cursief gedrukt zinnetje helemaal onder aan het artikel. *Met dank aan de Nederlandse journaliste Eva Smit*, las ze. Haar mond viel open. Dit kon niet waar zijn! Haar voor- en achternaam waren vereeuwigd in een van de belangrijkste kranten die er in Italië werden uitgegeven! En dan nog wel bij het allerbelangrijkste artikel van de dag! Bovendien, bedacht Eva, stond er nu zwart op wit dat ze journalist was. Als dat geen teken was van boven, dan wist ze het ook niet meer. Ze had zin om de vrouw van DUO, die ze eerder aan de lijn had gehad, te bellen en haar te zeggen dat ze de allergrootste vergissing in de historie had begaan. Maar Eva bedacht zich dat dat een tikkeltje arrogant zou zijn.

De bar begon te trillen. Het duurde even voordat Eva in de gaten had dat de telefoon in haar handtas afging en dat die het getril veroorzaakte. Haastig zocht ze tussen de kleine rommel en ze duikelde net op tijd haar mobieltje op.

'*Pronto?*' zei ze uit gewoonte, ook al was het nummer van de beller onderdrukt. Het was toch meestal Mira die belde om te zeggen dat ze te laat was of om te vragen waar ze ook alweer hadden afgesproken.

'Eva Smit?' klonk een vriendelijke vrouwenstem in haar oor. De dame in kwestie klonk ver weg door de ruis die in de lijn zat en door de herrie die de man achter de bar maakte met het opstapelen van de kleine, witte espressokopjes.

'Ja, daar spreekt u mee,' antwoordde Eva. Ze had niet verwacht een telefoontje uit Nederland te krijgen en hoopte maar dat de vrouw het een beetje kort zou houden, met het oog op de kosten.

'Je spreekt met Anja Brouwer, van DUO,' zei de vrouw, waarop Eva een soort adrenalinekick door haar lichaam voelde stromen. Wat had die organisatie haar nu nog te vertellen, na dat afwijzende telefoontje van laatst, dat Eva ook nog eens hoogst onvriendelijk had beëindigd? 'Ik belde je om te vragen of je je nog steeds wilt inschrijven voor de loting van de opleiding journalistiek.'

'Hè? Maar, ik was toch te laat?' vroeg Eva.

'Nou, om eerlijk te zijn was je prima op tijd. Mijn collega vertelde me net over je telefoontje en ze heeft een fout gemaakt. Je mocht je op 15 mei nog inschrijven, ook na vijf uur, en dat heb je gedaan. Of althans, dat wilde je doen.'

'Ja, ja, dat wilde ik inderdaad,' zei Eva. 'Bedoelt u dat ik me alsnog mag inschrijven voor de loting?'

'Als je dat wilt, dan kan ik dat nu voor je regelen.'

'En of ik dat wil!' riep Eva enthousiast in de hoorn. De man achter de bar liet van schrik een schoteltje uit zijn hand vallen, dat gelukkig van stevig porselein gemaakt was. Vijf minuten later had de vrouw aan de telefoon de inschrijving van Eva Smit alsnog in het computersysteem ingevoerd.

'Nogmaals onze excuses,' voegde ze eraan toe.

'Dat geeft niks. U weet niet hoe blij ik ben,' zei Eva naar waarheid.

'Het is pas voor de loting, hoor. Dat garandeert nog geen plek op de school voor journalistiek van je keuze,' zei Anja Brouwer. 'Vergeet je niet zo snel mogelijk een kopie van je cijferlijst en je havodiploma op te sturen? Hoe hoger je gemiddelde, hoe meer kans je hebt om ingeloot te worden.'

'Dat zal ik zeker doen. Alvast ontzettend bedankt voor alle moeite,' zei Eva en ze hing op. Het liefst wilde ze springen, schreeuwen en een dansje maken. Het was nog niet eens negen uur en Eva had nu al een topdag! Ze had meegewerkt aan een belangrijk artikel in *La Repubblica* waarbij haar naam, compleet met journalistieke titel, zwart op wit gedrukt stond én ze was nog in de race om een overstap te maken naar de studie die ze eigenlijk altijd al had willen doen. Eva kon geen manier bedenken waarop de dag mooier had kunnen beginnen. Nou ja, misschien was de dag nóg beter geweest als ze samen met Massimo had genoten van het ontbijt en hij haar uitnodiging voor vanavond juichend in ontvangst had genomen. Maar gelukkig was die afwijzing door al het andere goede nieuws ver naar de achtergrond verdreven.

Eva typte razendsnel een sms'je naar haar moeder met de vraag of ze twee kopietjes voor haar wilde maken en op wilde sturen naar DUO. *Uitleg volgt later*, typte Eva als laatste drie woorden en ze drukte op 'verzenden'. Het kon haast niet anders dan dat haar moeder zelf op onderzoek uit zou gaan, nieuwsgierig en doortastend als ze altijd was.

Eva schoof het laatste stukje croissant naar binnen en goot er een grote slok koffie, die voor het leeuwendeel uit schuim bestond, achteraan. Haar plakkerige handen veegde ze af aan haar legging, die moest toch al in de was. Met snelle pasjes en een opperbest humeur leek ze naar haar school te zweven. Ze kon niet wachten om haar vriendinnen het goede nieuws te vertellen!

Een paar minuten te laat – wat niets voor haar was – stoof Eva door de smalle gangen van de taalschool. Vanbuiten leek het een imposant en bovenal ruim gebouw, maar vanbinnen was het meer een soort doolhof met overal krappe gangetjes. Eva daalde de trap af naar het vaste klaslokaal en klopte netjes aan.

'Het spijt me dat ik te laat ben,' excuseerde Eva zich. Ze trok haar meest verontschuldigende gezicht en vouwde haar handen tegen elkaar. Haar glimlach kreeg ze met geen mogelijkheid van haar gezicht gepoetst.

'*Non importa. Siediti, Eva,*' zei de lerares.

Eva was blij dat de stoel naast Mira vrij was. Al stelde ze tegelijkertijd tot haar ergernis vast dat haar aanbidder Günther aan de andere kant van die lege stoel zat. Eva en Mira zeiden volautomatisch '*buongiorno*' tegen elkaar en wilden meteen veel te veel vertellen. De ietwat strenge blik van de lerares belette hen hun uitgebreide verhalen te doen.

'Sinds wanneer komt Eva Smit te laat? Op school nota bene,' fluisterde Mira met een plagerig ondertoontje dat nog maar net hoorbaar was.

Eva zwaaide kort naar de twee Belgische meiden, die aan de andere kant van het krappe lokaal zaten. Catlijne zat kaarsrecht, met haar pen in de aanslag, terwijl An onverschillig onderuitgezakt in haar stoel hing. Eva deed haar uiterste best om de blik van Günther, die onverstoorbaar op haar gericht was, niet te voelen. Of in ieder geval te doen alsof ze die niet voelde.

Eva's wangen gloeiden. Van de sprint die ze naar school had getrokken en van alle opwinding die ze deze ochtend overal in haar lichaam voelde opborrelen. Mira zag het en trok haar eigen conclusies. Haar ogen glinsterden ervan. 'Aha! Volgens mij is hier iemand ein-de-lijk naast Massimo wakker geworden. Na een onstuimige nacht die verder ging dan een braaf kopje kamillethee op de rand van het bed.'

'Nee, nee, helemaal niet!' corrigeerde Eva haar vriendin net iets te hard.

'*Silencio, per favore*,' sprak de lerares. Ze keek over de rand van haar rechte montuur en zag er strenger uit dan ze was.

Als twee vervelende pubermeiden schoten Eva en Mira in de lach. Ze vermeden elk oogcontact omdat ze wisten dat ze het anders heel kinderachtig uit zouden proesten. Net als een jaar of zeven geleden, op de middelbare school bij Frans, Duits en eigenlijk alle vakken die ze samen hadden. In de tweede klas hadden ze een heel jaar lang bij geen enkel vak naast elkaar mogen zitten, maar in de derde klas waren alle leraren dat allang weer glad vergeten.

De lerares deelde de klas in tweetallen voor het oefenen van een gesprek. De opdracht was om een strenge Italiaanse vader te overtuigen van de onhoudbare liefde tussen zijn lieftallige dochter en haar nieuwe vriend. De achterliggende gedachte van de opdracht was het oefenen van een nieuwe werkwoordstijd, namelijk de toekomende tijd. Die opdracht klonk Eva als muziek in de oren, zeker omdat ze samen met Mira een briefje mocht pakken uit het doosje dat de klas door ging.

'Wat staat er?' vroeg Mira nieuwsgierig.

'Dat jij mijn werkloze vriendje Paolo bent, zonder rooie cent en zonder enig toekomstperspectief,' vatte Eva de rollen kort samen.

'Lekker dan,' lachte Mira. Ze schoof haar stoel iets dichter naar haar vriendin toe terwijl de andere klasgenoten nog druk doende waren met het doorgeven van de doos met briefjes. 'Maar eerst nog even over jouw vriendje.'

'Ik heb écht niet bij hem geslapen. Of met hem. Ik zweer het,' zei Eva en ze stak twee vingers in de lucht.

'Wat is er dan?' vroeg Mira.

'Ik sta met mijn naam in de krant!' zei Eva met een enorme twinkeling in haar ogen.

'Echt waar? Wat gaaf!' reageerde Mira. 'Laat zien dan!'

Eva pakte de krant erbij en bladerde snel door naar pagina vijf, waar ze haar klamme vinger bij het cursieve zinnetje legde. Ze ergerde zich aan Günther, die over haar schouder meekeek.

'*Fantastico!*' riep Mira uit. De hele klas keek naar hen op, inclusief de lerares, die haar geduld voor de eerste keer sinds hun kennismaking leek te gaan verliezen.

'*Ma Eva è eh, in La Repubblica,*' sputterde Mira tegen toen ze het kwade gezicht van de docent in het vizier kreeg.

'*Lasciami vedere,*' zei de lerares.

Eva stond op en liet de krant aan haar zien, zoals Paola vroeg. Ze vertelde dat ze gisteren een middag en avond op pad was geweest met een Italiaanse verslaggever, Tiziano Menchi. De blik van de lerares ontdooide, ze vond het een mooi verhaal. Hier en daar verbeterde ze de woorden die Eva verkeerd uitsprak. Met name de voorzetsels en lidwoorden, daar vergiste Eva zich nogal eens in. Op de middelbare school had ze in het Frans ook zo veel moeite gehad te onthouden wanneer een woord nu mannelijk of vrouwelijk was.

Na een onverwachte, maar soepele speech ging Eva weer bij Mira zitten om het rollenspel voor te bereiden.

'En ik mag ook nog meedoen met de loting voor journalistiek!' zei Eva nog voordat ze goed en wel terug op haar stoel was geschoven.

Mira's mond viel open. 'Jeetje, wat is er met je gebeurd? Heb je soms een toverdoosje opengedaan voordat je naar school bent gelopen?'

Eva lachte en haalde haar schouders op. 'Geen idee. Maar ik had inderdaad een buitengewoon magische ochtend.'

'Dat kan ik me voorstellen,' zei Mira.

'Behalve...' begon Eva.

'Behalve wat?'

Eva aarzelde en krabde op haar hoofd, alsof ze het daarmee makkelijker maakte om het te vertellen. Ze bewoog haar gezicht iets dichter naar dat van Mira. 'Ik wilde Massimo vanmorgen verrassen met een ontbijtje op bed.'

'Ah, goed zo!' riep Mira enthousiast.

'Ik vroeg of hij vanavond met me uit wilde, maar hij heeft nee gezegd.'

'Hoe kan dat nou?' vroeg Mira verbaasd.

'Omdat hij al met Andrea uit eten gaat. Hij blijft zelfs bij haar slapen!'

'Hmm,' zei Mira. 'En heb je ook gevraagd wie die Andrea eigenlijk is?'

Eva schudde haar hoofd.

'Dat zou ik volgende keer toch maar eens doen. Je wilt toch journalist worden? Misschien ligt het heel anders dan je denkt.'

De vriendinnen waren nog lang niet uitgepraat, maar werden gestoord door de lerares, die een rondje door het lokaal liep en inmiddels bij hun stoelen was aanbeland. Ze keek met een vragende blik op hen neer.

'Eh,' zei Mira en ze begon spontaan te stotteren. '*Sono Paolo e sono*, eh, wat is werkloos in het Italiaans?'

Eva haalde haar schouders op. Ze zat zo met haar gedachten bij Massimo en Andrea dat ze nauwelijks verder kwam dan 'pizza', 'pasta' en 'tiramisu'.

De lerares zei dat ze nog flink moesten oefenen in de laatste zeven minuten.

'Laat mij je helpen.' Terwijl Eva de langzaam weglopende lerares nakeek, klonk de lage stem van Günther in haar oor. Eva's trommelvliezen deden pijn elke keer dat ze dat accent van hem hoorde. Het maakte niet uit of hij Engels, Italiaans of Duits sprak, dat accent kwam overal naar boven en maakte dat alle talen even afschuwelijk klonken.

'Eh, nee, bedankt,' zei Eva. Ze wendde haar gezicht zo snel mogelijk weer af en keek recht in Mira's ogen. Eva en Mira hoefden elkaar nog geen halve minuut aan te kijken of ze wisten al precies van elkaar wat ze van die jongen dachten.

'Jawel,' zei Günther. Hij pakte Eva's bovenarm hardhandig vast. Nog steviger dan hij op de Palatijn had gedaan.

'Nee bedankt, zei ik toch?' zei Eva luider. Ze boog haar lichaam naar voren in een poging zich los te wurmen. Dat lukte ook, maar niet voordat Günther zijn hand tergend langzaam langs haar rug naar beneden had laten glijden. Pas vlak boven haar billen stopte hij. Dat was de druppel.

'Houd nou toch eens op, *cazzo!*' zei Eva tegen Günther. Ze stond voor hem, met haar armen in haar zij. Haar gezicht stond op onweer. Toen ze weer een beetje tot bedaren was gekomen, had ze pas in de gaten dat haar lerares en klasgenoten vreemd naar haar opkeken. 'Eh, *mi dispiace,*' zei Eva en ze ging weer zitten.

Mira trok de stoel van haar vriendin dichter naar zich toe. 'Wat een engerd,' zei ze.

Eva schudde haar schouders los en blies wat ingehouden adem uit. 'Laat maar. Laten we onze overtuigende speech maar eens oefenen, *amore* van me.' Ze gaf Mira een knipoog en glimlachte, al was ze niet bepaald ontspannen. Günthers ogen prikten nog steeds onbehaaglijk in haar rug.

15

'Weet jij hoe je scooter moet rijden?' vroeg Catlijne aan An.

An keek gebiologeerd naar de klassieke, lichtblauwe Vespa waar ze voor de derde keer een rondje omheen liep. De scooter was zo schoon dat hij belachelijk glom. An ging zo op in zichzelf en wat ze zag, dat ze de vraag van Catlijne helemaal niet hoorde.

'Joehoe!' zei Catlijne. 'Kun jij scooterrijden?'

'Ja, hoor,' zei An. 'Dat denk ik wel.'

'Dus je hebt het nog nooit gedaan?' vroeg Catlijne. De angst was in haar ogen te lezen. 'Maar hoe moet dat dan? Mira, heb jij weleens op zo'n ding gereden?' vroeg ze hoopvol.

Mira stond een eindje verderop in de garage van het verhuurbedrijf en had net haar hand op een lichtroze exemplaar gelegd. Ze genoot van het koude materiaal onder haar vingers. Mira keek op, tegelijk met Eva.

'Ik niet, jij?' zei Eva en keek opzij naar Mira, die haar hoofd schudde.

'Dan ga ik niet, hoor,' zei Catlijne beslist en sloeg haar armen over elkaar voor haar buik.

'Ach, stel je toch niet zo aan. Hoe moeilijk kan het zijn?' reageerde An. 'Ik regel het wel even met die jongen daar.' An liep naar de medewerker toe die verderop wat geld stond te tellen. Hij schreef iets op, tot hoever hij geteld had waarschijnlijk, en keek toen op naar An. De interesse nam zichtbaar toe, zeker toen An er wat grapjes en glimlachjes tegenaan gooide. Nog geen drie minuten later liep ze trots op haar vriendinnen af.

'Nou, het is geregeld. Die blauwe en die roze voor de hele dag en nacht. Morgenochtend moeten ze om negen uur terug zijn,' zei An. Ze liet twee sleutels in de lucht bungelen.

'Super!' riep Mira enthousiast uit en ze pakte de sleutel met de roze hanger uit haar handen.

'Ik weet niet, hoor,' probeerde Catlijne in een ultieme poging haar vriendinnen op andere gedachten te brengen.

An gaf haar een kus op haar wang en sleurde haar toen aan haar arm mee. 'Kom, kom. Een beetje avontuurlijker mag ook wel, liever.'

Catlijne gaf zich gewonnen, al was ze er nog niet bepaald gerust op.

Eva vond het ook eng, maar dan vooral in positieve zin. Ze voelde een gezonde spanning in haar buik en had er het volste vertrouwen in dat het een fantastische middag en avond zou worden.

Mira en An gingen beiden voor op een scooter zitten nadat ze veel te veel spullen met moeite onder het zadel hadden gepropt. Eva en Catlijne namen voorzichtig plaats achter op het grote zitvlak, dat een beetje inzakte. De jongen van de verhuurwinkel keek de meiden met een vette grijns na. Alsof hij ze zojuist stuk voor stuk versierd had. Mira en An gaven precies tegelijk een draai aan het handvat, waardoor de motor een harder geluid liet horen.

'Zijn jullie er klaar voor?' vroeg An luid om boven het motorgeraas uit te komen.

Eva en Mira knikten naar haar, met hun helmen onhandig en zwaar op hun hoofden. Eva schampte per ongeluk met haar helm langs die van Mira en riep zo hard ze kon: 'Sorry!'

Catlijne zei niets. Haar helm bewoog een piepklein stukje op en neer, wat hoogstwaarschijnlijk moest doorgaan voor een bevestigend knikje. Ze klemde haar armen nog steviger rond Ans lichaam.

Daar gingen ze. An schoot met Catlijne achterop de verhuurwinkel uit. Ze kregen meteen de eerste toeter al om hun oren. An stak duidelijk haar middelvinger op en als Eva het goed hoorde, schreeuwde ze een van de vele scheldwoorden die de meiden inmiddels hadden geleerd. Buiten de muren van het klaslokaal, uiteraard. Mira volgde de lichtblauwe scooter van An, maar pas nadat ze goed naar links en naar rechts had gekeken.

Het was hun derde weekend in Rome. Eva kon maar niet geloven hoe snel de tijd voorbijging. De meiden hadden besloten deze keer zelf op pad te gaan in plaats van aan te sluiten bij de weekendexcursie van school. Eva had in haar reisgids gekeken en voorgesteld om met de scooter de stad uit te rijden, richting Ostia Antica. Al voordat ze naar Rome was vertrokken, wist Eva dat ze niet terug wilde keren zonder de oude havenstad te bezoeken. Hoewel An en Mira niet zo cultureel ingesteld waren als Eva en Catlijne, hadden ze er maar al te graag mee ingestemd nu er scooters – echte Vespa's nog wel – in het spel waren.

Eva had één arm rond Mira's middel gelegd en hield zich met haar andere hand stevig vast aan het stalen handvat dat achter op de scooter bevestigd was. De wind waaide hard langs haar lichaam en deed haar rokje opwaaien. Gelukkig droeg ze er een legging onder en hoefde ze zich dus geen zorgen te maken over het bedekken van haar ondergoed. Ze had namelijk een nogal felgekleurde hipster aangetrokken vanochtend. Eva keek omhoog en zag een strakblauwe hemel, waarin de zon fel scheen.

De straat waar ze doorheen reden kwam uit op het drukke verkeersplein op Piazza Venezia, waar het monument voor Vittorio Emanuele niet te missen was. Het was werkelijk een monsterlijk groot, vuilwit geval, dat foeilelijk afstak tegen de veel oudere monumenten in de nabije omgeving. Dat waren de meeste Italianen roerend met Eva eens. Zij hadden het witte eerbetoon aan de eerste koning van Verenigd Italië, sinds de bouw aan het begin van de twintigste eeuw, de meest uiteenlopende bijnamen gegeven. Massimo had Eva verteld dat Italianen het geval omgedoopt hadden tot onder meer 'bruidstaart', 'valse tanden' en 'schrijfmachine'.

'Kijk uit!' riep Eva.

Een auto zoefde rakelings langs haar schenen.

'*Pazzo!*' hoorde ze uit Mira's mond ontsnappen. Haar stem werd gedempt door de helm die ze droeg, maar Eva wist zeker dat haar vriendin zich vreselijk zat op te winden en dat ze het Italiaanse woord voor 'gek' uitsprak met een gezicht dat boekdelen sprak.

Aan de linkerkant trok de Markt van Trajanus aan haar ogen voorbij en aan de overzijde van de straat het Forum Romanum. Eva moest meteen terugdenken aan de keer dat ze naast Massimo wakker was geworden en een hele dag als een soort zombie over het Forum gestruind had. Ze zag ook die akelige Günther voor zich, die 'heel toevallig' voor haar opdoemde op de nabijgelegen Palatijn.

'Wauw!' riep Mira uit. Ze haalde haar hand een kort moment van het stuur en wees naar het beroemde Colosseum dat steeds dichterbij kwam. Eva was evenzeer onder de indruk, maar wenste wel dat haar vriendin snel haar hand weer terug op het stuur zou leggen. Dat gaf haar toch een geruster gevoel.

'Echt te mooi!' zei An, die inmiddels met de lichtblauwe Vespa vlak naast die van Eva en Mira reed. Ze minderden even vaart om het kolossale bouwwerk wat langer in zich op te kunnen nemen. Eva's mond viel ervan open, maar omdat ze een helm droeg, kon niemand dat zien. Op een Italiaanse scooter tussen de Italianen crossen langs het beroemdste bouwwerk van heel Italië, dat was op en top Rome wat Eva betrof. Ze beleefde opnieuw het overweldigende gevoel dat ze had gehad toen ze de eerste dag met haar vriendin op ontdekkingsreis was gegaan in hun nieuwe stad. Catlijne zat inmiddels een stuk ontspannener achter op de scooter en kon ook een glimp opvangen van het Colosseum.

Hoe mooi Eva het ook vond, ze haalde opgelucht adem op het moment dat ze het Romeinse stadshart met de vele stoplichten en toeterende weggebruikers achter zich lieten. Een brede weg, waar gelukkig een stuk minder voertuigen reden dan in het drukke centrum, strekte zich voor hen uit. De bomen langs de kant en het grijze wegdek onder de banden schoten ritmisch aan haar voorbij. Eva genoot intens van alles wat ze zag.

Het was ruim een halfuur rijden naar Ostia. De rit was voorbij voordat de vriendinnen er erg in hadden. Voor Eva's gevoel reden ze vijf minuten geleden nog langs het Colosseum.

'Wat was dat een mooie rit, zeg,' zei Mira nadat ze de helm van haar hoofd had gehaald. Ze gooide haar lange, blonde haren achterover. 'Het liefst ga ik meteen weer verder, in plaats van die oude zeikstad te bekijken.' Mira gaf Eva een plagende por in haar zij.

'Cultuurbarbaar,' zei Eva.

'O, echt geweldig!' beaamde An toen ze de scooter na een aantal mislukte pogingen op de standaard had gekregen. Ze keek achterom naar Catlijne, die eruitzag alsof ze nog niet helemaal met beide benen op de grond stond. 'Leef je nog, Cat? Of ben je soms bezweken onder de spanning?'

Catlijne lachte een beetje schamper. Ze was duidelijk aan het bijkomen van de doodsangsten die ze tijdens de scooterrit had uitgestaan. 'Ja, het gaat wel, hoor. Dank je,' zei ze zachtjes. 'Ik vond het een beetje eng.'

'Je meent het!' zei An met een stralende lach. Ze trok Catlijne naar zich toe en sloeg haar armen als een bezorgde moeder om haar vriendin heen.

Eva probeerde het grote slot om het voorwiel van de Vespa te vergrendelen, maar had daar de grootst mogelijke moeite mee. 'Hè, verdorie!' riep ze en ze gaf ongeduldig een nog hardere ruk aan het slot, waardoor de hele scooter aan het wankelen sloeg.

'Niet zo ongeduldig. Moet je de trein halen?' zei Mira en ze duwde haar vriendin een stukje opzij. 'Laat mij maar even.' In een handomdraai had Mira de scooter veilig op slot gezet. Nog één keer keek ze tevreden achterom naar de Vespa, die als een soort lichtroze parel in de zon stond te glanzen.

De zon scheen feller dan de afgelopen dagen en Eva liep al flink te zweten. Ze wenste dat ze iets anders had aangetrokken dan haar grijze shirtje met roze pailletjes. Als je ergens zweetplekken goed in kon zien, dan was het wel in grijs. Helemaal als de mouwtjes zo akelig strak rond je oksels trokken. Eva verlaagde haar looptempo en probeerde van de blauwe hemel, het zonlicht en de warmte op haar huid te genieten. In Nederland was het nog niet eens zestien graden, had haar moeder gisteren ge-sms't, en natuurlijk regende het weer eens pijpenstelen. Heerlijk, hoe dat haar vakantiegevoel nog een extra boost gaf.

'Wacht even, meiden,' zei Eva. Aan haar linkerkant merkte ze een hoopje stenen op, een meter of drie voor de werkelijke ingang van het stadje Ostia. 'Kijk, dit was de begraafplaats.'

'Buiten de stad?' vroeg Mira verwonderd.

'Ja. Ze mochten vroeger geen mensen binnen de stadsmuren begraven,' viel Catlijne Eva bij. Eva lachte naar haar Belgische vriendin en was blij dat ze tenminste één culturele metgezel had.

'Hoe luxe je tombe was, hing af van hoeveel geld je had.' Eva wees naar de resten van een minitombe die lullig afstaken bij die van een veel grotere tombe.

Het viertal betrad vervolgens het echte Ostia, via een oude, rommelige stenen weg. Eva liep voorop en keek haar ogen uit. Wat moest het vroeger een ongelooflijk grote stad geweest zijn! Overal waar ze keek, zag ze nieuwe hoopjes stenen opdoemen of gebouwen die nog half of haast helemaal intact waren. Huizen, winkels, weggetjes, een theater en een aantal thermen, waarvan de zwart-witte mozaïekvloeren prachtig bewaard gebleven waren. In haar reisgids las Eva dat de havenstad – althans, dat was het vroeger, nu lag Ostia bij lange na niet meer aan de zee – goed geconserveerd was. Met uitzondering van de bovenste verdiepingen, die in hun geheel verdwenen waren. Eva had moeite zich voor te stellen dat de Romeinen zo lang geleden ook al in een soort flatgebouwen leefden.

'Poeh, wat is het warm,' verzuchtte An, die intussen aardig achterop was geraakt. Met haar hand veegde ze druppels van haar voorhoofd, dat inmiddels flink glom van het plakkaat met zweetparels dat zich erop gevormd had. 'Ik moet even zitten, hoor.' Ze zeeg neer op het eerste het beste rotsblok dat ze tegenkwam. Gelukkig voor An waren dat er nogal wat in de oude Romeinse havenstad.

'Gaat het?' vroeg Catlijne bezorgd. 'Heb je...?'

An knikte, voordat Catlijne haar vraag kon afmaken. Eva en Mira begrepen er niets van. Net als die keer dat ze met z'n vieren bij Mira thuis een heerlijke risotto hadden gemaakt en de Belgische meiden ook al zo geheimzinnig hadden gedaan over 'iets wat An moest'.

'Of misschien toch niet,' zei An en ze staarde bedenkelijk voor zich uit. Haar bezwete gezicht werd almaar roder. Ze liet haar hoofd in haar handen vallen.

'Heb je het wel bij je?' vroeg Catlijne nog bezorgder dan zonet.

An schudde haar hoofd.

'Gaat het echt wel?' Catlijne ging naast haar vriendin op het krappe rotsblok zitten en wreef liefjes over haar voor-overgebogen rug. Ook die was nat van het zweet. Eva keek opzij naar Mira en zag dat haar vriendin ook steeds zorgelij-ker begon te kijken.

'Ik heb zo'n dorst,' zei An terwijl ze een paar keer opvallend achter elkaar slikte.

'Wacht, ik heb water,' zei Eva en ze frummelde een flesje water uit haar handtas tevoorschijn. Ze gaf het flesje aan An, die het meteen dankbaar aan haar lippen zette. Ze klokte de helft van het water razendsnel naar binnen en veegde de resterende druppels met haar blote arm van haar kin. Het water leek An goed te doen.

'Laten we teruggaan,' zei Catlijne beslist. 'Dit ziet er helemaal niet goed uit.'

'Nee, nee. Dat hoeft echt niet,' zei An. Ze plaatste haar handen naast zich op het rotsblok om rechtop te blijven zitten en had moeite haar blik scherp te stellen.

'Dat hoeft wel,' zei Catlijne streng. Ze stond op en ging voor haar verlepte vriendin staan, met haar armen pontificaal in haar zij gestoken.

'Alleen kan An zo echt niet rijden,' merkte Mira op.

Catlijne keek verschrikt, alsof ze nu pas besefte dat ze kilometers van het echte Romeinse stadscentrum verwijderd waren. En dan ook nog op zo'n gevaarlijke scooter.

'Ik doe het wel,' zei Eva, ook al begon haar hart als een razende te kloppen, hoog in haar keel. Nog nooit in haar leven had ze achter het stuur van een scooter gezeten en al helemaal niet in een metropool als Rome, waar de mensen een compleet ander karakter leken te krijgen als ze zich op de weg begaven. Maar als An zich niet goed voelde, dan had ze geen keuze. Ze kon Catlijne echt niet laten rijden. Als die er al in zou slagen om de Vespa aan de praat te krijgen zonder compleet overstuur te raken, dan zou ze bij de eerste de beste tegenligger uit blinde paniek haar handen van het stuur trekken.

Mira klopte Eva bemoedigend op haar blote schouder. Ze voelde dat het de hoogste tijd was om opnieuw een dikke laag zonnebrand op haar onbedekte lichaamsdelen te smeren. Zo midden op de dag kon het heel snel gaan.

'Nee, echt. Laat maar. Het gaat wel weer,' zei An. Haar gezicht zag er nog steeds door en door vermoeid uit. De rode kleur op haar gloeiende wangen had plaatsgemaakt voor een doffe, witte gloed. An hees zichzelf als een oude vrouw overeind, terwijl ze met één hand op het muurtje steunde. Toen An rechtop stond, greep ze met haar vrije hand naar haar gezicht. Haar lichaam wankelde gevaarlijk.

'Vang haar!' riep Eva.

An zakte als een plumpudding in elkaar. Gelukkig konden Catlijne en Mira haar nog net op tijd met hun armen opvangen. Zelf zakten de meiden daarbij een stuk naar de grond en ze kwamen allebei in een onhandige positie terecht, die niet lang vol te houden was. Eva schoot te hulp door het zwaar geworden, bewusteloze lichaam van An te ondersteunen. Catlijne liet haar vriendin los en veerde overeind.

'An? An!' zei Eva en ze voelde aan Ans wangen. Ze leken haast van porselein, zo wit waren ze. 'We moeten iets doen! Cat?'

Catlijne stond daar maar en bewoog niet. Ze leek als aan de grond genageld. Haar blik stond op oneindig. Eva stond op en schudde haar hard door elkaar.

'Cat! Luister. We moeten nú iets doen!' zei Eva. De uitdrukkingsloze blik verdween niet van Catlijnes gezicht. De situatie had haar totaal lamgeslagen.

'We moeten het ziekenhuis bellen! Nee, het alarmnummer. Nu meteen!' riep Eva.

'Wat?' zei Mira vanaf de grond.

'Het ziekenhuis of het alarmnummer! Is het hier niet ook gewoon één-één-twee?' vroeg Eva.

Bijna tegelijk grepen ze naar hun mobieltjes.

'Shit, geen bereik!' zei Mira.

'Ik ook niet,' zei Eva.

Ostia stond helaas niet op de radar van hun Nederlandse mobieltjes.

'*Signore!*' riep Eva toen ze een man in het vizier kreeg. Ze sprintte zonder ook maar een seconde te twijfelen naar hem toe en legde hem in zo weinig mogelijk woorden uit wat er aan de hand was. Ze maakte er verhitte gebaren bij, om de noodzaak te onderstrepen. Tot haar opluchting drukte de man binnen een mum van tijd een telefoon tegen zijn oor en bewogen zijn lippen in rap tempo op en neer.

'Hij heeft het ziekenhuis gebeld,' hijgde Eva toen ze terug was bij haar vriendinnen. Ze hurkte neer naast An en aaide over haar gezicht en schouders. Ze was nog steeds buiten bewustzijn. Catlijne zat ernaast, met een blik in haar ogen die een en al bezorgdheid sprak. Ze huilde geluidloos.

'En nu?' vroeg Mira.

'Cat, moeten we niet iets doen?!' zei Eva.

Catlijne schudde haar hoofd. 'Ik weet het niet. Ik, ja, ik heb dit ook nog nooit meegemaakt! Normaal gaat het altijd goed.'

'Wat gaat normaal altijd goed?' vroeg Mira.

'Ja, wat is er nu precies aan de hand? Jullie doen de hele tijd maar zo geheimzinnig!' viel Eva haar vriendin bij.

Ze kreeg geen antwoord op haar vraag. Sirenes van een ziekenwagen die vanuit de verte klonken en steeds dichterbij kwamen, onderbraken het gesprek.

Mira stond op en liep de kant uit waar het dwingende geluid vandaan kwam. Toen ze een ambulance zag verschijnen, begon ze wild met haar armen te zwaaien. Als een schipbreukeling die al maanden in z'n eentje op een onbewoond eiland zat te wachten tot de hulptroepen eindelijk zouden arriveren.

Met een klap zwaaiden de achterdeuren open en twee in uniform gestoken ambulancebroeders sprongen op de grond. Mira wees ze de weg naar het muurtje, waar het lichaam van An, geflankeerd door Eva en Catlijne, nog steeds in dezelfde positie lag. De meiden namen afstand zodat de broeders er beter bij konden.

'Wie van jullie gaat er mee?' vroeg een van de broeders in gebroken Engels.

'Ja, ik!' riep Catlijne. Plotseling had ze haar daadkracht teruggevonden. Binnen een paar tellen sprong Catlijne achter de broeders en An de ziekenwagen in. De ambulance vertrok met piepende banden, luide sirenes en felle zwaailichten, in dezelfde richting als waar het gevaarte kortgeleden vandaan was gekomen.

16

Catlijne keek door de achterruit van de ziekenwagen. Een onbekende omgeving flitste aan haar voorbij. De wagen zeilde door de bochten en de keiharde sirenes deden pijn aan haar trommelvliezen. Het maakte haar misselijk. En zij maar denken dat het niet erger kon dan die scooterrit van net...

Met een schuin oog keek ze naar An, die er nog steeds wit en breekbaar uitzag. De ambulancebroeders behandelden haar vriendin en hielden haar goed in de gaten. Catlijne had hun alles verteld wat van belang kon zijn en moest de controle nu uit handen geven. Wat voelde ze zich machteloos. En schuldig: als zij haar vriendin nou maar beter in de gaten had gehouden... Ze richtte haar blik weer op het donkergekleurde raam en dacht aan haar Nederlandse vriendinnen, die bij de oude havenstad waren achtergebleven. Ze stak haar hand in de zak van haar spijkerrokje en voelde koud metaal tegen haar warme vingers. Shit!

'*Mamma mia*,' zei Eva zachtjes voor zich uit.

De ziekenwagen was uit het zicht verdwenen en het lawaai van de sirenes was verstomd. Eva en Mira keken elkaar aan.

'Zeg dat wel,' zei Mira en ze slaakte een diepe zucht. Van vermoeidheid, van opluchting en van een heleboel andere emoties. 'Het komt toch wel goed met An?'

'Als wij erin geloven, dat moet het gewoon goedkomen,' zei Eva beslist.

Mira knikte. 'En wat doen wij nu?'

'Tja, ook naar het ziekenhuis, lijkt me?' zei Eva. 'Alleen weten we niet naar welk ziekenhuis An gebracht wordt.'

'Nou, dan moet je toch nog scooterrijden,' merkte Mira droog op.

Eva keek haar vriendin aan. Verrek, dacht ze, dat was waar ook! Sinds An in elkaar was gezakt, was het zweet Eva al aan alle kanten uitgebroken. Het parelde op haar voorhoofd en ze voelde het ook onder haar oksels, op haar onderrug en in haar knieholtes en ellebogen. Nu Eva eraan dacht dat ze binnen afzienbare tijd moest plaatsnemen op een eigen Vespa, gutste het zweet langs haar lichaam naar beneden.

'Dat kan ik heus wel,' zei Eva. Het klonk alsof ze overtuigd was van haar eigen kunnen, ook al was ze dat niet helemaal.

'Natuurlijk kun je dat,' zei Mira.

'Laten we eerst dat grote ziekenhuis proberen. Je weet wel, waar we laatst langskwamen,' stelde Eva voor.

'En als we haar niet kunnen vinden?'

Eva haalde haar schouders op. Aan die optie wilde ze niet denken. 'Tegen die tijd neemt Catlijne vast haar telefoon wel weer op.'

De vriendinnen liepen naar de twee Vespa's, die nog steeds stonden te blinken op de zanderige parkeerplaats. Eva liep op de lichtblauwe scooter af die An op de heenweg had bestuurd en voelde haar hart bonzen. Ze haalde nog één keer diep adem.

'Eh, heb jij de sleutel?' vroeg Eva.

Mira, die al startklaar zat op de roze Vespa, liet haar schouders hangen. 'O, nee. Die hebben zij natuurlijk nog. Nou ja, dan moet-ie hier maar blijven staan.'

Eva liep naar haar vriendin toe. Stiekem baalde ze dat haar scooteravontuur nu toch niet doorging. 'Schuif eens op,' zei ze.

'Wat?' zei Mira. Ze begreep er niets van.

'Laat mij maar rijden,' zei Eva beslist.

Mira glimlachte en schoof naar achteren. Eva nam voorop plaats en kreeg nog een bemoedigend schouderklopje van haar vriendin.

'Ben je er klaar voor?' zei Mira.

'*Sì*!' riep Eva terug.

Vol goede moed liet ze de motor van de scooter draaien. Dat was helemaal niet zo moeilijk als ze had gedacht. Mira pakte haar vriendin bij haar middel vast toen Eva van de parkeerplaats wegreed, dezelfde weg in als waar ze vandaan waren gekomen. Dat ging meer dan prima. Eva concentreerde zich volledig op de eerste scooterrit in haar eenentwintig levensjaren en vergat haar zorgen over de bewusteloze An. Althans, voor dat moment. Ze genoot van de wind die haar rokje deed opbollen en van de zon die haar blote huid aangenaam verwarmde. Ze voelde zich de koningin van het wegdek, een vrouw van de wereld, nu ze voor de allereerste keer zelf achter het stuur zat van welk vervoermiddel dan ook, de fiets daargelaten.

'En?' vroeg Mira.

Eva durfde zelfs haar hand van het stuur te trekken om haar duim op te steken. Wat een ervaring!

'*Ragazza*?' zei een van de ambulancebroeders.

Catlijne draaide haar hoofd naar An en de twee mannen in uniform. Ze wilden nog een aantal dingen weten om haar vriendin beter te kunnen helpen. Het leek alsof de ambulancebroeders zich niet al te veel zorgen over Ans toestand maakten, in tegenstelling tot Catlijne. Zij wilde schreeuwen, gillen of huilen. Of alles tegelijk. Ze haatte het om de controle uit handen te geven en niets te kunnen doen behalve afwachten of het goed zou komen. An lag daar maar, met haar bleke gezicht en bewegingloze lichaam.

Ineens bedacht Catlijne zich dat Eva en Mira helemaal niet wisten naar welk ziekenhuis de ambulance op weg was. Catlijne pakte haar mobiel uit het zakje van haar rokje. Ze typte de naam van het ziekenhuis, die ze had opgepikt uit de conversatie van de mannen in uniform waar ze verder geen snars van had begrepen. Dat ging helemaal niet zo gemakkelijk, met klamme vingers die ook nog eens trilden van angst.

Eva voelde iets tegen haar lichaam trillen. 'O, wacht! Ik heb een sms'je! Misschien is het van Catlijne,' riep Eva. 'We moeten stoppen.'

Ze liet het gas in een keer los en de Vespa kwam met een schok tot stilstand. Mira schoof een stuk naar voren en Eva kreeg een van de spiegels op het stuur bijna in haar neus. De scooter wankelde even, totdat Eva en Mira hun voeten aan weerszijden op de grond hadden geplant.

'Zo, die staat stil,' grapte Mira. 'En? Hoe gaat het scooterrijden?'

'Ja, ja, goed hoor. Beetje beginnersproblemen, denk ik,' zei Eva. Het berichtje dat ze had ontvangen was inderdaad van Catlijne. Gelukkig was het geen reclame van T-Mobile of een nieuwe weerupdate van haar moeder. Dat zou een nogal lullige reden zijn geweest om hun avontuurlijke scootertocht te onderbreken.

'Zo, van wie zijn al die gemiste oproepen?!' zei Mira, die over Eva's schouder meekeek op het verlichte scherm. 'Van Massimo?'

'Was het maar waar,' zei Eva. Eén gemiste oproep was inderdaad van haar knappe huisgenoot, maar de andere negen waren van een onbekend nummer. Eva vreesde het ergste: Günther. Ze wilde het er op dit moment niet over hebben. 'Ze brengen An naar Ospedale Santo Spirito in Sassia,' las Eva.

'Eh, oké. En waar is dat?'

'Vlak bij de Sint-Pieter. Daar loop je elke dag langs naar school!'

'O, ik geloof je direct,' zei Mira. 'Als ik jou toch niet had als levende smartphone…'

'Daar gaan we!' zei Eva en ze gaf een draai aan het handvat. Er gebeurde niets. Ze gaf nog een draai, en nog een, harder dan de eerste keer. Eva draaide tot ze een ons woog, maar nog steeds klonk er geen motorgeraas. Waarom startte dat ding nou niet?!

'Nou, ik zie het!' zei Mira. 'Stop, stop! Niet te veel draaien, ik heb weleens gelezen dat je dat niet moet doen.'

'We willen toch weg, of niet dan?!' beet Eva haar vriendin toe. Eigenwijs als ze was, probeerde ze het nog een paar keer. Tevergeefs. 'Hè, verdorie! Rotding!'

De vriendinnen stapten van de Vespa af. Mira zette de scooter op de standaard terwijl Eva kwaad om zich heen keek. Ze zag niets, behalve uitgestrekte weilanden, kale bomen en een strakblauwe lucht. Het was zó stil op de binnenweg dat de vriendinnen voor de eerste keer tijdens hun verblijf in Italië het snerpende geluid van krekels konden horen. Normaal gesproken zou Eva er wat voor geven, zo'n rustige weg zonder andere scooters en auto's. Maar niet nu. Als ze één wens zou mogen doen, dan was het dat er nu een heel leger scooters aan zou komen scheuren. Of de Hells Angels, voor haar part.

'En nu?' vroeg Mira.

'En nu niks!' antwoordde Eva. Ze probeerde rustig te blijven, maar dat lukte voor geen meter. Het enige wat ze voelde was een grote lading paniek. 'Er is hier helemaal niemand, niks, *niente*!'

De achterdeuren van de ambulance zwaaiden met een klap open. Catlijne sprong eruit en deed direct een stap opzij, zodat de twee mannen in uniform An zo snel mogelijk de wagen uit konden dragen.

Catlijne herkende de omgeving direct van alle ochtenden dat ze het ziekenhuis had gepasseerd op weg naar de taalschool. Niet een van die ochtenden had ze erover nagedacht dat ze dat *ospedale* nog een keer vanbinnen zou zien.

Haar maag keerde zich om van de helse ambulancerit door de smalle en drukke Romeinse straten, maar ze deed net of ze het niet voelde. De gezondheid van An was het enige wat nu telde. Hoe moest ze dat in het Italiaans aan het ambulance-personeel vragen? '*Eh, come sta, eh, lei?*' stamelde Catlijne ter-wijl ze met haar trillende hand wees naar de brancard met An erop.

'*Non ho capito,*' zei een van de broeders gehaast, wat 'ik begrijp het niet' betekende. Hij keek haar bevreemd aan.

Fijn. Nu wist ze nog niks. Catlijne zette een sprint in, ach-ter de mannen en haar beste vriendin aan. Ze kon alleen maar hopen dat het goed zou komen. En dat Eva en Mira er snel zouden zijn. Dan zou ze zich niet meer zo alleen en machte-loos voelen.

'O, ik had jou nóóit moeten laten rijden!' beet Mira haar vriendin toe.

'Wie zegt dat het aan mij ligt?' reageerde Eva verongelijkt.

'Ik zeg dat!' antwoordde Mira. 'Ik heb namelijk niet één keer een probleem gehad om die Vespa aan de praat te krij-gen.'

Nadat ze een aantal vergeefse pogingen hadden gedaan om de motor aan de gang te krijgen en hun gezichten en kleren onder de zwarte troep hadden gesmeerd, hadden de vrien-dinnen de hoop opgegeven. Ze waren een stuk verder de weg in gelopen in de hoop dat ze daar wel een teken van leven zouden treffen. Tot nog toe zonder succes.

'Hè, waarom moet dit net nú gebeuren?' hijgde Eva. De combinatie van de drukkende hitte en het voortduwen van een zware Vespa was op z'n zachtst gezegd onprettig. 'Ik wil gewoon zo snel mogelijk naar het ziekenhuis toe.'

'Bel Catlijne nog eens om te vragen hoe het met An gaat.'

'Ik krijg steeds haar voicemail.'

'Bel dan nog een keer!'

'Doe het zelf!'

Zwijgend liepen ze verder. Er klonk alleen het geluid van een veld vol krekels. Samen met de warme zon, die hun huid al flink rood kleurde, leek het wel alsof ze ergens midden in een verlaten woestijn liepen.

'Kijk!' riep Eva na een poosje.

Mira schrok op uit haar nog altijd kwade gedachten en keek waar Eva naartoe wees. 'Yes! Volgens mij is het een benzinestation!' gilde ze enthousiast.

'Volgens mij ook. Kom, *andiamo!*'

Mira hielp haar vriendin de Vespa vooruit te duwen en ze liepen zo hard ze konden naar het wit met blauwe minitankstation. Het maakte niet uit hoe klein het was; één handige man, dat was alles wat ze nodig hadden! Er was op dat moment niemand aan het tanken, dus renden Eva en Mira het kleine winkeltje binnen.

'*Signore!*' riep Eva. Ze vielen haast de drempel over, hijgend. De man achter de toonbank, die bezig was met geldtellen, schrok zich te pletter. Of dat kwam door hun gegil of door hun woeste verschijning, met verwilderde jarentachtigharen en zwarte vegen op hun gezicht, wisten ze niet.

'*No!*' zei de man en hij liet de munten uit zijn handen vallen. Hij mompelde wat onverstaanbaars, maar Eva en Mira konden wel raden dat hij door hen opnieuw moest beginnen met tellen.

'*La nostra Vespa e, eh, rotto!*' schreeuwde Eva.

Mira keek haar vriendin verdwaasd aan. 'Wat zeg jij nou? *Rotto?*'

'Dat betekent 'kapot'! Echt waar!' zei Eva.

De man was zo stug als een harnas. Hij zei dat de dames maar even moesten wachten tot hij 'helemaal opnieuw was begonnen' met het tellen van zijn zuurverdiende centen. Hij hield voet bij stuk. Ook na de verleidelijke blik die Mira hem toewierp, de overdreven manier waarop ze met haar wimpers knipperde en de weinig subtiele wijze waarop ze over de toonbank ging hangen om de oude eigenaar een beter zicht op haar decolleté te geven. Toen Mira zei 'dat hij toch nooit genoeg zou verdienen in deze godvergeten verlaten woestijn', was de kans dat de man voor hun vrouwelijke charmes zou bezwijken volledig verkeken.

Stevig balend verlieten de vriendinnen de winkel.

'Hij is vast homo, anders was hij zeker wel gezwicht voor die *sneak preview* van je borsten,' zei Eva.

Ze schoten in de lach, ook al was dat gezien de situatie totaal ongepast. De tranen stroomden over Eva's wangen en Mira schaterde het uit.

Ze hielden in een keer op met lachen toen er een motor de hoek om kwam. Als een soort droom op klaarlichte dag.

'Een motor!' riep Mira.

'Probeer het nog eens met je vrouwelijke, eh, charmes,' zei Eva en ze duwde haar vriendin een stukje vooruit.

'Als jij dan Italiaans praat,' zei Mira, met haar hoofd omgekeerd.

De motorrijder was van zijn zware, glimmende gevaarte af gestapt en haalde de helm van zijn hoofd. Het was een oude man, een soort opaatje, met de grootste neus die Eva ooit had gezien. Helemaal niet het type man dat ze op een motor verwachtte.

'*Scusi, signore,*' zei Eva.

De man keek geamuseerd naar de twee meiden. Dat begint al goed, dacht Eva. Ze legde de situatie aan hem uit en wees naar hun scooter die ze naast het winkeltje hadden geparkeerd.

'Hmm,' zei de man. Een frons verscheen op zijn toch al rimpelige voorhoofd. Ondertussen vulde hij zijn motor met nieuwe brandstof. 'Ik vermoed dat de motor verzopen is. Heb je soms te veel gas gegeven?'

'Misschien,' antwoordde Eva.

'Wacht even,' zei hij en hij liep de winkel in om zijn benzine af te rekenen bij de eigenaar, die opnieuw was begonnen met geldtellen. Hij keek nog steeds chagrijnig, zag Eva zelfs vanaf deze afstand.

'Kan dat, te veel gas geven?' vroeg Eva.

'Schijnbaar,' antwoordde Mira.

'*Allora,*' zei de man toen ze met z'n drieën rond de Vespa in de brandende zon stonden. Hij deed zijn overhemd uit en ging direct voortvarend aan de slag in een vuilwit hemd met gaten erin. Eva en Mira keken geïnteresseerd mee over zijn schouder en vertrouwden erop dat hij wist wat hij deed. De man meldde dat er een laagje benzine in de cilinder zat en dat hij de bougie eruit ging halen om daar iets mee te doen.

'Begrijp jij het?' vroeg Eva aan haar vriendin.

Mira schudde haar hoofd en haalde haar schouders op. 'Ik denk dat we het maar gewoon aan hem moeten overlaten. Met onze Vespa-kennis komen we niet ver. Ik weet niet eens hoe een bougie eruitziet.'

De man, die inmiddels net zo onder de zwarte vegen zat als Eva en Mira, zette het gas vol open. Eva wilde al een gat in de lucht springen nu de motor weer geluid maakte, maar de man gebaarde dat ze niet te vroeg moest juichen. Hij liet de motor pruttelen en roken, liep er een stukje mee en stond dan weer stil. Ondertussen bleef hij hardop tegen zichzelf praten. Waarschijnlijk omdat dat meer zin had dan aan Eva en Mira uit te leggen wat er aan de scooter mankeerde.

'Hij doet het weer,' zei de man uiteindelijk en hij blies flink wat adem uit. Met zijn arm veegde hij een lading zweet van zijn voorhoofd.

'*Veramente*?' vroeg Eva. Ze durfde het nog niet te geloven. De man lachte. '*Si, ragazze. Veramente.*'

Eva en Mira waren uitzinnig van vreugde. Ze sprongen letterlijk een gat in de lucht en konden alleen maar glunderen. Ze waren de man zo dankbaar dat ze nu eindelijk hun tocht naar hun vriendin konden vervolgen, dat ze hem precies tegelijk een dikke zoen op zijn wangen drukten.

'*Grazie mille*,' zei de oude man verrast. Die brede glimlach was de rest van de dag niet meer van zijn gezicht te poetsen, vermoedde Eva. Hij stapte op zijn motor, zwaaide uitbundig naar de meiden en reed toen onder luid kabaal weg.

'Aaahhh, wat een schat,' zei Eva.

Mira knikte instemmend en stapte snel op de scooter. Achterop.

'Nee, nee, rijd jij maar,' zei Eva. Ze was veel te bang dat ze

weer iets verkeerd zou doen en alsnog die chagrijnige eigenaar van het tankstation om hulp zou moeten vragen.
Smeken, waarschijnlijk.

'Niks daarvan. Zitten jij.' Mira was onverbiddelijk.

Eva ging voorop zitten. Ze hield haar adem in op het
moment dat ze de Vespa startte. Dat lukte in een keer. Ze
zoefde weg op de scooter, zo snel als ze durfde. Na al dat
oponthoud hadden ze geen tijd meer te verliezen!

Catlijne rende door de gangen van het ziekenhuis. Waar bleven Eva en Mira nou? Ze had hun toch een sms'je met de
naam van het ziekenhuis gestuurd? Catlijne was op weg naar
de uitgang. Sinds ze in het ziekenhuis was, had ze haar telefoon uitgezet, omdat het verboden was om mobiel te bellen.
Buiten zette ze haar mobiel weer aan en ze zag dat ze een aantal gemiste oproepen had, zowel van Eva als van Mira. Ze
belde hen allebei terug, maar ze namen niet op. Ook niet de
zesde keer dat Catlijne belde. Er zou toch niet ook nog iets
met hen gebeurd zijn?

'Ik word gebeld!' riep Mira over Eva's schouder.

'Ja, ik ook! Maar ik kan hier niet echt makkelijk stoppen,
hè?' schreeuwde Eva terug. Ze reden midden op een van de
meest chaotische kruispunten die ze ooit had gezien. Daar
waren de rommelige Kanaalstraat en het Europaplein met
zijn drie banen dikke rotondes in Utrecht niks bij. Eva had
haar angst volledig opzijgezet en doorkruiste de drukke ver-
keersader alsof ze dat dagelijks deed. Talloze auto's en scooters snelden rakelings voorbij en haalden de meest bizarre
capriolen uit. Dat kan ik ook, dacht Eva toen een groep toeristen die een Vespa-tour door Rome maakten haar weg
danig blokkeerden. Behendig zigzagde ze door de groep
Britten, met hun roodverbrande witte huid, die daar een stuk
minder behendig op reageerden.

'Wauw, Eva! Je bent helemaal *pazzo* geworden!' blèrde
Mira over haar schouder. Ze klemde haar armen steviger

rond Eva's middel en vond de gedaantewisseling van haar vriendin meer dan geweldig.

Het ziekenhuis, dat naast de Tiber lag, kwam steeds dichterbij. Eva voelde zich dol- en dolgelukkig. Vlak voor de ingang zetten ze de Vespa op slot. Dat was inmiddels een fluitje van een cent geworden voor Mira. In de gauwigheid zag Eva dat hun klamme zitafdruk nog duidelijk te zien was in het donkere kussen, waarop ze geen idee hoelang precies hun billen hadden samengeknepen. Met kracht trok ze de helm van haar hoofd. Haar statische haren piekten alle kanten op en ze zag eruit als een woeste leeuw – zeker met het gezicht dat ze erbij trok en de camouflageachtige strepen op haar wangen en voorhoofd.

Ze renden door de automatische deuren het ziekenhuis binnen. Op weg naar hun Belgische vriendin, die intussen hopelijk was bijgekomen.

'Waar moeten we heen?' vroeg Mira. Met een hoopvolle blik keek ze naar Eva. In de welkomsthal hing een groot bord met belachelijk veel verschillende afdelingen, waarvan Eva de Italiaanse benamingen niet allemaal begreep. Eigenlijk begreep ze er niet één en had ze op dit moment ook geen enkele puf om daar moeite voor te doen. Ze zag het bordje met het icoon voor 'lift' en een pijl naar rechts.

'Ze ligt op de tweede verdieping, in kamer N20,' zei Eva toen ze met nog vier mensen in de krappe lift stonden. 'Kan die lift niet wat sneller?!'

Een piepje klonk en de deuren schoven open, krakend en veel te langzaam. Op een groot bord tegenover de lift stond het getal twee.

'*Scusi*,' zei Eva. Mira volgde haar vriendin, die beleefd maar doeltreffend tussen de vier mensen door zigzagde.

'O, ik ben zo blij dat jullie er zijn!' klonk de stem van Catlijne. Ze stond met haar mobieltje in haar hand en zag er verloren uit, in haar eentje midden in de kale, lange gang. De muren waren niet klinisch wit, maar smoezelig geel met verf die er op diverse plekken van afbladderde.

'Hoe is het met An?' vroeg Eva.

'Ze is bijgekomen! Maak je geen zorgen. An zal superblij zijn om jullie te zien!' zei Catlijne. Ze vloog Eva en Mira in haar enthousiasme om de hals. Het was de eerste keer dat Eva zo nauw contact had met haar nieuwe vriendin uit België en het gaf haar een fijn gevoel. Ondanks Catlijnes bij tijd en wijle irritante paniekerigheid was Eva de afgelopen drie weken erg op haar gesteld geraakt. Ze bedacht dat ze Catlijne straks in Nederland zou gaan missen, maar schudde dat gevoel meteen weer van zich af. Ze wilde er nu nog helemaal niet aan denken om die wervelende Italiaanse hoofdstad achter zich te laten.

Catlijne trok Eva en Mira, ieder aan een hand, de juiste richting uit. 'Zeg, is alles wel goed gegaan op de Vespa?'

Eva en Mira wisselden een veelbetekenende blik uit. 'Ach, met vallen en opstaan. Maar Eva is echt een fantastische coureur,' zei Mira.

Eva kon een gevoel van trots niet onderdrukken. Ook al had ze van angst bijna in haar legging gepiest en voelde het afgelopen uur alsof het tien jaar van haar leven had gekost.

'Zo, zijn jullie daar eindelijk? Jemig, wat zien jullie eruit! Zijn jullie soms op een stormbaan geweest?' An zat alweer rechtop in bed. Ze zag er gelukkig een stuk beter uit dan toen Eva en Mira haar voor het laatst hadden gezien, in Ostia Antica.

'Ja, we hadden een paar tegenslagen onderweg, zoals je ziet,' zei Eva, wijzend op de zwarte vlekken op hun gezicht en kleding. 'Maar daar gaat het nu niet om. Wat fijn dat je weer bij bent gekomen! En dat je er weer zo gezond uitziet!'

Eva omhelsde An, voor zover dat ging met het immens dikke kussen waar ze tegenaan zat. Mira deed hetzelfde. 'Je hebt ons echt ontzettend laten schrikken, weet je dat?' zei Mira.

An knikte, maar zei niets.

'Wat is er precies gebeurd?' vroeg Eva.

An slikte en kwam niet uit haar woorden.

'An heeft diabetes,' viel Catlijne haar bij. 'Daarvoor moet ze heel regelmatig eten en vier keer per dag insuline inspuiten. Als ze dat niet doet, kan ze in een soort coma raken. Zoals vandaag. Dat was voor het eerst.'

'Waarom heb je ons niet eerder verteld dat je diabetes hebt?' vroeg Eva.

'An vindt…' zei Catlijne.

'Laat maar, Cat,' zei An en ze stak haar hand in de lucht. Ze wachtte even voordat ze verder sprak. 'Tja, ik weet niet, misschien zit ik nog een beetje in de ontkenningsfase.'

'Heb je het nog niet zo lang dan?' vroeg Mira.

An schudde haar hoofd. 'Nee. Of nou ja, toch al een aardige poos. Ik weet het niet eens precies,' hakkelde ze. 'Weet je, ik ben zoals jij, Mira, altijd al geweest. Impulsief, niet plannen en gewoon doen wat er op een bepaald moment in me opkomt.'

Mira knikte en Eva deed daar onbewust aan mee. Ze had Mira zelf niet beter kunnen omschrijven.

'Maar ineens ben ik een diabetespatiënt en moet ik voor mijn gevoel overal op letten. Hoe laat ik eet, hoeveel koolhydraten, suikers en vetten ik eet, mijn bloedsuikerspiegel meten, hoe laat en hoeveel insuline ik moet inspuiten,' somde An haar grote frustratie op. Twee dikke tranen biggelden over haar wangen. Het was de eerste keer dat Eva en Mira haar zagen huilen, en niet zo'n klein beetje ook. De afgelopen weken had Eva An leren kennen als een Belgische versie van haar eigen vriendin, maar dan nóg stoerder en impulsiever. Haar harnas werd verpulverd en een veel kwetsbaardere An kwam tevoorschijn.

'Kijk, ik weet dat ik niet moet zeuren. Ik bedoel, ik takel niet af en ik ga er niet dood aan. Maar soms voelt het alsof ik mezelf niet meer ben. Alsof ik nu al een oud wijf ben.' An richtte haar ogen op de smetteloos witte deken waaronder ze lag.

'Hé, je mag af en toe echt wel zeuren, hoor,' zei Eva. Ze

ging op de rand van het bed zitten en liet haar hand op Ans schouder rusten. 'Oké, je gaat er niet dood aan, maar daarom mag je nog wel gewoon ontzettend balen dat je diabetes hebt en dat je daar de rest van je leven rekening mee moet houden. Iedere dag opnieuw.'

'Helemaal mee eens,' zei Mira. 'Ik zou er ook superveel moeite mee hebben om ineens alles te moeten plannen.'

An perste een zweem van een glimlach op haar gezicht. Ze voelde zich gesterkt door de erkenning van Eva en Mira, ook al verdween de diabetes daarmee niet uit haar leven.

'En je had het ons echt véél eerder kunnen vertellen, hoor! Al die geheimzinnige gesprekjes van jullie,' zei Eva. 'Het is toch niets om je voor te schamen?'

'Het is niet zozeer dat ik me ervoor schaam,' legde An uit. 'Meer dat het door het aan anderen te vertellen zo echt wordt, zo aanwezig. Daar ben ik geloof ik nog niet helemaal aan toe.'

'*Ah, An. Il mio paziente belga,*' klonk ineens een mannenstem door de kleine ziekenhuiskamer. Alle vier de gezichten keken op naar de deuropening, waar het stemgeluid vandaan kwam. An begon op slag te stralen bij het zien van de mannelijke dokter die ze het liefst de hele dag aan haar bed zou hebben staan.

'*Ah, il mio medico fantastico,*' reageerde An. Haar wangen kregen een warme, rode gloed en haar hele gezicht begon te stralen.

Eva kon het niet helpen dat ze verbaasd was om An zo vlot en vloeiend Italiaans te horen spreken. En dat nog wel als patiënt in een ziekenhuisbed. In de lessen was An er vaak met haar gedachten niet bij en boekte ze lang niet zo veel vooruitgang als Eva en Catlijne. Bovendien liet ze ook buiten de muren van het schoolgebouw graag het woord aan haar vriendinnen als er iets in het Italiaans gevraagd moest worden. Het was niet dat An het niet durfde – Eva kon weinig dingen bedenken die An niet durfde – maar meer uit gemakzucht, een houding van ik-vind-het-wel-best-zo. Kennelijk had An eerst een knappe Italiaanse dokter nodig om de taal te leren spreken.

'*Come stai oggi?*' vroeg de arts nadat hij beleefd naar hen alle vier had geknikt. Hij pakte de status uit de houder aan het voeteneinde en bestudeerde die aandachtig. An maakte van die gelegenheid gebruik door de arts aandachtig te bestuderen.

Eva zag het en moest erom lachen. Ze snapte wel waarom An zo haar best deed. Het was een ontzettend knappe dokter. Eentje die een eigen doktersromanserie meer dan verdiende. Die witte jas stond hem buitengewoon sexy, als je dat over een man kon zeggen, en met die mooie lach deed hij vast menig vrouwenknieën knikken. Gezien de blikken van Mira en Catlijne dachten zij er precies hetzelfde over.

'Vandaag, eh, oké,' zei An bij gebrek aan de juiste Italiaanse woorden. Dat was het handige aan universele kreten als 'oké', die begreep iedere Europeaan, Aziaat of Afrikaan.

De dokter zette de status terug en liep langs het bed naar An toe. Mira en Catlijne deden zonder iets te zeggen een pas opzij. Hij sloeg de deken een klein stukje omlaag en luisterde met zijn stethoscoop naar geluiden in haar lichaam. Aan zijn gezicht was af te lezen dat het allemaal goed was wat hij door het metaal hoorde.

'We houden je vannacht hier om je insulineniveau te herstellen en om je een vochtinfuus te geven,' sprak de dokter plechtiger dan eerst.

'Oké,' zei An. Ze keek er opvallend stralend bij.

'Maar verder ziet alles er prima uit en mogen je vriendinnen je morgen waarschijnlijk weer mee naar huis nemen,' zei de dokter.

'*Grazie, dottore*,' zei An en ze knipperde ietwat overdreven met haar wimpers.

'*Arrivederci, ragazze*,' zei hij met opnieuw die aantrekkelijke lach van hem.

De vier vriendinnen keken de arts na terwijl hij wegliep. De punten van zijn witte doktersjas wapperden omhoog. Ze keken alleen maar en zeiden verder niets.

'Wat een lekker ding!' doorbrak Mira als eerste de stilte in de kamer.

'Ja, hè? Met zo'n dokter wil je toch nooit meer naar huis?' zuchtte An dromerig. 'Als hij nachtdienst heeft, dan ben ik voor één keer blij dat ik diabetes heb.'

Catlijne schudde lachend haar hoofd. 'Nou, volgens mij gaat het weer prima met je. Je hebt in ieder geval weer praatjes voor tien.'

'Zullen we wat te eten halen en dan gezellig bij je blijven?' stelde Eva voor. 'Tenzij je liever alleen wilt zijn met je Italiaanse McDreamy, natuurlijk,' voegde ze er met een vette knipoog aan toe.

'Dat lijkt me heel gezellig,' zei An. 'Daarna heb ik nog een hele nacht voor de boeg met mijn *McSogno*.'

17

'*A presto!*'

Eva zwaaide na de les naar Mira en Catlijne en vervolgde haar weg naar Campo de' Fiori. Mira en Catlijne hadden beloofd de blauwe Vespa op te halen in Ostia en die bij de verhuurder af te leveren. Dan had Eva tijd om wat souvenirs in te slaan. Ze liep langzaam. Niet alleen haar voeten voelden zwaar aan – zoals eigenlijk iedere dag, met alle wandelingen die ze in de grote stad aflegde – maar al haar ledematen, van top tot teen.

Na het ziekenhuisbezoek was Eva bij Mira en Catlijne blijven slapen omdat ze het gezellig vond om vriendinnen om haar heen te hebben. En natuurlijk ook omdat ze, koppig als ze soms kon zijn, even geen zin had om Massimo tegen het lijf te lopen.

Eerst hadden Eva en Mira keurig de roze Vespa bij de verhuurder afgeleverd. Ietwat minder glanzend door het laagje zand dat de scooter bedekte, maar zonder één krasje. Catlijne was vanaf het ziekenhuis naar huis gelopen. Natuurlijk hadden de meiden nog veel te lang gekletst en was het al ver na middernacht geweest voordat ze eindelijk gingen slapen.

'Nu gaan we echt slapen, hoor,' had Catlijne om iets na enen gezegd.

'Oké, welterusten,' had Eva daarop geantwoord.

'O nee, wacht!' doorbrak Mira binnen tien seconden de stilte in de kleine slaapkamer. 'Hadden jullie ook gezien dat die vrouw in het ziekenhuis zo'n rare jas aanhad?'

Zo was er nog een uur verstreken, voordat het drietal er erg in had. De wekker piepte alweer luid en dwingend nadat ze nog geen vijf uur slaap hadden gehad. Eva had er heel wat voor gegeven om nog een paar uur langer onder de deken te mogen blijven liggen, maar de plicht riep. Ze had al één les gemist, de dag nadat ze per ongeluk naast Massimo had geslapen, en was niet plan om nog meer dure Italiaanse lessen te missen. Ze had er tenslotte nog maar vier voor de boeg.

Met veel moeite had Eva haar oogleden een stukje van elkaar getrokken. Dat werd nog eens extra bemoeilijkt doordat ze helemaal vergeten was voor het slapen gaan de dikke laag mascara van haar wimpers te poetsen. De cappuccino die ze halverwege hun wandeltocht naar school hadden genuttigd, had Eva goed gedaan, en de espresso die ze in de korte pauze tijdens de les achterover hadden getikt in Bar Amore helemaal.

Tegen alle verwachtingen in was Eva bijzonder wakker geweest tijdens de les en had ze goed haar best gedaan. Ze kon zich niet herinneren dat ze een fout had gemaakt, zelfs niet met die ellendige voorzetsels en lidwoorden. Paola, hun vaste lerares, had de verleden tijd voor de tweede keer uitgelegd en Eva merkte dat ze de verschillende werkwoordsvormen steeds beter begon te onthouden. Ook de vele uitzonderingen die de Italiaanse taal rijk was. Zo hoefde Eva zich in haar Italiaanse gesprekken niet langer te beperken tot het heden; tot simpele zinnen als 'waar ga je heen'. Al maakte Eva inmiddels ook dankbaar gebruik van dat excuus om stomme vragen aan mensen te stellen. Soms vond ze het best fijn en luchtig om gewoon te vragen of iemand van honden hield of van rode of witte wijn, in plaats van een verhitte discussie te voeren over het afschaffen van subsidies of het immigratiebeleid. Toch zag Eva ernaar uit om vanaf nu een volwaardigere conversatie te kunnen voeren en in elk geval ook te kunnen vragen waar iemand gisteren was geweest.

'*Dica*,' zei een oude marktkoopman. Door de vele rimpels had zijn gezicht een norse uitstraling, maar zijn oogopslag was vriendelijk.

Eva reikte de man twee sjaals aan, een voor haar moeder en een voor Rachel, haar favoriete huisgenootje in Utrecht. Eva wist zeker dat Rachel helemaal weg zou zijn van het motief en het zachte materiaal.

'O, en deze.' Eva gaf de marktkoopman op het nippertje nog een roze exemplaar. Ze moest vooral zichzelf niet vergeten, natuurlijk. Dat de reis over de helft was, betekende dat Eva nu niet meer zo zuinig hoefde te doen met haar geld als aan het begin. Dat was dan ook meteen het enige voordeel dat Eva kon bedenken van het naderende einde van haar verblijf in Rome.

'*Grazie ed arrivederci*,' zei Eva met een grote glimlach. Nog een boek of cd voor haar vader en dan vond ze het wel welletjes voor vandaag. Later kon ze…

'Eva! *Ciao!*'

Ze draaide zich om naar de kant waar het geluid vandaan kwam. De stem herkende Eva uit duizenden: het was Massimo. Hij kruiste Campo de' Fiori met in zijn kielzog een Italiaanse jongen. Een vriend, vermoedelijk. Haar hartslag versnelde met elke beweging die ze van hem volgde. De grote passen die hij zette, zijn haren die door de wind omhooggeblazen werden en de glimlach die zijn gezicht nóg aantrekkelijker maakte.

'*Ciao*, Massimo,' zei Eva toen hij vlak voor haar neus stond. Ze glimlachte terug naar hem. Het was de eerste keer dat ze Massimo weer zag sinds Het Mislukte Ontbijt. Nu ze in zijn mooie ogen keek, vroeg ze zich af waarom ze ook alweer boos op hem was. Ze was het Andrea-voorval haast vergeten. '*Come stai?*' vroeg ze.

'*Bene, bene. Grazie*,' antwoordde Massimo. De jongen die naast hem stond, volgde de conversatie tussen Eva en Massimo met veel interesse. '*Questo è il mio amico Andrea.*'

Wát? schreeuwde een stem binnen in Eva. Had ze dat nou goed gehoord? Noemde Massimo zijn vriend echt Andrea-met-een-a? Maar was het niet zo dat alleen vrouwelijke woorden en namen op een 'a' eindigden?

'*Scusa*? Andrea?' vroeg Eva met de nadruk op de 'a'.

'*Si, sono Andrea,*' zei de Italiaanse jongen. Hij boog zich naar Eva toe om haar twee vluchtige zoenen op haar wangen te drukken. Eva was te verbouwereerd om haar lippen te tuiten en schampte alleen maar een beetje langs zijn baard. Haar mond viel een stukje open, maar ze zei niets. Het duurde even voordat het tot haar doordrong dat Andrea écht een man was. Nu ze de jongen met de baard voor haar zag staan, was daar geen twijfel over mogelijk. Hoe had ze zo stom kunnen zijn om er automatisch van uit te gaan dat Andrea een meisje was! Massimo's vriendin nog wel! Eva kon zichzelf wel voor haar kop slaan dat ze Massimo niet gewoon gevráágd had wie de persoon was die hem zo vaak belde en met wie hij zelfs een bed deelde. Precies zoals Mira laatst in het klaslokaal tegen haar had gezegd.

'*Piacere,*' wist Eva uiteindelijk uit te brengen. Ze verontschuldigde zich en liep met ferme passen bij het tweetal vandaan. Eva liep een hoekje om en greep haar mobiel tevoorschijn. Er waren van die momenten die je gewoon met je allerbeste vriendin móést delen, en dit was er zo eentje.

'*Pronto*?' zei Mira.

'Ja, ja, *pronto* ja,' reageerde Eva ongeduldig. 'Andrea heeft een baard!' schreeuwde ze vervolgens in de hoorn. Het klonk hevig verontwaardigd.

'Wat zeg je nou? Volgens mij heb ik je niet goed verstaan.'

'Andrea heeft een baard! Andrea is gewoon een man!'

Daarna klonk er niets dan gelach. Heel hard gelach. Minutenlang. Mira kwam niet meer bij van het lachen. Ze deelde het nieuws meteen even met Catlijne, die waarschijnlijk naast haar op de bank zat in hun gezamenlijke woonkamer.

'Sorry. Vertel verder,' zei Mira uiteindelijk. Ze schraapte haar keel.

'Nou, ik kwam hem net tegen op Campo de' Fiori,' vertel-de Eva. Ze hoorde Mira dapper haar lach inhouden. Sinds het katdebacle noemden zij en haar vriendinnen het plein nu Cazzo de' Fiori. 'Hij was samen met een andere jongen, die hij voorstelde als Andrea. Een jongen die Andrea heet! Dat geloof je toch niet?!'

'En nu, waar zijn ze nu?' vroeg Mira.

'Ik ben even bij ze weggelopen. Maar ik ga nu terug en ik beloof plechtig dat ik voortaan alles, maar dan ook echt alles, gewoon ga vragen. Oké?'

'Oké, goed zo!' zei Mira en ze schreeuwde nog wat aan-moedigingen in de hoorn, die Eva al lang niet meer nodig had. Ze had het gesprek al weggedrukt en haastte zich het hoekje om, terug het levendige plein op. Ze keek een aantal keren om zich heen, tot ze Massimo en Andrea in de deur-opening van een koffietentje zag staan.

'Massimo!' scandeerde Eva over het plein, zonder zich druk te maken over de andere mensen die daar liepen. Ze zette een sprint in richting Massimo. Hij stond erbij alsof hij geen idee had wat hij met zichzelf en zijn houding aan moest. Zijn armen bungelden werkeloos langs zijn lichaam. Het ver-baasde Eva hoe hard ze kon rennen. De wind die in haar gezicht blies, zorgde voor verkoeling die ze goed kon gebrui-ken. Ze duwde een aantal veel te traag voortbewegende men-sen opzij en wist meteen weer waarom ze in Nederland zo'n hekel had aan naar de markt gaan. Andere marktbezoekers en toeristen die met een prosecco op een terrasje zaten, keken Eva nieuwsgierig na. Een groep meiden en twee oude man-netjes begonnen haar zelfs aan te moedigen met gejoel en applaus.

'Eva, ik…' Maar Massimo kon zijn zin niet afmaken. Eva sprong wildenthousiast tegen hem op en klemde haar armen en benen om hem heen. Hij had moeite om zichzelf staande te houden, maar toen hij zijn evenwicht terug had gevonden, sloeg hij zijn armen stevig rond haar middel. Wauw, wat voelde het goed om zó dicht bij hem te zijn. Eindelijk. Over Massimo's schouder keek Eva in het gezicht van Andrea. Die liet er geen enkel misverstand over bestaan dat hij genoot van wat er zich afspeelde tussen zijn vriend en het blonde meisje dat hij pas net had ontmoet.

'Massimo, *mi dispiace*,' zei Eva. Ze had haar voeten weer op Romeinse bodem gezet en haar gezicht uit zijn nek gehaald. Ze keek hem recht aan, zonder haar blik af te wenden.

'Hoe bedoel je?' vroeg Massimo.

'Ik, nou, ik dacht dat Andrea een meisje was!' zei Eva. 'Jouw vriendin, om precies te zijn,' voegde ze er mompelend aan toe.

'*Ma dai*! Andrea? Dat meen je niet!' riep Massimo uit. 'Andrea is zeker niet mijn vriendin!'

Ook Andrea begon smakelijk te lachen om het misverstand.

'Ja, echt! *Veramente*,' zei Eva. 'O, ik voel me zo ongelooflijk stom!'

'Geeft niks,' zei Massimo lachend. Met zijn hand probeerde hij zo onopvallend mogelijk duidelijk te maken dat Andrea even een blokje om moest gaan lopen. Eva zag het en hoopte dat Andrea de hint zou begrijpen. Ze kon niet wachten om met Massimo alleen te zijn.

'Ik moet even, eh, een paar, eh, appels kopen,' zei Andrea. Hij liep breed lachend bij het tweetal vandaan, compleet de andere kant op dan waar de kleurrijke fruitkraam op Campo de' Fiori stond.

Eva keek naar Massimo en Massimo keek naar Eva. Hun gezichten straalden. Ze zeiden niets, ze lachten alleen maar naar elkaar.

'Eh, Eva? Kan ik ervan uitgaan dat je mij ook leuk vindt?' doorbrak Massimo aarzelend de stilte.

'*Si*,' zei Eva, zo zachtjes dat haar onofficiële jawoord haast meevloog met de wind voordat Massimo het kon horen.

'Zei je nou ja?' vroeg Massimo voor alle zekerheid.

'Ja. Ik zei ja!' zei Eva. Ze frummelde nerveus aan een loshangende pluk van haar lange haren.

'*Sei bella*,' zei Massimo en hij pakte nu ook een van haar
blonde lokken vast.

Even schoten Eva's gedachten naar Günther, haar aanbidder – of beter gezegd: stalker – die die woorden in het klaslokaal in haar oor had gefluisterd. Maar al snel bonjourde ze
Günther via de achterdeur uit haar gedachten. Ze stond hier
nu alleen met Massimo. En met alle krioelende marktbezoekers verderop op het plein, maar die vergat Eva voor het
gemak maar even.

'Mag ik?' vroeg Massimo.

Nog nooit had een jongen toestemming gevraagd om haar
te zoenen. Haar ex-vriendje Mark had haar gewoon gezoend,
midden in een volle kroeg ten overstaan van zijn luidruchtige
voetbalmaten, met een verschaalde biersmaak in zijn mond.
Eigenlijk had hij het nog een beetje ruw gedaan ook.

Eva knikte en kon de spanning haast niet meer aan. Dit is
het moment, was het enige wat ze nog kon denken. Zachtjes
voelde ze de lippen van Massimo tegen de hare vlijen. Zo
voorzichtig, alsof ze van porselein waren en hij bang was om
ze te beschadigen. Ze sloot haar ogen en genoot van de kus
waarop ze al drie weken wachtte. Massimo drukte zijn lippen
nu iets steviger op de hare. Eva ging volledig op in de heerlijke zoen en wilde dat het nooit meer zou stoppen. Helder
nadenken was er niet meer bij. Gewoon nadenken trouwens
ook niet. Vijf verrukkelijke minuten later – of was het langer?
– trok Massimo zijn mond terug en gleden hun lippen langzaam van elkaar.

Eva opende haar ogen en werd een ogenblik overmand
door de felle Italiaanse zonnestralen die op hen neer schenen.

'Eindelijk,' zei Massimo.

'Zeg dat wel,' zei Eva.

Ze lachten belachelijk gelukzalig naar elkaar.

'Dit wilde ik al doen vanaf het moment dat ik de deur voor
je opendeed,' zei Massimo.

'Waarom deed je dat dan niet?' vroeg Eva. Ze zei het niet als verwijt, ze was gewoon ontzettend benieuwd.

'Ik... ik wilde voorzichtig met je zijn. En met onze vriendschap,' zei Massimo. Hij keek naar de grond, naar zijn gymschoenen waarmee hij tegen de stenen tikte. 'Weet je, Eva, ik ben nog nooit met een meisje omgegaan zoals jij. Ik vind het zo leuk om met jou naar muziek te luisteren, huiswerk te maken en samen thee te drinken. We hebben zo veel lol samen.'

Eva knikte. Ze was het alleen maar roerend met hem eens.

Massimo schraapte zijn keel. 'Ik wist niet dat ik ooit zo'n band met een meisje zou kunnen hebben. Hiervoor heb ik eigenlijk alleen maar wat oppervlakkige, eh, relaties met meisjes gehad.'

'Zoiets begreep ik al van Tiziano,' zei Eva. Ze vermoedde dat 'relaties' een verkapte benaming was voor weinig betekenisvolle onenightstands.

'Zoiets vreesde ik al, ja,' zei hij. 'Ik was bang dat als ik je zou zoenen en jij dat niet wilde, dat ik dan alles zou verpesten. Maar toen je dat ontbijtje voor mijn neus kwakte en jaloers de deur uit liep, wist ik alles wat ik wilde weten,' voegde Massimo er met een grijns aan toe.

Eva lachte. Niet alleen met haar mond, maar met haar hele gezicht. Voor het eerst was Eva blij dat ze zich zo aanstellerig had gedragen. 'Eh ja, sorry daarvoor. Ik had mezelf even niet in de hand,' zei ze.

'Schaam je niet. Je gedroeg je als een echte Italiaanse.'

Massimo trok Eva dichter naar zich toe en hield haar een moment stevig vast. Alsof hij er zeker van wilde zijn dat ze écht was. Het vervulde Eva op slag met warme gevoelens. Ze voelde zijn versnelde hartslag door zijn blouse heen.

'Kom,' zei hij en hij pakte Eva's hand. 'Laten we naar huis gaan.'

'En Andrea dan?'

'Ach, die vermaakt zich wel. Met zijn appels,' zei Massimo. Hij knipoogde naar haar. 'Zo. Dus jij dacht dat Andrea een meisje was?'

Eva kreeg er een lichte kleur van op haar wangen, al kon ze inmiddels ook wel lachen om haar stomme actie.

'Weet je, elke keer als Andrea belde, dacht ik: heb je háár weer! Nou ja, hem dus,' zei Eva. 'En toen je ook nog zei dat je niet met me uit wilde omdat je bij Andrea bleef slapen, had ik het helemaal niet meer.'

'Wat dacht je van mij? Ik wilde niets liever dan met jou uitgaan! Maar ik kon Andrea echt niet in zijn eentje z'n dertigste verjaardag laten vieren. Hij had het er al zo moeilijk mee,' zei Massimo. Hij schoot opnieuw in de lach. 'Eva, *cara. Fantastico.*'

'Maar om mezelf in een iets beter daglicht te stellen: in Nederland is Andrea écht een meisjesnaam, hoor,' zei Eva.

Massimo ging voor haar staan en versperde de weg. Hij keek haar doordringend aan. 'Maak je geen zorgen. Bij mij sta je sowieso in een goed daglicht. Wat je ook doet.'

Hij drukte een korte kus op haar lippen en pakte daarna haar hand. Eva liet zich maar al te graag meevoeren door de steegjes richting Via della Lungara. Ze kon niet ophouden met lachen. Zo voelde geluk dus, ze was het haast vergeten.

18

Eva sjokte naar de keuken in haar favoriete grijs met roze joggingbroek. Massimo was niet thuis en dus voelde ze op dit
moment niet de behoefte om er spetterend en sexy uit te zien.
Soms vond Eva niets lekkerder dan zonder make-up, in een
wijde broek en met haar vette haren in een slordig staartje
gebonden door haar studentenhuis te sloffen. Ze kon niet
bedenken wat ze wilde koken. In haar hoofd was alleen maar
plaats voor *Il Primo Bacio*, oftewel De Eerste Kus.

Al vanaf het begin van haar verblijf in Italië had Eva steeds
vertederd gekeken naar de ansichtkaartjes, waarop geschil-
derde engeltjes schattig de camera in keken. Een van de vele
varianten heette *Il Primo Bacio* en toonde een engeltje dat een
zoen gaf aan een ander engeltje. Eva was direct op het kaartje gevallen en had het in vijfvoud gekocht om naar haar
andere vriendinnen in Nederland te sturen. Ze zouden haar
nu eens moeten zien...

Eva gaapte nog eens en opende een voor een de kastjes. Ze
moest op haar tenen gaan staan omdat alles in het oude huis
met het metershoge plafond te hoog was bevestigd voor mensen van Eva's bescheiden formaat. Het enige wat ze er zag liggen, waren pak spaghetti nummer zoveel – niet dat Eva snapte waarom er in Italië wel twintig verschillende spaghettidik-
tes in de schappen lagen – en een rood pakje met iets wat leek

op gepelde tomaten. Samen met het blokje verse Parmezaanse kaas dat nog in de koelkast lag en de vele potjes met
kruiden, was Eva dik tevreden voor die avond.

Ze stond er opnieuw versteld van hoe anders haar leven
hier in Rome was. In de rommelige keuken van haar studentenhuis in Utrecht had ze twee voorraadkastjes tot haar
beschikking. Die puilden altijd uit met van alles en nog wat,
evenals de koelkast, zodat Eva altijd iets kon bereiden, al brak
er die avond oorlog uit. Op de een of andere manier was dat
patroon er in Rome gaandeweg uit geslopen. Dat had Eva
niet bewust gedaan, ook al had ze zich van tevoren ten doel
gesteld om tijdens deze reis wat minder stug en planmatig te
worden. Het leek wel alsof haar zucht naar controle steeds
kleiner werd, nu ze in Rome dag in dag uit zo druk was met
het beleven van allerlei avonturen waarover ze toch geen controle had.

Na een minuut of tien vond Eva dat de pasta en de simpele saus lang genoeg op het gasfornuis hadden staan pruttelen.
Ze draaide net het gas uit toen haar mobiel afging op het aan-
rechtblad. Het nummer was onderdrukt.

'*Pronto?*' zei ze.

'Ik heb je wel gezien gisteren,' klonk het in haar oor.

Ze wist zeker dat het Günther was. Alweer. Liet die jongen
haar dan nooit met rust? '*Scusa?*'

'Met die Italiaan op Campo de' Fiori,' ging hij onverstoorbaar verder.

'Günther, ik heb hier geen zin in,' onderbrak Eva hem stellig. Het viel even stil. 'En ik zou het op prijs stellen als je me
vanaf nu écht met rust laat.' Ze hing op. Zo, dat had ze goed
gedaan, al zei ze het zelf.

Opgetogen goot ze het water van de spaghetti af en liet de
slierten vervolgens op het bord vallen, met de rode saus en de
eigenhandig geraspte kaas eroverheen.

'Gadver,' zei Eva nadat ze de eerste hap naar binnen had
geslurpt. Het eten zag er weliswaar heerlijk uit, maar zo
smaakte het niet. Ze kon het niet omschrijven, maar waar het

op neerkwam was dat de rode saus hartstikke goor smaakte. Ze liet de vork in de pasta vallen en staarde een ogenblik voor zich uit, denkend over de alternatieven die ze niet had, tot een dichtvallende deur haar uit haar gedachten losrukte.

'*Che c'è?*' vroeg Massimo met zijn hoofd om de hoek.

Eva trok een vies gezicht en wees naar haar volle bord. Massimo liep ernaartoe en draaide met het grootste gemak een aantal slierten om de vork die op het bord lag.

'*No, no, no,*' zei hij en hij spuugde het eten zonder gêne terug op het bord. Eva kwam niet meer bij van het lachen. Ze was spontaan vergeten dat ze haar vormloze joggingbroek droeg en haar haren niet had gekamd. Toen Massimo zijn mond aan de dichtstbijzijnde theedoek had afgeveegd en daarop een rood spoor van tomaten had achtergelaten, zei hij met een gezicht waaruit niets dan verwondering sprak: 'Wat is dit?!'

Eva haalde haar schouders op. 'Gewoon, pasta,' zei ze.

'Nee, Eva, luister goed. Er bestaat niet zoiets als 'gewoon pasta',' zei Massimo met gespeelde strengheid. Hij hield het pak omhoog, waar nog een paar stengels spaghetti in zaten. 'Elke pastasoort past bij een bepaalde soort saus. Deze spaghetti is sowieso al een verkeerde keuze.' Hij legde de spaghetti terug en pakte vervolgens het ingedeukte, kartonnen tomatensauspakje van het rommelige aanrecht. 'Hoe heb je dit bereid?'

'Gewoon verwarmd en door de spaghetti geroerd,' antwoordde Eva.

Massimo begon te lachen. '*Classico!*' zei hij, en hij legde Eva uit dat de saus eerst twintig tot dertig minuten zachtjes moest doorkoken.

'Maar dat staat er helemaal niet op!' zei ze verontwaardigd.

'Maak je geen zorgen, dat overkomt elke buitenlander wel een keer.'

Een kort moment keken Eva en Massimo elkaar onwennig aan. Eva dacht na of ze hem wel of niet zou zoenen en Massimo zou zich vast iets soortgelijks afvragen.

'Kom,' zei Massimo ineens en hij reikte haar de hand.

'Wat bedoel je?' vroeg Eva.

'Kom nou maar. Dat zul je wel zien,' zei hij.

'Maar, waar gaan we dan heen?' vroeg Eva.

Zonder haar vraag te beantwoorden of haar reactie af te wachten, pakte Massimo haar hand stevig vast en trok hij Eva mee de keuken uit. Met zijn hand op de deurklink bleef hij stilstaan. 'O, misschien wil je je omkleden en je tas meenemen? We zijn wel een tijdje weg,' zei hij.

Eva had geen flauw idee wat haar te wachten stond. Maar ze volgde zijn vraag, bevel of wat het dan ook was, zonder iets te zeggen op. Ook al had ze normaal gesproken de pest aan verrassingen. Ze trok een jurkje en een legging aan, zo snel dat het wel een persoonlijk record moest zijn, en haalde een paar keer een kam door haar lange haren. Met haar handtas en dunne zomerjasje onder haar arm liep ze haar kamer uit, sloot ze de deur en liep ze in het spoor van Massimo door de gang naar buiten, hun gezamenlijke binnenplaats op. Ze pakte de helm die Massimo haar voorhield aan, zette die op haar hoofd en nam plaats achter op zijn scooter.

'Ben je er klaar voor?' vroeg Massimo.

Eva strekte haar arm uit en stak haar duim op voor zijn neus. Ook al had ze geen idee waarvoor ze precies klaar moest zijn. Via de spiegel op het stuur van de scooter kon ze aan Massimo's oogopslag zien dat hij lachte. Massimo trok hard op en Eva moest hem stevig vastgrijpen om niet van de scooter geblazen te worden. Ze sloeg haar armen rond zijn middel. Stiekem betastte ze zijn buik, nu ze toch de mogelijkheid had. Dat voelde zeker niet verkeerd.

Massimo doorkruiste de immens drukke stad als een volleerd professional. *'Vaffanculo!'* riep hij één keer naar een scooterrijder die totaal onverwacht keihard remde. Massimo kon nog net op tijd naar links uitwijken, waar een andere bestuurder op z'n zachtst gezegd niet gecharmeerd van was. Eva was bijna bang dat Massimo en de twee mannen elkaar zouden aanvliegen, maar dat gebeurde niet. Ze staken hun middelvingers op en slingerden elkaar diverse rake verwensingen toe, waarvan Eva de meeste inmiddels wel kende.

Eva haalde opgelucht adem toen ze de drukte van het centrum achter zich lieten. Ze keek nog één keer achterom en kreeg er spontaan een glimlach van op haar gezicht. Ze kon het niet tegenhouden, ze was zó ontzettend nieuwsgierig waar Massimo haar mee naartoe ging nemen! Tijdens de rest van de rit, langs bomen met kale takken en grote, dor uitziende velden, fantaseerde Eva er lustig op los.

Toen de scooter een erfweggetje op reed, liet Massimo het gas los. Eva haalde haar handen met tegenzin van Massimo's buik en ging rechtop zitten. Ze keek om zich heen en zag door de opening van haar helm een schattig ogend boerderijtje, dat in de wijde omgeving helemaal geen buren had.

'We zijn er,' zei Massimo toen hij met alle gemak van de wereld de scooter met zijn voet op de standaard had gezet. Hij haalde de helm van zijn hoofd en probeerde zijn haren, die vettig waren geworden door de warmte, los te schudden. Dat lukte niet bepaald, maar zelfs die vettige coupe stond hem prima, vond Eva.

'Eh, waar precies?' vroeg ze.

'Bij mijn ouders. Hier ben ik geboren,' zei Massimo. Met een enthousiast gezicht wees hij naar de boerderij.

Help, zijn ouders! dacht Eva. En waarom eigenlijk? Maar tijd om die en andere vragen te stellen kreeg ze niet, want Massimo was al een stuk voor haar uit gelopen, heuvelopwaarts richting de deur. Galant stak hij zijn hand uit naar Eva toen hij zag dat ze achterop was geraakt. Ze kneep lichtjes in die hand. Haar hart bonsde in haar keel.

Massimo stak de sleutel in het slot en draaide zich naar Eva om. 'Ik dacht: er is maar één persoon die je kan leren koken en dat is *mamma*.' Hij zwaaide de voordeur open en riep wat kreten door de hal die Eva niet kon verstaan. Ze was te zenuwachtig voor woorden om zijn ouders te ontmoeten. Bij Mark had ze er zo'n maand of vier voor nodig gehad voordat ze zijn ouders durfde te ontmoeten. Toen had ze zelfs nog bijna moeten overgeven van de zenuwen. Zou Massimo al zijn scharrels meesleuren naar de boerderij?

Een kleine, oudere dame kwam de hal in lopen, ondertussen zei ze een paar keer 'mijn lieve zoon'. Ze had haar armen gespreid en lachte.

'*Mamma*,' zei Massimo en hij liet zich door zijn moeder omhelzen.

Eva keek opzij. Ze deed haar best niet in de lach te schieten. Het was zo'n aandoenlijk tafereel dat zich naast haar afspeelde. Al vond Eva het ook een beetje een vreemd gezicht om zo'n machoman in de armen van zijn kleine moeder te zien vallen.

'Dit is Eva,' zei Massimo toen zijn moeder hem eindelijk losliet.

Twee armen pakten Eva vast en omsloten haar stevig. De geur van baklucht, uit het schort dat zijn moeder droeg, steeg op naar Eva's neus. Ze hoorde er duidelijk meteen bij, bij de familie van Massimo.

'*Vieni! Vieni!*' zei *mamma* en ze trok Eva en Massimo aan hun armen mee de woonkamer in. Daar stond de rest van Massimo's gezin – vader, twee broers en vier zussen – hen al op te wachten. De geluiden die ze maakten toen Eva en Massimo de kamer binnenliepen, hadden nog het meest weg van gejuich. Eva keek Massimo aan, nogal overdonderd, en hij lachte uitbundig terug. Hij maakte er geen geheim van dat hij genoot van haar reactie.

'Dit is *pappa*,' zei Massimo.

Eva schudde *pappa* de hand en glimlachte naar hem. Massimo's vader gaf haar een beleefde zoen op haar hand. Ze was verrast door zijn kleine, gedrongen postuur en zijn weinig modieuze kledingkeuze. Helemaal niet zoals Massimo eruitzag. Nog niet, althans.

'Massimo. Ik heb nog wat voor je, in de garage. Kom je even mee?' De aandoenlijke *pappa* gaf Eva nog een aai over haar bol voordat hij de kamer uit liep. Eva keek Massimo en zijn vader vertederd na.

Daar stond ze dan, in een wildvreemde woonkamer met een stel wildvreemde Italianen. Een kort moment voelde Eva zich een verschrikkelijke outcast, tot ze zich realiseerde dat ze iets heel unieks meemaakte. Er zaten genoeg studenten op haar taalschool die alleen maar rondhingen met hun internationale klasgenoten en lang niet zo veel van de échte Italiaanse cultuur meekregen als zij.

De vier nieuwsgierige zussen schoten op Eva af, net zoals haar hond vroeger deed op de bak met droge brokken die hij 's ochtends voorgeschoteld kreeg.

'Zo. Dus jij bent een goede, eh, vriendin van Massimo?' vroeg zus nummer één. Ze had haar armen dreigend in haar zij gestoken, maar haar vriendelijke gezicht verraadde dat ze het helemaal niet zo dreigend bedoelde.

Eva had geen flauw idee hoe Massimo haar geïntroduceerd had bij zijn ouders, broers en zussen. Ze wist eigenlijk niet eens wanneer hij hun gebeld kon hebben om te vertellen dat ze eraan kwamen. Dat was ook zoiets: wanneer noemde je iemand je vriend? Volgde dat automatisch op de eerste zoen? Of moest daar eerst over gepraat worden?

'Eh,' begon Eva te stamelen. Ze probeerde rustig te blijven ademhalen, om te voorkomen dat ze rood zou kleuren. 'We wonen samen aan de Via della Lungara,' maakte Eva ervan. Dat leek haar wel een neutrale oplossing.

'Ja, ja,' zei een andere zus met een veelbetekenende blik.

Eva was blij dat Massimo op dat moment de woonkamer binnen kwam lopen.

'Zeg, doen jullie wel een beetje voorzichtig met haar?' grapte hij tegen zijn zussen. 'Je snapt wel dat ik het vroeger heel zwaar had hier thuis, hè?'

Voordat Eva het in de gaten had, stond ze in de keuken samen met Massimo's moeder. *Mamma* had haar net zo'n lelijk bloemenschort voorgeknoopt als ze zelf droeg. Ze kreeg te veel uitleg om in een keer te behappen, maar één ding had Eva wel geleerd: er bestond inderdaad niet zoiets als 'gewoon pasta maken'. Het koken was een belevenis op zich, iets waar je je volledige aandacht bij moest houden. En het behelsde zeker meer dan een pakje tomatensaus door de verkeerde spaghetti roeren.

'*Buon appetito*,' zeiden de familieleden toen ze aan tafel zaten. Het was een lange, keurig gedekte tafel. De smetteloos witte servetten waren nog met de hand gemaakt door oma, vertelde Massimo net op het moment dat Eva haar tomatenvingers er nietsvermoedend aan afveegde.

Het eten smaakte verrukkelijk en de wijn die erbij geserveerd werd, goot ze ook rijkelijk naar binnen. De helft van de grappen ging langs Eva heen – humor in een vreemde taal was toch een treetje hoger op de moeilijkheidsladder – maar niettemin genoot ze van het harde gelach van de familie. Het kon niet anders dan dat Massimo een heel fijne jeugd had gehad op de boerderij, met zo veel zussen en broers en twee liefhebbende ouders. Massimo pakte onder tafel verscheidene keren haar hand vast, kneep er zachtjes in en liet dan weer los. Eva had haar pumps uitgedaan en streelde voorzichtig met haar voet langs zijn onderbeen. Af en toe kruisten hun blikken elkaar, zonder dat de drukke familie om hen heen het in de gaten had. Eva kreeg het er warm van.

Na het gezellige, maar ellenlange familie-etentje omhelsde Massimo zijn moeder in de hal. '*Grazie, mamma.*' Hij reikte Eva haar zomerjasje aan. 'Hier. Het zal wel koud zijn onderweg.'

Eva stak haar hand uit naar *mamma* om haar te bedanken voor het eten. Daar nam Massimo's moeder geen genoegen mee. Ze sloot Eva stevig in haar armen en drukte een dikke zoen op haar voorhoofd.

'Kom nog eens langs. Je bent altijd welkom,' zei *mamma* en ze kneep in een van Eva's wangen.

Op het grindweggetje maakte Massimo de scooter klaar voor vertrek terwijl Eva haar jas aantrok. Het was inmiddels donker buiten. De oudste zus van Massimo stond in de deuropening om hen uit te zwaaien.

'Leuk om eens een vriendin van Massimo te ontmoeten,' zei ze.

Eva glimlachte. De opmerking verraste haar. Massimo had dus wel de nodige vrouwen tussen de lakens gehad, maar nooit de moeite genomen om ze mee naar huis te nemen. Dat zei toch wel wat.

'*Andiamo*,' zei Massimo.

Eva sprong achterop. Het grind stoof aan de achterkant op toen Massimo wegscheurde. Ze zwaaiden naar zijn oudste zus en sloegen toen linksaf, terug richting Rome.

Eva vond het waanzinnig om door de aardedonkere buitenweggetjes te scheuren en haar stad, die prachtig verlicht was door ontelbaar veel lantaarnpalen, binnen te rijden. Met als prettige bijkomstigheid dat ze een goede reden had om haar armen de hele rit stevig rond Massimo's middel te vlechten.

'En, hoe vond je het?' vroeg Massimo. Hij draaide hun gezamenlijke voordeur aan de Via della Lungara in het slot.

'Geweldig,' zei Eva. Al vertelde haar stralende gezicht al voldoende.

Het huis gaf haar ineens een ander gevoel. Het was de eerste keer dat Massimo en zij binnenkwamen en méér waren dan alleen twee huisgenoten die het toevallig goed met elkaar konden vinden. Ze liep door de gang richting de deuren van hun slaapkamers en voelde Massimo vlak achter haar lopen.

'*Buonanotte*,' zei Eva. Ze had haar hand op de deurklink van haar eigen kamer gelegd. Een veilige keuze.

'Je mag ook bij mij komen slapen,' stelde Massimo voor. 'Maar alleen als jij dat wilt.'

Ja, wat wilde ze? Het enige wat Eva zeker wist, was dat ze echt niet meteen met Massimo naar bed wilde, hoe aantrekkelijk ze hem ook vond. Niet dat ze er nog niet over had gefantaseerd tijdens de vele dromen die ze over hem had, maar het werkelijk doen was toch een ander verhaal. Maar aan de andere kant vond Eva dat ze zich aanstelde. Ze was tenslotte al een keer eerder naast hem wakker geworden, nadat ze zo gezellig samen uit eten waren geweest. En dat was een avond waar ze nog vaak aan terugdacht.

'Oké,' zei Eva. 'Maar bedoel je, eh, echt slapen?' Haar voornemen om goed door te vragen ging haar vooralsnog prima af.

Massimo lachte. 'Natuurlijk. Wat jij wilt, *cara*.'

Hij gaf Eva een knipoog en trok haar naar zich toe. Ze kreeg het warm van zijn omhelzing en de kus die erop volgde, *Il Seconde Bacio*, deed daar nog een schepje bovenop. Langzaam leidde Massimo haar al zoenend naar zijn bed, waar hij zijn lippen terugtrok. Hij keek Eva nog eenmaal diep in haar ogen en liep vervolgens naar de badkamer, zodat ze zich gewoon om kon kleden zonder moeilijk te hoeven doen. Als een ware *gentleman*. Eva kleedde zich om en kroop in zijn bed. Ze kon niet wachten tot Massimo terugkwam.

Massimo schoof de deken aan de kant. Haar benen begonnen te tintelen toen Massimo zijn blote benen ertegenaan legde. Hij pakte haar vast en liet haar de hele nacht niet meer los. Het was de beste nacht sinds Eva in Rome was, ook al kon ze de slaap helemaal niet vatten.

19

Eva lag op haar vliering en staarde naar het plafond, met haar handen achter haar hoofd gevouwen en een grote glimlach op haar gezicht. Ze lag – natuurlijk – te dagdromen over Massimo. Over hun zoen op Campo de' Fiori, het etentje bij zijn familie en vooral over afgelopen nacht. Nu had ze er veel meer van genoten dan toen ze per ongeluk naast hem in slaap was gevallen.

Het was zeven uur 's avonds en ze moest nog een paar uur overbruggen voordat ze met Mira, An en Catlijne had afgesproken om het Romeinse nachtleven onveilig te maken. Ze wilden vieren dat An weer uit het ziekenhuis was thuisgekomen en niets blijvends aan het incident had overgehouden. Natuurlijk was ze wel op scherp gesteld wat het inspuiten van de insuline betreft. Catlijne had beloofd een extra oogje in het zeil te houden, om de chaotische An er vier keer per dag aan te blijven herinneren dat het tijd was voor haar shot. Bovendien zou Catlijne vanavond goed in de gaten houden dat haar vriendin het niet al te bont maakte. Laat naar bed gaan en te veel alcohol drinken gingen ook niet bepaald goed samen met suikerziekte. Toch vermoedde Eva dat de avond niet voor drieën zou eindigen. In Utrecht bezaten Mira en zij ook het talent om in welk café dan ook als allerlaatste de deur uit te gaan.

Massimo klopte op haar deur. 'Eva? Heb je zin om met mij mee te eten?' vroeg hij. Hij liep haar kamer in en ze keek vanaf de vliering naar beneden. Hij hield een witte plastic tas omhoog, waarin een grote doos zat. 'Ik heb pizza gehaald bij de buren.'

Links naast de grote, algemene voordeur van Via della Lungara nummer tien zat een groot *ristorante*. Vanaf hun binnenplaats konden ze via een rechthoekige opening met een rooster ervoor bij het restaurant naar binnen gluren en ruiken wat voor heerlijke gerechten de gasten voor zich op de rood met wit geblokte kleedjes hadden staan.

'Heb je wel genoeg?' vroeg Eva.

Massimo knikte.

'Dan heel graag.' Ze had alweer niets te eten in huis.

Eva liep het houten trapje af en volgde Massimo naar zijn kamer. Hij maakte het tweepersoonsbed vrij voor een soort indoorpicknick. In zijn kamer stond wel een houten eettafel, maar die lag bezaaid met zo veel boeken, kleren en andere spullen dat hij daar niet zomaar aan kon gaan zitten. Het was duidelijk dat Massimo hier maar tijdelijk woonde en niet zijn best deed om zijn kamer schoon of sfeervol te maken. Eva had er geen problemen mee. Ze vond het gezellig om met hem op bed te zitten en haar huiswerk te maken, naar muziek te luisteren, thee te drinken of pizza te eten. En vooral om te zoenen en samen te slapen, natuurlijk.

Pizza en charmant eten gingen niet samen. Massimo had er geen enkel probleem mee een dertig centimeter lange sliert gesmolten mozzarella die uit zijn mond hing met bijbehorend geluid naar binnen te slurpen. Eva voelde zich direct op haar gemak. Ze kletsten honderduit over van alles en nog wat en raakten elkaar aan bij elke kans die ze kregen. De tijd vloog voorbij.

'Shit, ik moet me omkleden,' zei Eva toen ze een vluchtige blik op Massimo's alarmklok wierp. Het was al halftien.

'Waar ga je heen?' vroeg Massimo nieuwsgierig.

'Uit, met mijn vriendinnen,' zei Eva en ze schoof haar

benen naar de zijkant van het bed. Ze stond op. 'Dus als je nog leuke tips hebt?'

Massimo moest eerst het laatste stuk pizza wegkauwen, voordat hij haar vraag kon beantwoorden. 'Ik ga de laatste tijd wel iets minder vaak stappen dan vroeger. Maar als jij je omgekleed hebt, dan heb ik vast wel wat tips voor je.'

Natuurlijk had Eva weer een flink deel van haar garderobekast aangetrokken en vervolgens weer net zo snel uitgetrokken, voordat ze de outfit had uitgekozen die ze nu droeg. Het was nog een voordeel dat ze een flinke berg was had liggen, dan had ze wat minder kleren om uit te kiezen. Eva droeg een zwarte skinny jeans met een van haar favoriete uitgaansshirtjes erboven. Ook een zwart exemplaar, met dunne bandjes over haar schouders en een zilvergrijze print die van de voorkant een stukje doorliep naar de achterkant. De nette rij glimmende steentjes langs het redelijk diepe decolleté maakte het shirtje helemaal af. Net als de make-up en de sieraden, die rond haar polsen en hals fonkelden.

Eva bekeek zichzelf van top tot teen in de lange spiegel op de gezamenlijke gang en vond dat ze zich goed had uitgeleefd, zonder dat ze er overdreven of ordinair uitzag. Ze had pas door dat Massimo haar bewonderend in zich opnam toen hij zacht kuchte. Eva draaide haar hoofd opzij en zag hem staan, leunend tegen de badkamerdeur met zijn armen losjes over elkaar geslagen. Zijn Italiaanse schoonheid deed haar hart opnieuw sneller kloppen.

'Eh, hoe vind je het?' vroeg Eva.

Massimo antwoordde niet, maar wipte uit zijn leunende positie en liep op haar af. Hij hield zijn blik onverstoorbaar op Eva gericht, zonder antwoord te geven op haar vraag. Hij pakte Eva bij haar schouders vast en draaide haar lichaam recht naar zich toe.

'Je hoeft niet in de spiegel te kijken. De beste spiegel, dat ben ik,' zei hij. 'En ik vind dat je er fantastisch uitziet.'

In een romantische film had Eva dat compliment wellicht overdreven gevonden. Maar nu een jongen, die ze ook nog eens heel erg leuk vond, het in levenden lijve tegen haar zei, vond ze het het mooiste compliment dat ze had gekregen sinds ze in Italië was. Vanaf dag één had ze de nodige complimenten gekregen; Italianen waren daar doorgaans redelijk scheutig mee, oud of jong, bekend of onbekend. Toch haalden die het in de verste verte niet bij wat Massimo net tegen haar had gezegd.

'*Grazie*,' zei Eva, nog steeds wat overrompeld.

Hij zoende haar. Eva sloot haar ogen en genoot, zonder over iets anders na te denken dan Massimo en de heerlijke zoen. Precies zoals Mira haar aan het begin van haar reis al geadviseerd had.

Na een tijdje – Eva had geen flauw benul hoelang – begeleidde Massimo Eva met zijn lichaam zachtjes naar de dichtstbijzijnde muur in de lange gang. Ze voelde de koude muur in haar rug en aan de andere kant zijn warme lichaam tegen het hare. Hij zoende haar nu met alle Italiaanse passie die hij in zich had. Even dacht Eva dat ze zou bezwijken onder de hitte die ze in haar lijf voelde. Ze voelde dat ze méér wilde dan alleen maar zoenen. Eva kon zich niet herinneren dat Mark haar ooit zo'n overweldigend gevoel van spanning en opwinding had bezorgd als Massimo op dit moment deed. Nu pas begreep ze dat de vrouwen in de Bouquetreeks zo'n moeite hadden om hun Italiaanse minnaar te weerstaan, vijfentwintig pagina's lang.

'Eva,' zei Massimo toen hij zijn lippen terugtrok. Ze hapten allebei naar adem. Ze keek in zijn ogen, waar de passie en verliefdheid van afspatten. 'Ik zou je nog dagen kunnen zoenen.'

Doe maar, alsjeblieft! schreeuwde een stem vanbinnen, maar Eva hield haar mond.

'Maar je kunt je vriendinnen niet laten wachten,' zei Massimo. Hij zoende haar in haar nek. Het bezorgde Eva een heel prettige rilling, die verdween toen ze aan haar drie vriendinnen en hun avondje uit dacht. Ze was het helemaal vergeten!

'Hoe laat is het?' vroeg ze.

'Eh, halftwaalf,' zei Massimo.

'Halftwaalf?!' herhaalde Eva. Ze schreeuwde het bijna. O, nee! Ze had anderhalf uur geleden al met Mira, An en Catlijne bij het beeld op Campo de' Fiori afgesproken!

Zonder waarschuwing wurmde Eva zich los uit Massimo's omhelzing. Ze vloog naar haar kamer, grabbelde zo snel als ze kon de spullen bij elkaar die ze nodig had en propte die in het kleinste handtasje dat ze meegebracht had. Als Eva moest dansen met een te grote handtas, was haar avond al bij voorbaat verpest. Ze klapte haar telefoon open en zag dat ze vijf gemiste oproepen had, allemaal van Mira. Aan de laatste oproep te zien hadden haar vriendinnen de hoop dat Eva nog zou komen om halfelf definitief opgegeven.

Eva liep in een drafje door de gang naar de voordeur, met haar spullen in haar linkerhand. Het uiteinde van de rits van haar zomerjackje tikte ritmisch tegen de vloer. Met de deurklink al in haar hand bedacht Eva zich. Ze liep naar Massimo toe, die nog altijd onbewogen op dezelfde plek stond, met een verdwaasde blik in zijn ogen.

'*Mi dispiace*,' zei Eva en ze drukte een laatste kus op zijn lippen, voordat ze de deur achter zich dichttrok. Dat was waar, het speet haar dat ze de kus had onderbroken en Massimo in zijn eentje achterliet. Maar het speet haar evengoed dat ze haar vriendinnen was vergeten. Ze vergat normaal nooit iets! Eva was een soort wandelende agenda, niet alleen van haar eigen leven, maar ook van de levens van haar dikste vriendinnen. Sinds ze in Rome was, was er zo veel gebeurd en zo veel veranderd dat ze het zelf nauwelijks meer kon bijbenen.

Eva nam dezelfde route die ze elke ochtend naar school nam, alleen was het nu pikkedonker en zette ze een sprint in in plaats van het slome ochtendloopje waarmee ze zich normaal voortbewoog. Bij het pleintje waar ze de *La Repubblica* had gekocht met haar naam op pagina vijf, ging ze nu niet rechtdoor, maar sloeg ze rechtsaf. Eva kende inmiddels de vele steegjes die kronkelend leidden naar het levendige Campo de' Fiori. Ze kon alleen maar hopen dat haar vriendinnen daar nog ergens op een terrasje wijn zaten te drinken. Hun telefoon namen ze namelijk alle drie niet op.

Het geroezemoes van het uitgaanspubliek kwam steeds dichterbij en Eva minderde vaart. Op het punt waar het plein begon, bleef ze een ogenblik voorovergebogen staan om uit te hijgen. Ver was het niet vanaf haar huis, maar wel nu ze moest hardlopen op ballerina's die eigenlijk net een half maatje groter hadden moeten zijn en waarvan de flinterdunne zooltjes niet geschikt waren voor het ongelijke Romeinse wegdek. Eva liep richting het beeld waar ze hadden afgesproken.

'*Ciao bella!*' schreeuwde een jongen met dubbele tong. Hij keek er een beetje scheel bij. Geen wonder, dacht Eva, toen haar oog viel op de halflege fles wodka die hij in zijn hand had. Samen met zijn vrienden dronk hij uit plastic bekertjes. Eva wist dat je ook bij de omringende kroegen een drankje in *plastica* kon bestellen. Dan kreeg je prosecco of wijn mee in een plastic bekertje, voor de helft van de prijs, om het buiten het café ergens op het plein op te drinken. Iets wat ook veel jongeren op de rand van het standbeeld deden, dankbaar dat ze hier nog wél gewoon mochten roken.

Eva zag geen spoor van haar vriendinnen. Geen Mira, geen An en geen Catlijne te bekennen. Hoopvol keek ze op het display van haar mobiel, maar ook daar verscheen geen teken van leven. Eva liet de telefoon zakken en baalde als een stekker. Het huilen stond haar nader dan het lachen.

Ze liet de drukte van het plein achter zich en liep een steegje in. Best wel een donker steegje eigenlijk. Plotseling werd het aardedonker voor haar ogen door twee handen die erop gelegd werden. 'Waaaaahh!' schreeuwde Eva. Haar roep galmde door het steegje.

'Rustig maar,' klonk een jonge mannenstem vlak bij haar oor. 'Ik ben het.'

Hij haalde zijn handen van haar ogen. Eva draaide zich om en keek recht in de ogen van Günther. Die *creep* doemde werkelijk overal op! Het idee dat ze met haar angstaanjagende klasgenoot in een afgelegen steegje stond, maakte Eva eerder het tegenovergestelde van rustig.

'Günther,' zei Eva. 'Eh, *ciao. Come stai?*' Bij gebrek aan inspiratie startte Eva de standaardconversatie, die ze al minstens twintig keer met haar Duitse klasgenoot had gevoerd en die ze al haatte vanaf dag één.

Hij antwoordde heel 'verrassend' dat het goed ging en vroeg vervolgens hoe het met haar ging. Ook goed, antwoordde Eva, ook al ging het helemaal niet goed. Verre van zelfs.

'Ik zag je vriendinnen net lopen,' merkte Günther terloops op.

'Echt waar? Waar?' vroeg Eva. Ze pakte hem zelfs vast bij zijn arm, zo blij was ze dat hij Mira, An en Catlijne had gespot. Zou ze er dan tóch nog een leuke avond van kunnen maken met haar vriendinnen?

Tevreden keek Günther naar beneden, naar de hand die Eva op zijn arm had gelegd, waarna zij die snel weer terugtrok. 'In L'Anima. Een club bij Piazza Navona in de buurt. Ik loop wel even met je mee.'

'Nee, hoor, dat hoeft niet,' zei Eva, maar ze bedacht zich toen dat ze geen enkel idee had waar die club zich bevond. 'Of nou ja, als je tijd hebt.' Ze glimlachte zelfs naar Günther, als een boerin met kiespijn.

'Natuurlijk. Voor jou altijd. Kom maar, *bella*,' zei Günther. Hij trok haar mee naar de Via Vittorio Emanuele, de grote straat die ze ook elke dag over moest steken om bij school te komen. Via een wirwar aan donkere steegjes leidde Günther haar uiteindelijk naar de tent waar in sierlijke letters L'Anima boven de deur stond. De brede man in uniform en de herrie die er opsteeg elke keer wanneer de deur openging, bevestigden dat Eva voor een club stond en dat Günther, hoe eng ze hem ook vond, haar wel had geholpen.

'*Grazie*, Günther,' zei Eva. 'Ik sta bij je in het krijt.' Ze legde haar hand even op de plaats waar haar hart snel en hevig klopte, van alle inspanning van het afgelopen uur. Ze voelde aan haar blote huid dat ze al flink zweette. Jammer van alle moeite die ze had gedaan om er goed uit te zien en lekker fris te ruiken.

Günther glimlachte naar haar en bezorgde Eva de rillingen – en dan niet op de positieve manier waarop Massimo dat eerder op de avond had gedaan. 'Als je me maar nooit meer zo akelig te woord staat als aan de telefoon. Ik verzin nog wel iets waarmee je het goed kunt maken. Een etentje. Of misschien een zoen,' zei Günther terwijl hij Eva doordringend aankeek. Hij pakte haar hand en drukte er een veel te lange en veel te natte kus op. '*A domani, bella.*' Nog eenmaal wierp hij Eva een verlekkerde blik toe, voordat hij bij haar wegliep.

Eva schudde haar schouders los en veegde haar hand af aan haar donkere jeans. Wat was het toch een engerd! Ze had helemaal geen zin om hem morgen weer te zien.

Eva groette de man van de security, die nors terugknikte, en liep toen naar binnen in de hoop dat haar vriendinnen niet al naar een andere kroeg waren gegaan. Het lawaai, een mix van muziek met harde bastonen en een heleboel schreeuwende en lachende mensenstemmen, overdonderde haar op het moment dat ze de bedompte ruimte binnenstapte. Eva raapte zichzelf rap bij elkaar en keek goed om zich heen of ze tussen de Italianen ergens de blonde lokken van Mira kon ontwaren. Ze had de grootste moeite zich te concentreren met alle starende mannenblikken en *ciao bella's* die ze tijdens haar ultratrage wandeling naar achteren te verduren kreeg. Het leek wel of het dansende publiek voor driekwart uit mannen bestond.

Bijna achteraan, op een kleine verhoging, zag ze de bekende contouren van haar vriendinnen verschijnen. An had het duidelijk naar haar zin en liet haar hele lichaam, tot groot vermaak van de twee mannen met goedkeurende blikken achter haar, meebewegen op het ritme van de Italiaanstalige popmuziek. Catlijne danste ook, maar een stuk bedeesder en met haar blik op de dansvloer gericht. Een Italiaanse jongen probeerde tevergeefs oogcontact met haar te maken. Mira stond met een drankje in haar hand en deinde alleen maar rustig mee op de harde tonen. Hoewel Mira's gezicht op onweer stond, was Eva door het dolle heen dat ze haar vriendinnen eindelijk had gevonden. Ook al had het haar een helse sprint, ontelbaar veel zweetdruppels en een onaangename ontmoeting met Günther gekost.

'Mira!' riep Eva, maar het lukte haar niet om de luide muziek te overstemmen. Met moeite wurmde ze zich door de dansende menigte heen, die geen millimeter leek te wijken. De boze blikken die Eva toegeworpen kreeg, brachten haar niet van haar stuk. 'Mira!' riep ze nog een keer.

Mira keek om zich heen, op zoek naar de bron van het geluid, en richtte uiteindelijk haar door en door kwade gezicht op Eva. Een kort ogenblik leek het alsof Mira blij was om haar beste vriendin te zien. Totdat ze zich bedacht dat ze hartstikke kwaad op Eva was en ze haar gezicht weer in dezelfde boze plooi bracht. Catlijne had Eva nu ook gezien en stootte An aan. '*Ciao*, Eva!' riep An uitgelaten.

'*Ciao*,' riep Eva weifelend terug. Ze was opgelucht dat ten minste een van haar vriendinnen geen probleem maakte van haar vertraging, die inmiddels was opgelopen tot tweeënhalf uur.

'Sorry,' zei Eva toen ze het trapje op was geklommen en naast Mira op de verhoging stond. Mira reageerde niet en hief haar kin nog iets hoger op. Haar blik verraadde dat ze zich behoorlijk beledigd voelde. 'Het spijt me, Mira. Echt waar! Ik ben de tijd vergeten,' hakkelde Eva.

'Ja, ik kan er echt geen réét van verstaan, hoor!' reageerde Mira, terwijl ze met haar armen heftige gebaren maakte. Ze tikte An en Catlijne aan en zei 'we gaan'.

Mira zei het zo dwingend dat An en Catlijne er niets tegen in durfden te brengen. Dat kon ook niet, aangezien Mira al kwaad was weggestoven van het podium en zich op agressieve wijze een weg baande door de dansende mensen. Sommigen keken geërgerd naar haar op, maar daar had ze maling aan. Het enige wat Mira nog wilde, was naar buiten gaan. Eva durfde al helemaal niets te zeggen, omdat ze wist dat zij de aanstichter van het kwaad was. Ze volgde haar vriendin en wierp de geïrriteerde Italianen en internationale studenten een verontschuldigende blik toe.

Zonder op de Belgische meiden te wachten, sleurde Mira Eva naar de overkant van de straat, sloeg haar armen demonstratief over elkaar en keek met laaghangende wenkbrauwen naar haar vriendin. 'Wat leuk dat je ook nog bent gekomen,' zei Mira zo sarcastisch als alleen zij dat kon.

'Het spijt me echt, Mira,' zei Eva en ze keek haar vriendin recht in de ogen. Ze was zo verward en vermoeid dat ze een traan niet kon tegenhouden.

'Ja, ga maar weer lekker janken, Eva Smit. Dan kom je er weer lekker makkelijk van af,' zei Mira.

'Hé, wat is er gebeurd?!' vroeg Catlijne bezorgd toen ze, met An in haar kielzog, de club uit stormde en de straat overstak. De bezorgdheid van Catlijne maakte Mira nog kwader dan ze al was.

'Het spijt me dat ik zo veel te laat ben,' zei Eva, waarbij ze de drie vriendinnen afwisselend aankeek. Het liefst hield ze haar blik gericht op An of Catlijne, die mild en bezorgd terugkeken. Mira had nog het meest weg van een donderwolk, waar elk moment hevige bliksemschichten uit konden ontsnappen.

'Is er onderweg iets gebeurd?' vroeg Catlijne.

Eva schudde haar hoofd. 'Nee. Ik… ik ben gewoon de tijd vergeten. Echt heel stom van me.'

'Laat me raden: je was zeker druk met Massimo bezig,' zei Mira bits. Eva wist zo snel niet hoe ze moest reageren en daaruit trok Mira haar eigen conclusies. 'Als ik het niet dacht.'

'Hè, dat geeft toch niet. Dat kan toch gebeuren?' zei An in een poging de boel te sussen.

'Dat geeft wel!' Mira begon te schreeuwen. In Utrecht zouden toevallige passanten hen allang verbaasde blikken hebben toegeworpen. Of erger nog: ze zouden blijven staan kijken als een stelletje ramptoeristen en, als ze maar genoeg gedronken hadden, gaan applaudisseren als de ruzie verhitter werd. Hier in Italië keek niemand op of om als je op straat stond te schreeuwen. Ze hadden zelf aan de lopende band ruzie, bij een marktkraam, de bushalte of in de auto. Geheel schaamteloos.

'Mevrouw wordt verliefd en iedereen die geen Massimo heet, heeft het nakijken! Lekkere vriendin ben je dan!' schreeuwde Mira.

'Ik zeg toch dat het me spijt! Ja, ik was met Massimo aan het zoenen en ik ben gewoon de tijd vergeten! Sorry hoor, dat ik verliefd ben en dat ik even niet meer nadenk, maar gewoon mijn gevoel volg! Wie had dat ook alweer tegen me gezegd? En trouwens, alsof ik nooit op jou moet wachten!' riep Eva terug. Haar spijtgevoelens werden aan de kant geduwd door boosheid.

'Ja, toch geen tweeënhalf uur!' zei Mira.

'Zeg, wat is nu eigenlijk je probleem? Normaal maakt het je helemaal niet uit als iemand te laat is of helemaal niet meer komt,' zei Eva op iets rustigere toon. Het was alsof ze stond te kijken naar zichzelf, toen ze een jaar of zeventien was. Toen kon Eva ook zo uit haar slof schieten om de kleinste dingen. Mira was niet zo, nooit geweest ook.

Mira haalde haar schouders op. Ze zag er kwetsbaar uit. An en Catlijne stonden er als toeschouwers bij en keken van de een naar de ander. 'Weet ik veel,' zei Mira. 'Ik had gewoon vet veel zin in een avondje stappen. Met z'n allen. Ik ben teleurgesteld dat jij kennelijk andere prioriteiten had.'

'Ik had er óók heel veel zin in. Alleen...' zei Eva.

Maar An onderbrak haar. 'Ik heb een idee.' Alle blikken richtten zich op haar. 'Het is vanavond een feest ter ere van mij, dus ik mag het bepalen, dacht ik zo. We zijn blij dat Eva er nu is zodat we alsnog een feestje met z'n vieren kunnen vieren. We gaan opnieuw naar binnen en dansen tot we erbij neervallen, oké?'

'Nou...' probeerde Catlijne daartegen in te brengen.

'Ja, ik bedoel niet echt natuurlijk. Maak je geen zorgen,' zei An en ze legde een hand op de schouder van haar vriendin. Eva vroeg zich af of Catlijne niet een heel zwaar leven had, met alle zorgen die ze om iedereen had.

'Ik vind het een goed idee,' zei Catlijne. 'En jullie?'

'Ik vind het ook goed,' zei Eva opgelucht. Ze had zich op de weg naar L'Anima de meest idiote reacties van haar drie vriendinnen voorgesteld en dat leek gelukkig mee te vallen. Alleen Mira keek nog steeds überchagrijnig voor zich uit.

'Mira?' zei An.

'Oké,' mompelde Mira. Het klonk niet van harte.

'Nou, *andiamo*!' zei An enthousiast en ze ging voorop. Ze glimlachte charmant naar de man van de beveiliging. Hij liet hen naar binnen, ondanks dat er een bescheiden rij stijlvol geklede twintigers voor de deur stond te wachten.

Binnen in L'Anima was het zo mogelijk nog drukker dan een klein halfuur geleden. Het zweet brak Eva meteen uit. Gelukkig had ze een luchtig, mouwloos shirtje aangetrokken. Ze liep achter An aan, die zich niet liet kennen en zich dapper door de dansende menigte naar achteren wrong, naar de plek waar ze eerder ook hadden staan dansen.

'Ik haal wat te drinken. Allemaal prosecco?' vroeg Eva. Ze moest hard praten om de muziek te overstemmen.

Het drietal knikte.

'Dit is mijn laatste, hoor. Beloofd,' hoorde ze An tegen Catlijne zeggen, voordat ze zich naar de drukke bar begaf.

De barman, type gladjanus, zette vier glazen met bruisende wijn voor haar neus en mompelde een prijs die Eva niet kon verstaan. Ze spreidde haar armen een stukje met haar handpalmen naar boven en trok een vragend gezicht, ten teken dat ze niet wist hoeveel ze moest betalen. Toen hij iets harder, maar nog lang niet hard genoeg, een prijs noemde met het getal 'dertig' erin, dacht Eva nog steeds dat ze het niet goed gehoord had. Totdat ze van haar briefje van vijftig euro alleen een briefje van tien en wat kleingeld in haar zweterige hand gedrukt kreeg. Snel berekende ze dat de prosecco meer dan acht euro per stuk kostte en baalde ze dat ze geen water had besteld. Nu pas begreep ze dat iedereen om haar heen met zo'n plastic flesje in zijn of haar handen stond, omdat drank achterlijk duur was in de Italiaanse club. Hier hadden ze vast ook een stijlvolle equivalent van de Achterhoekse bierschuren om zich van tevoren goed in te drinken. Eva troostte zich met het feit dat ze iets goed te maken had en dat ze daar met alle liefde meer dan dertig euro voor wilde neerleggen. Dan maar een goedkope pocket voor haar vader.

Uiterst voorzichtig liep ze met de drankjes richting haar vriendinnen. Hoe lastig het ook was om zich te bewegen door de mensenmassa als een dichtbegroeid oerwoud, Eva zou koste wat het kost voorkomen dat er zo'n duur glas uit haar handen zou vallen of geslagen zou worden.

'Alsjeblieft,' zei Eva en ze deelde de glazen uit.

'Proost, alsnog op een leuke avond!' zei An.

Ze proostten met een glimlach en namen een slokje van de heerlijk bruisende wijn. Met uitzondering van Mira. Bij haar kon er nog steeds geen glimlachje of vriendelijk woord van af. Ze nam een slok van haar prosecco, zonder dat ze er echt van leek te genieten. Zonde, vond Eva, met het oog op de acht euro.

'Is er iets?' vroeg Eva voorzichtig.

'Er is niets,' antwoordde Mira kortaf. Het was zo duidelijk als wat dat er wel iets met haar aan de hand was. Normaal gesproken was Mira binnen een mum van tijd weer net zo vrolijk als vóór een misverstand, of dat nu klein of groot was.

Mira wees in de richting van een jongen, die schaamteloos de ene na de andere versierpoging op de meiden op de dansvloer losliet, en zei iets in het oor van An, die daarop keihard moest lachen. Eva kon het niet helpen dat ze een beetje jaloers was. Zij wilde ook lachen met haar beste vriendin, maar realiseerde zich dat ze het vanavond aan haar eigen stommiteit te danken had. Ze keek naar Catlijne, die Eva van een afstandje een geruststellende glimlach toewierp. Eva begon te dansen en besloot er ondanks de valse start een leuke avond van te maken.

20

Het zonlicht dat een nieuwe ochtend aankondigde, scheen langs de kiertjes van de lange gordijnen de kamer binnen. Langzaam en met frisse tegenzin opende Eva haar ogen. Ze rekte zich uit op het oude matras, waarvan de veren een beetje in haar rug prikten, en krulde zich nog een keer op onder het laken. Haar lichaam schreeuwde dan wel om een paar uur meer slaap, Eva voelde in elk geval meteen dat ze geen kater had. Geen bonzende hoofdpijn, misselijk gevoel in haar lichaam of een kurkdroge mond die nog met geen twee liter water wilde verdwijnen. Dat was dan het voordeel van de peperdure drankjes in het Italiaanse uitgaansleven. Eva had maar twee alcoholische drankjes gedronken en was daarna overgegaan op mineraalwater, dat zeker drie keer zo goedkoop was als een wijntje of een mixje.

Helaas had ze wel een ander soort kater aan de avond overgehouden, namelijk de ruzie met Mira. An had met de allerbeste bedoelingen de avond nieuw leven proberen in te blazen en daar was Eva haar erg dankbaar voor. Mira had Eva alleen de rest van de avond geen blik waardig gegund en had niet meer tegen haar gezegd dan 'er is niets' en '*ciao*' bij het besluit van de avond. Ondertussen had Mira heel veel schijnbaar vreselijk grappige onderonsjes met An gehad, over de kansloze Italiaanse vleiers, de hier en daar wat overdreven uitgaanskleding en de extravagante dansstijlen die sommige bezoekers van L'Anima erop nahielden. Eva had zich de hele avond afgevraagd of Mira dat nu expres deed om haar een akelig gevoel te bezorgen. Hoe dan ook was dat goed gelukt.

Op de rand van haar bed rekte Eva haar spieren uit en kwam ze ondanks het ontbreken van een kater niet bepaald energiek overeind. Eva zag als een berg op tegen de Italiaanse les die om negen uur begon, omdat ze geen enkel idee had hoe Mira's pet vandaag zou staan. Ze hoopte maar dat haar vriendin, net als anders, het voorval allang weer was vergeten.

Toen Eva fris gedoucht en met een gezond en voedzaam ontbijt achter de kiezen aankwam bij Scuola Leonardo da Vinci, zag ze aan het gezicht van Mira dat het deze keer anders was.

'*Ciao*,' zei Eva.

'*Ciao*,' zei Mira koeltjes.

Normaal gesproken zou Mira haar na een avondje stappen omhelzen en zeggen: 'Het was superleuk! Moeten we echt snel weer doen.' Samen zouden ze nog maandenlang lachen om iets sufs of kleins, iets wat alleen zij tweeën begrepen. Zoals ze nu nog steeds konden lachen om de lelijkste pofbroek, die nog het meest weghad van een zwartepietenbroek, die de meiden ergens lang geleden hadden gezien, tijdens een avondje Havana in 2009.

De koele reactie van Mira deed Eva pijn, maar ze keek wel uit om dat aan haar vriendin te laten merken. Eva voelde zich nog steeds schuldig dat ze de meiden had laten zitten voor een jongen. Iets wat in vriendinnenland zo ongeveer gelijkstond aan een doodzonde.

'Waar zijn An en Catlijne?' vroeg Eva zo neutraal mogelijk.

'Die komen niet. Ze wilden een dagje met z'n tweeën gaan shoppen.'

'O, leuk. Zullen wij naar boven gaan?' vroeg Eva.

Mira haalde haar schouders op. 'Oké,' zei ze alleen maar.

Zwijgend liepen ze door het brede trappenhuis naar de tweede verdieping, waar de ingang van de taalschool zich bevond. In hetzelfde gebouw zat ook nog een dependance van een internationale universiteit en nog een ander naambordje met een tekst die Eva niet begreep. Hun neerploffende voetstappen op de stenen traptreden galmden door de ruimte. Eva voelde zich hoogst ongemakkelijk en wist zeker dat dat ook voor Mira gold.

'Hé, nog even over gisteravond...' begon Eva. Voordat ze het woord 'gisteravond' in de mond durfde te nemen, had ze eerst drie keer diep van onder uit haar buik ademgehaald.

Mira liet haar vriendin niet uitspreken en deed de dappere poging af met een slap wegwuivend handgebaar. 'Laten we het er maar niet meer over hebben,' zei ze snel.

'Ook goed,' zei Eva. 'Gaan we dan na school nog wel naar de Sint-Pieter?'

Ze hadden aan het begin van de week plannen gemaakt om hun laatste dagen in Rome zo goed en efficiënt mogelijk te besteden. Er waren nu eenmaal toeristische trekpleisters die je gewoon gezien moest hebben. Ook al waanden de vriendinnen zich al lang echte inwoners van de stad en voelden ze zich ver verheven boven de drommen toeristen met hun lelijke zonnekleppen, die na een half dagje cirkelen rondom het Colosseum, het Pantheon en die afschuwelijk drukke Trevifontein veronderstelden dat ze Rome al op hun duimpje kenden. De Sint-Pieter, de grote kerk in Vaticaanstad waar de paus zijn wereldberoemde toespraken hield, was zo'n trekpleister die je gewoon gezien moest hebben.

Voor de tweede keer in korte tijd haalde Mira haar schouders onverschillig op. 'Best,' zei ze en ze duwde de zware deur van de taalschool open.

De Italiaanse les was zonder de gezellige onderonsjes met Mira lang niet zo leuk als andere ochtenden. Zeker niet met Günther, die recht tegenover Eva zat en werkte aan een nieuw wereldrecord staren. Eva zocht afleiding, oogcontact met andere klasgenoten, maar vond niet wat ze zocht. Mira keek alleen maar naar het uitklapbare tafeltje waarop haar boek opengeslagen lag. Op de verkeerde bladzijde, merkte

Eva op. Ze kon ook niet knipogen naar An of glimlachen naar Catlijne, want die waren samen in een of ander pashokje vast aan het giechelen om de vreemdste broeken of truien die ze tussen de rekken vandaan hadden getrokken. Met de andere studenten in de klas had Eva de afgelopen weken geen echt contact gemaakt, omdat ze vond dat ze het al druk genoeg had met haar drie vriendinnen, Massimo en haar spannende journalistieke avonturen. Voor het eerst baalde ze daarvan.

'Waar ga je heen?' vroeg Eva toen Mira opstond. De lerares had net gezegd dat het tijd was voor een korte pauze.

'Even een cappuccino halen. Ik ben nog niet helemaal wakker,' zei Mira.

'Oké,' zei Eva. 'Zal ik meegaan?'

'Dat hoeft niet,' zei Mira. 'Ik ben zo terug.'

En weg was ze. Eva bleef achter in het klaslokaal, teleurgesteld omdat haar vriendin haar duidelijk niet mee wilde hebben. Pas na enkele ogenblikken merkte Eva tot haar schrik op dat ze alleen met Günther was overgebleven.

'*Come stai?*' vroeg hij voor de eenentwintigste keer.

Eva zei niets. Ze had geen zin om opnieuw dat standaardbandje af te draaien.

'Hebben jullie ruzie?' vroeg Günther toen Eva niet antwoordde.

Eva keek hem recht aan, verbaasd over zijn opmerkzaamheid. 'Mira en ik? Nee, hoor. We zijn allebei een beetje moe,' loog Eva.

'Je hebt je vriendinnen dus wel gevonden gisteravond?' vroeg hij.

'Ja. Bedankt nog voor je hulp,' zei Eva. Ook al had ze een pesthekel aan de jongen, die net iets te dicht bij haar stond, ze wist dondersgoed dat ze haar vriendinnen zonder zijn hulp nooit had gevonden. Wie weet hoe dramatisch het dan met Mira's humeur gesteld zou zijn geweest.

'Je zag er trouwens mooi uit, gisteravond. Lekker ook,' zei Günther. De blik die hij in zijn ogen had, beviel Eva allerminst.

'Eh, nou, bedankt,' zei ze, ook al gruwelde ze van wat hij tegen haar zei. Ze gruwelde eigenlijk van alle complimenten waarmee Günther kwistig had gestrooid sinds ze hem op de allereerste lesdag had ontmoet. En van al die starende blikken op haar lichaam, alle aanrakingen en vooral van alle 'toevallige' ontmoetingen en opdringerige telefoontjes van de afgelopen tijd. Ze voelde opnieuw een akelige rilling door haar lichaam trekken toen Günther haar naderde. Reflexmatig deed Eva een stap naar achteren, en nog een, tot ze de koude muur in haar rug voelde.

'Weet je, Eva,' zei hij en hij hield even zijn mond. Günthers buik raakte haar bijna aan. Waarom deed ze nou niets? Het leek alsof ze verlamd was, alsof er wortels uit haar voeten groeiden die haar beletten om bij hem weg te lopen of, beter nog, hem een trap tussen zijn benen te verkopen. 'Je moet me niet zo jaloers maken met die Italianen. Ik weet dat het niks betekent, maar het maakt me toch een beetje kwaad.' Günther plantte zijn hand tegen de muur, vlak naast Eva's hoofd. Nu voelde ze zich helemaal opgesloten tussen hem en de muur.

'Günther, ik vind…' zei ze.

Maar Günther onderbrak haar weerwoord door een vinger op haar lippen te leggen. 'Sst. Verpest ons moment nou niet,' zei hij. 'Eva, vanaf het moment dat ik je zag, wist ik dat ik jou wilde. En jij mij.'

Eva zag zijn gebarsten lippen op zich af komen en raakte meer en meer in paniek. Doe iets! schreeuwden diverse stemmen in een soort canon in haar hoofd. Hij drukte zijn lippen net op Eva's dichtgeknepen mond toen de houten deur met het nodige kabaal tegen de muur aan knalde en dat moment woest verstoorde. Günther en Eva keken verschrikt op.

'*Scusa*,' zei Paola. Ze lachte om haar eigen onhandigheid.

Eva lachte terug. Ze kon haar lerares op dit moment wel zoenen, zo blij was ze met de welkome onderbreking. Zo snel als ze kon liep Eva het lokaal uit, op weg naar de wc, de koffieautomaat met de smerigste koffie van heel Italië, naar buiten of waar dan ook. Als Eva maar heel ver weg was van Günther. Gadver! Hij had haar gewoon geprobeerd te zoenen! Op het moment zelf was ze te slaperig geweest of te veel bezig met het gedoe met Mira om adequaat te reageren. Eva zou er wat voor geven om het aan Mira te kunnen vertellen en er samen met haar beste vriendin de hele dag smakelijk om te lachen.

Verdwaasd liep Eva rond door de gangen van de taalschool. Toen ze een klasgenoot uit Bosnië of Kroatië voorbij zag komen, besloot ze achter het meisje aan te lopen. Met andere mensen in het lokaal zou Günther haar vast wel met rust laten. Alleen op momenten dat ze met z'n tweeën waren, had hij steeds serieuze toenadering gezocht. Anders bleef het bij staren, wat weliswaar strontvervelend was, maar waar ze zich nog wel veilig bij voelde.

De rest van de Italiaanse les was Eva er met haar gedachten niet bij. Ze wist niet waar ze kijken moest. Het chagrijnige gezicht van Mira was niet goed voor haar humeur en het verlekkerde gelaat van Günther evenmin. Er zat niets anders op dan de minuten aftellen, zoals ze op de middelbare school wel vaker had gedaan. Vooral als het bij aardrijkskunde over laag- en hoogveen, steppes of toendra's was gegaan. De uitleg over een nieuw stukje grammatica, de *ne partitivo*, ging volledig langs Eva heen. Gelukkig had ze thuis een boek en een privéleraar tot haar beschikking. Nog niet eerder was Eva zo blij geweest met het moment dat Paola huiswerk opgaf – zoals gebruikelijk twee oefeningen, die Eva 's ochtends bij haar kommetje All Bran maakte, nu ze 's avonds andere dingen te doen had met Massimo dan huiswerk maken.

Eva pakte haar spullen en stond op. Ze twijfelde wat ze moest doen. Haar beste vriendin, die zo dicht bij haar stond, leek vandaag mijlenver weg.

'Nou, zullen we dan maar gaan?' vroeg Eva.

'Goed,' zei Mira.

'Zullen we onderweg zo'n focaccia met olijven halen bij die ene bakker?'

'Ook goed,' antwoordde Mira.

Eva zuchtte vanbinnen, maar behield – met moeite, dat wel – haar neutrale gezichtsuitdrukking. Hoe vaker Mira 'oké', 'best' of 'goed' zei, hoe meer Eva zich begon te irriteren. Ze kreeg steeds minder zin om met Mira op stap te gaan; die hele Sint-Pieter kon haar inmiddels gestolen worden. De enige reden dat ze meeging, was omdat de regel 'afspraak is afspraak' gold bij Eva Smit. En misschien een heel klein beetje omdat Eva met het schaamrood op haar kaken besefte dat ze zich soms zelf ook zo onredelijk gedroeg.

Het waren de stilste twintig minuten uit hun jarenlange vriendschap. Alle pogingen die Eva deed om er nog iets van te maken, werden met een 'oké', 'hmhm' of 'o, ja' afgedaan.

'Moet je hem zien.'

'O, ja.'

'Warm, hè?'

'Hmhm.'

'Zullen we hier naar links gaan?'

'Oké.'

De extra vijftien minuten die Eva en Mira in de rij voor de metaaldetectorpoortjes van de Sint-Pieterskerk moesten doorbrengen, maakten het er niet beter op. Het uitzicht op de imposante basiliek en de twee symmetrische zuilengangen ervoor maakten het samenzijn voor Eva iets draaglijker.

'Wauw,' zei Eva toen ze de kerk binnenstapten. Ze kon zich niet heugen ooit in zo'n grote kerk te zijn geweest. Ze gooide haar hoofd in haar nek en keek op naar het indrukwekkende, metershoge plafond. Even vergat ze al haar zorgen en genoot ze van de grootsheid en de perfecte symmetrie. De aanzienlijke hoeveelheid mensen die binnen rondliep, deed wat af aan het echte kerkgevoel. Zeker direct rechts bij de Pietà, het beroemde beeld van Michelangelo van Maria met het lichaam van Jezus in haar armen, was het een drukte van jewelste. Mensen verdrongen elkaar letterlijk om foto's met flits te maken van het marmeren beeld, dat veilig en streng bewaakt achter glas stond. Zo'n veertig jaar geleden was een man het beeld met een hamer te lijf gegaan, terwijl hij riep dat Jezus Christus uit de dood was opgestaan. Sinds die aanslag nam de paus het zekere voor het onzekere.

'Mooi, hè?' zei Eva. Ze knikte in de richting van de Pietà.

'Nou,' antwoordde Mira, voor de afwisseling.

Eva zuchtte. Deze keer niet alleen vanbinnen, maar hardop. 'Nu heb ik er genoeg van,' zei ze stellig. Ze fluisterde het omdat ze in een kerk waren, al wilde ze het haar vriendin het liefst toeschreeuwen.

'Wat bedoel je?' vroeg Mira. Ze deed alsof haar neus bloedde.

'Ik denk dat je dat zelf wel kunt bedenken,' zei Eva. 'Ik ga in mijn eentje de Sint-Pieter bekijken, dan geniet ik er tenminste nog van.' In straffe pas liep ze bij Mira weg, de hele rechtergang van het schip door, langs diverse kapelletjes, beelden en inscripties met van die ingewikkelde Romeinse jaartallen. Uit haar handtas graaide ze haar onvermijdelijke reisgids tevoorschijn, ook al wist ze dat ze zich zo echt niet kon concentreren. Haar hart bonkte van boosheid in haar keel en ze voelde zich vreselijk opgefokt. Nu pas merkte Eva dat ze haar handen al de hele tijd tot vuisten had gebald.

Eva stond in het midden van de kerk, bij het pauselijk altaar, en probeerde te lezen over de decoraties daaromheen. Ze las dat het 'schitterende baldakijn van verguld brons rustte op gedraaide zuilen van twintig meter hoog', dat het een ontwerp van Bernini was uit de zeventiende eeuw en dat alleen de paus de mis er mocht opdragen, maar het bleef niet hangen. Haar hersenen namen de informatie niet op en de woorden leken direct na het lezen te vervliegen.

'Dit laat ik me dus niet zeggen, hè?!' zei Mira. Ze pakte Eva hardhandig bij haar bovenarm en sprak te hard voor kerkse begrippen. Enkele toeristen keken vanuit hun reisgids verstoord hun richting uit. 'Een beetje mij de schuld geven. Lekker ben jij!'

Eva kookte inmiddels van woede en had zichzelf en haar stemgeluid niet meer in de hand. 'De hele dag probeer ik het over gisteravond te hebben. De hele dag vraag ik hoe het met je gaat, wat je wilt en wat je vindt. Maar het houdt echt een keer op, hoor!'

'*Silencio, per favore*,' sprak een surveillant op monotone toon door een microfoontje. Hij keek Eva en Mira vermanend aan en vervolgde toen het rondje door de kerk, dat hij vast elke dag honderden keren in beide richtingen maakte.

De vriendinnen hielden zich even stil, maar dat moment duurde niet lang.

'Je hebt me gewoon hartstikke gekwetst,' zei Mira. Ze klonk droevig en zo zag ze er ook uit.

Dwars door haar boosheid heen had Eva medelijden met haar vriendin. 'Ik heb je toch gezegd dat het me spijt?' probeerde ze.

'Ja, lekker makkelijk!' schoot Mira uit haar slof. 'Alsof daarmee de kous af is!'

'Ssst,' zei Eva, bang dat de surveillant hen weer tot de orde zou roepen.

'Ik maak zelf wel uit of ik stil ben of niet!' schreeuwde Mira onverstoorbaar verder.

'*Silencio, per favore*,' klonk het opnieuw. Eva had geen idee waar de man stond, maar zijn monotone commentaar klonk onverbiddelijk uit de kleine, moderne boxen die hoog aan de eeuwenoude zuilen bevestigd waren.

'Ik ben al dat gezeik over Massimo gewoon spuug- en spuugzat! O, hij is zo leuk. O, hij is zo mooi. Zal ik hem zoenen? O, help, ik ben naast hem wakker geworden!' imiteerde Mira Eva op een overdreven zeurderig toontje.

Eva voelde zich met de seconde meer beledigd. Bovendien voelde ze de blikken van Italiaanse en buitenlandse kerkbezoekers continu op zich gericht. De mensen die een eindje verderop in een rij stonden te wachten tot ze de flink afgesleten, bronzen voeten van Petrus mochten aanraken, volgden nieuwsgierig de dialoog tussen de twee gillende meiden. Ook al konden ze de heftige Nederlandse woordenwisseling echt niet allemaal verstaan.

'Sorry, dat wist ik niet. Ik dacht…' sputterde Eva tegen. Ze fluisterde, in de hoop dat Mira haar voorbeeld zou volgen. Tevergeefs.

'Verplaats je ook eens een keer in mij! Hoe denk je dat ík me voel? Denk je dat ik niet bezig ben met Giovanni en met Bart? Ik heb hem gisteren aan de telefoon verteld over Giovanni. Denk je soms dat dat een fijn gesprek was? Dat Bart zei: 'O, joh, maakt niet uit, ik vind je nog steeds even leuk?" zei Mira.

'Ja, dat kan ik toch niet ruiken? Zeg dat dan!' beet Eva haar vriendin toe.

'*Silencio, per favore!*' De stem klonk nu luider en dwingender.

'Weet je wat? Ik zeg gewoon helemaal niks meer tegen jou! Het kan jou toch niet schelen zolang jij maar bij Massimo in bed ligt! Wat mij betreft eindigt onze vriendschap hier en nu! Stik d'r maar in!'

'Prima! Ik…' Eva kon haar zin niet afmaken, omdat het immens kwade gezicht van de surveillant als een spook voor haar opdoemde. Zijn arm wees in een strakke lijn naar de uitgang van de kerk en zijn blik liet er geen enkel misverstand over bestaan dat hij het serieus meende.

Eva droop af. Met grote passen liep ze vanaf het altaar door het middenpad naar de uitgang van de Sint-Pieter. Nog één keer keek ze achterom, alsof ze zeker wilde weten dat deze onwerkelijke situatie wel écht had plaatsgevonden. Eva zag Mira's gebolde rug en gespannen schouders. Het was duidelijk dat Mira stond te mokken. Eva kon het niet geloven; ze wilde het niet geloven. Een leven zonder Mira, dat bestond gewoon niet. Een dikke traan biggelde over haar wang en één vraag gonsde door haar hoofd: meende Mira het écht?

21

Mira liep met An en Catlijne de gebruikelijke vijfentwintig minuten naar school. Gek toch, hoe snel dat wende. In Utrecht liep Mira geen meter te veel en nam ze al voor twee haltes de bus, hier liep ze kilometers op een dag. Ze stopten onderweg bij hun vaste koffiebarretje om staand aan de bar te genieten van de eerste cafeïne van de dag.

'En nu?' vroeg Catlijne terwijl ze een hapje cappuccino-schuim oplepelde.

'Hoe bedoel je, en nu?' vroeg Mira.

'Wat denk je? Met Eva natuurlijk! Ga je nu niets meer tegen haar zeggen?' vroeg Catlijne ongelovig.

Mira haalde haar schouders op. 'Dat weet ik niet. Misschien wel, ja.'

'In de lessen? In het vliegtuig? Op Schiphol, als jullie ouders er staan?' ging Catlijne verder.

'Weet ik niet, zeg ik toch!' reageerde Mira geïrriteerd. 'Ik ben gewoon boos op haar. En op mezelf. Ik weet ook niet precies waarom ik zo doe.'

'Misschien ben je wel jaloers op haar?' merkte An op. Ze zette haar grote mok leeg terug op het schoteltje en likte het laatste restje schuim van haar lippen.

Mira hoefde die pijnlijke vraag niet te beantwoorden, omdat het de hoogste tijd was om hun weg naar school te vervolgen. An legde het gepaste geld op de bar, zwaaide naar de eigenaar die bezig was met het opvouwen van een prop theedoeken en liep als eerste de buitenlucht in. De rest van de wandeltocht zwegen ze, ieder verzonken in eigen gedachten, genietend van de eerste voorzichtige zonnestralen die hun lichamen verwarmden.

Een paar minuten te laat, zoals gebruikelijk, klopte het drietal op de withouten deur van hun vaste klaslokaal.

'*Buongiorno*,' zeiden de meiden haast in koor toen ze naar binnen liepen, op zoek naar de laatste vrije stoelen. Dat waren er deze keer aanzienlijk meer dan normaal, zodat Mira naast haar Belgische vriendinnen kon plaatsnemen. Het viel Mira meteen op dat Eva er niet was.

'Waar is Eva?' vroeg Catlijne, alsof ze haar gedachten kon lezen.

'Dat vraag je aan mij?' reageerde Mira. 'Weet ik veel. En het kan me niet schelen ook.' Dat laatste loog ze natuurlijk, want het kon haar wel degelijk schelen. Kwaad en een tikkeltje jaloers stelde Mira zich voor dat Eva vast nog prinsheerlijk bij Massimo in bed lag, bijkomend van een stomende nacht vol liefde en passie. Misschien zelfs met een door hem verzorgd ontbijt met chocoladecroissants, jus d'orange en sterke, verse koffie uit zo'n kleine percolator waaraan elke volwassen Italiaan verknocht is. Of zou Eva soms bang voor haar zijn, vanwege hun oneerbiedige ruzie midden in de Sint-Pieter? Zo'n typische angsthazenreactie paste wel bij haar vriendin, dacht Mira. Ruziemaken, en vooral het daarna weer goedmaken, was niet voor Eva weggelegd.

'Dat meisje uit Bosnië is er ook al niet,' merkte An op.

'Kroatië, bedoel je,' verbeterde Catlijne.

'Ook goed,' zei An. 'En hoe heet die Duitse *creep* ook al weer?'

'Günther,' zei Mira. Verrek, dacht ze, Eva's hopeloze aanbidder was er ook al niet.

'Hmm. Vreemd,' zei Catlijne.

Het drietal besloot het daarbij te laten en zich weer te concentreren op de uitleg van lerares Paola. Ze liep met een stapel A4'tjes door het lokaal en liet elke student er twee van afpakken. Het was een handig schema dat de lerares had samengesteld, waarop je goed kon herleiden wanneer je welke werkwoordtijd moest gebruiken en hoe die vorm dan precies ging. Zo leek de Italiaanse taal helemaal niet zo moeilijk, vond Mira. Alleen maakte de rits uitzonderingen waar maar geen eind aan leek te komen en waar ze geen enkele logica aan kon vastknopen, het Italiaans toch een moeilijkere taal om te leren dan ze vooraf had gedacht. Eva was met haar talenknobbel degene die het Italiaans het beste oppikte. Niet dat Mira het ooit aan haar vriendin had verteld, maar soms wenste ze dat ze meer op Eva leek. Hoewel Mira Eva vaak plaagde met haar opgeruimde karakter en haar zucht naar controle, was ze er in werkelijkheid eigenlijk jaloers op. Als ze wat meer was zoals Eva, deed ze tenminste niet van die onbezonnen dingen. Zoals opeens met de eerste de beste Italiaanse praatjesmaker mee naar huis gaan en in één avond haar relatie om zeep helpen.

Om klokslag één uur eindigde de les. Mira kon er weinig van navertellen. De drie vriendinnen stonden op het plein voor de taalschool. Ze voelden zich een beetje onthand door de afwezigheid van hun vaste vierde vriendin.

'Zullen we haar anders even bellen?' stelde Catlijne voorzichtig voor. 'Ik begin me nu toch wel een beetje ongerust te maken.'

'Vooruit dan maar,' zei Mira met een flinke portie tegenzin. Ze zag ertegen op om weer voor het eerst met Eva te praten na die schreeuwpartij, waarin ze ook nog eens heel impulsief hun vriendschap had opgezegd. De telefoon zorgde nog voor een extra handicap, omdat je elkaars veelzeggende, nonverbale signalen dan niet kon oppikken. Mira pakte haar mobiele telefoon uit de kontzak van haar spijkerbroek en drukte op het groene knopje, waar Eva's nummer boven aan de lijst van laatste in- en uitgaande oproepen prijkte. De telefoon ging over, en nog een keer, en nog een keer. Tot de vrolijk ingesproken stem van Eva in haar oor klonk.

'Voicemail,' zei Mira en ze beëindigde de oproep.

'Hmm, laat mij het ook maar even proberen, voor alle zekerheid,' zei Catlijne. 'Misschien dat ze uit boosheid niet opneemt of zoiets?'

Maar ook Catlijnes telefoontje werd even later beantwoord met een vrolijke 'Hoi, met de voicemail van Eva!'

'Nou, zal ik dan ook nog maar even?' zei An terwijl ze Eva's nummer al belde. Na een seconde of dertig schudde ze haar hoofd. 'Ook voicemail.'

De meiden keken elkaar aan en zeiden niets. Even wisten ze alle drie niet goed wat ze moesten doen.

'Ach, ze is vast met Massimo. Laten wij gewoon wat leuks gaan doen,' doorbrak Mira de stilte. Ze zei het opgewekt, maar ze wisten allemaal dat dat slechts toneelspel was.

'Ik weet het niet. We kunnen ook even bij haar huis aanbellen? Ze woont hier nog geen tien minuten lopen vandaan,' stelde Catlijne voor.

Mira haalde haar schouders voor de zoveelste keer op. 'Prima. Maar daarna gaan we lekker dwalen door Trastevere, hoor. Ik wil nog wel genieten van mijn laatste dagen in Rome!'

Ze liepen de route naar Eva's huis aan de Via della Lungara, die ze inmiddels allemaal wel konden dromen. Zelfs Mira en An, die niet beschikten over een goed richtinggevoel. Mira dacht er tijdens de tocht over de rivier de Tiber ineens aan dat ze over twee dagen weer zou landen op Schiphol en zich weer zou moeten voegen naar het Hollandse ritme. Een ritme dat een stuk minder goed bij haar paste dan het Italiaanse, zo had ze deze maand wel ondervonden. De belangrijkste vraag die steeds bij Mira boven kwam drijven was: hoe moest het dan verder met Bart? Haar hart begon op slag sneller te kloppen en haar ademhaling werd onregelmatiger, ook al liep ze in een volstrekt normaal tempo. Mira wist honderd procent zeker dat haar vriendje – of moest ze hem al haar ex-vriendje noemen? – haar niet zou komen ophalen van het vliegveld. Ze had hem door de telefoon eerlijk verteld wat er met Giovanni was gebeurd en daar had hij niet bepaald begripvol op gereageerd. Eerst was het exact twaalf lange tellen stil geweest aan de andere kant van de lijn, totdat hij schreeuwde 'dat ze dan maar bij die Italiaanse lulhannes moest blijven, omdat hij haar nooit, maar dan ook nooit meer wilde zien!'.

Sindsdien had Bart niets meer van zich laten horen. Geen mailtje, geen telefoontje, geen sms'je, zelfs geen 'vind ik leuk' bij haar statusupdate op Facebook. Gewoon totale stilte van zijn kant. Dat kon in Mira's ogen niets anders dan een heel slecht teken zijn.

'Welke bel is het?' vroeg An.

Ze stond voor een vierkante plaat op de stenen muur, waarop zich een stuk of tien knopjes bevonden van mensen die allemaal aan het idyllische binnenplaatsje woonden. Er stond uiteraard bij geen enkele bel 'Eva Smit' geschreven, of Massimo met een of andere mooie Italiaanse achternaam.

'Geen idee,' zei Catlijne.

'Volgens mij aan de rechterkant, een van de bovenste twee,' meende Mira zich te herinneren. Ze had maar een keer bij Eva's huis aan hoeven bellen, omdat toen de batterij van haar mobiel net leeg was. Op de avond dat ze met Giovanni mee naar zijn appartement was gegaan, om precies te zijn.

De eerste bel werd beantwoord door een vrouw die de hoorn erop gooide toen An de namen 'Eva' en 'Massimo' bleef noemen. An drukte op de tweede bel, waarna er een mannenstem klonk.

'Massimo?' vroeg An.

'*Si?*' was het antwoord. De verrassing in zijn stem was zelfs door de luidspreker te horen.

'*Eh, Eva a casa?*' improviseerde An. Ze had geen zin om op dit moment haar hoofd te breken over de juiste werkwoordstijd en -vervoeging. Sowieso dacht ze dat de Italiaanse taal een stuk makkelijker zou zijn als mensen gewoon de werkwoorden uit hun gesprekken zouden elimineren.

'*No,*' antwoordde de stem die wel van Massimo moest zijn. Hij murmelde nog wat woorden, die de meiden niet konden verstaan, tot de luidspreker duidelijk maakte dat hij de hoorn erop had gelegd. Net toen ze hadden besloten om weg te lopen, verder de straat in richting de gezellige wijk Trastevere, ging de deur van de poort open en verscheen er een knappe Italiaan in de opening. Mira had Massimo één keer eerder gezien toen ze bij Eva thuis had gegeten, maar de twee Belgische meiden zagen Eva's *amore* nu voor de eerste keer. Ze waren zo onder de indruk van zijn verschijning dat ze allemaal stilvielen. Totdat An zich het snelst bij elkaar raapte en de schroom die ze de afgelopen tijd had gevoeld om Italiaans te spreken, in de hitte van de strijd van zich af gooide. 'Weet je waar Eva is?' vroeg An zo vlot dat ze zichzelf verraste.

Massimo schudde zijn hoofd, waardoor zijn mooie, donkere haren heen en weer bewogen. 'Nee, ik heb geen idee waar Eva is. Ik dacht eigenlijk dat ze bij jullie was.'

De meiden schudden synchroon 'nee' en keken vervolgens elkaar en Massimo met grote ogen aan.

'Wacht, ik zal haar bellen,' zei Massimo en hij pakte zijn iPhone. Hij hield de telefoon tegen zijn oor, maar praatte niet in de hoorn. 'Voicemail,' verklaarde hij na een halve minuut. Massimo probeerde Eva meteen nog drie keer te bellen. In Italië kon je rustig je ongeduld tonen en je geliefde twintig keer achter elkaar bellen, zonder direct geassocieerd te worden met een of andere wanhopige stalker. Massimo kreeg Eva nog steeds niet te pakken en hij begon zich zichtbaar zorgen over haar te maken.

'Is ze vanochtend ook niet op school geweest?' vroeg hij.

'Nee,' zei Mira. 'Is ze wel vroeg weggegaan dan?'

Massimo knikte. 'Ja, daarom nam ik aan dat ze naar de les was gegaan.'

Een korte poos bleef het stil; er klonk alleen het geluid van langsrijdend verkeer en van sirenes, die altijd wel ergens in de stad aan het loeien waren. 'We moeten haar zoeken,' zei

231

Massimo resoluut en hij kondigde aan dat hij naar binnen ging om zijn spullen en zijn scooter te pakken en zijn teenslippers te verruilen voor een paar stevigere schoenen.

'Maar waar moeten we beginnen?' vroeg Catlijne. Het klonk wanhopig.

'Ik denk dat we ons moeten opsplitsen,' zei An.

'Ja, en dan allemaal naar een plek gaan waar mensen zijn die Eva kennen!' voegde Mira toe. 'Ik weet hier dichtbij een koffietentje waar Eva en ik vaak wat hebben gedronken en met de eigenaar hebben gepraat.'

Met grote ogen en heftig geknik lieten An en Catlijne weten dat ze met het plan van Mira instemden. Als de meiden zich ondertussen niet zulke grote zorgen zouden maken om Eva, dan zouden ze vandaag als een weergaloos spannend avontuur ervaren. Een avontuur dat ook nog eens hun nieuwe vriendschap in een dag evenveel verdieping gaf als waar ze normaal gesproken een heel jaar over zouden doen.

'*Andiamo*,' zei Massimo toen hij met scooter en al door de poort naar buiten reed.

'Eh, vind je het een goed idee als we ons opsplitsen?' vroeg Mira aan Massimo. Ze sprak Engels, want ze kon zich niet herinneren dat ze het Italiaanse woord voor 'opsplitsen' tijdens de taalcursus had geleerd.

'*Si, bene*,' antwoordde Massimo. Hij gebaarde dat een van de drie meiden achter op zijn scooter mocht plaatsnemen.

'Zal ik met hem meegaan?' vroeg Mira aan An en Catlijne.

'Prima,' zei An. 'Dan kijken wij hier in de wijk of we haar ergens zien, goed?'

'Wel je telefoon in de gaten houden, hè?!' riep Catlijne nog net voordat Mira achterop was gesprongen en de scooter ronkend bij hen wegscheurde.

Mira voelde de wind door haar haren gaan en wenste dat ze een hoofd zonder zorgen had, zodat ze meer van dat aangename gevoel zou kunnen genieten. In de gauwigheid had Massimo slechts één helm kunnen vinden. Uiteraard had hij die, galant als hij was, eerst aan Mira aangeboden. Die had de helm beleefd geweigerd, omdat het haar uit veiligheidsoverwegingen een beter idee leek als de bestuurder hem droeg. Ze had voorgesteld om eerst de straat verder uit te rijden, de kant van het Vaticaan op, om te vragen of Eva die dag misschien in 'hun' koffietentje was geweest.

'Stop!' riep Mira toen ze de onopvallende deur van het barretje bijna voorbijsjeesden. Fijn dat er ook woorden bestonden die iedereen, afkomstig uit welk land dan ook, kon verstaan.

Massimo bracht de scooter direct tot stilstand. Mira zwaaide haar rechterbeen over het brede zitvlak en stapte de drempel over. Haar hart stokte een kort ogenblik toen ze daar Giovanni zag staan. Leunend aan de bar, met een leeg espressokopje in zijn hand en zijn gezicht in de hals van een jonge blondine genesteld. Mira stond als aan de grond genageld. Het leek alsof ze in een tijdmachine was gestapt naar een week geleden en nu van een afstandje naar een film van zichzelf stond te kijken. Een tenenkrommend slechte film, welteverstaan. Hoewel Mira geen vlinders in haar buik voelde zoals Eva dat had bij 'haar' Massimo, kon ze niet ontkennen dat het pijn deed dat ze schijnbaar zo inwisselbaar was voor de Italiaanse man, die haar en haar lichaam eerder nog zo begerenswaardig had genoemd.

Meteen nadat Mira na het romantische etentje met Giovanni mee was gegaan naar zijn stijlvolle mannenappartement om 'een wijntje te drinken' en een paar uur later huilend bij Eva op de vliering had gelegen, had ze al aan de oprechtheid van haar gevoelens voor de charmante Italiaan getwijfeld. Die avond had Mira niet meer geweten of ze nou verliefd was op Giovanni, op Bart, op allebei of op geen van beiden. Toen ze de volgende ochtend wakker was geworden, was het kristalhelder. Het was Bart met wie ze verder wilde en haar avontuur met Giovanni was meer een opwelling geweest dan een serieuze overweging om met hem een relatie aan te gaan. Op de een of andere manier voelde ze toen al dat er iets niet klopte aan alle complimenten waarmee

Giovanni zo rijkelijk had gestrooid. En nu had Mira gelijk gekregen. Want daar stond meneer, recht voor haar neus een andere Noord-Europese, vrouwelijke prooi met al zijn gespeelde tederheid in haar nek te kussen. Het werd Mira meteen duidelijk dat ze iets te nader kennis had gemaakt met een echte Don Giovanni!

Hè, wat stond ze hier nou te malen? Daar had ze nu hele-maal geen tijd voor! '*Scusa, signore*,' zei Mira met haar blik strak op de man achter de bar gericht. De eigenaar lachte naar Mira toen hij haar herkende. Mira probeerde zich zo goed en zo kwaad als het ging niet te laten afleiden door de aanwezigheid van die versierderige ploert.

'*Olandese*,' zei Giovanni. Met een betrapt gezicht liet hij het meisje los dat zich intussen bevallig tegen hem aan had gevlijd.

Mira vermoedde dat hij haar naam was vergeten. Precies zoals dat hoorde bij een onvervalste rokkenjager. Zo bekeken viel het Mira nog mee dat Giovanni had onthouden dat ze uit Nederland kwam. Ze liet zich niet van haar stuk brengen en richtte het woord tot de eigenaar.

'Heeft u mijn vriendin Eva hier vandaag misschien gezien? Blond, zo groot ongeveer?' beschreef Mira haar vriendin.

Giovanni keek erbij alsof die beschrijving hem wel aan-stond. Alles wat blond haar en blauwe ogen had, was voor Giovanni uit het sprookjesboek gevlogen, dacht Mira kwaad.

'*No, mi dispiace*,' zei de vriendelijke oude eigenaar. Zijn gezicht toonde medelijden omdat hij ook wel doorhad dat het meisje in zijn zaak naarstig op zoek was naar haar vriendin.

'*Andiamo, Mira*,' zei Massimo.

Mira draaide zich om en zag nu pas dat Massimo in de deuropening stond te wachten. Ze vroeg zich af of hij daar al lang stond.

'*Tesoro*,' zei Mira tegen Massimo. Hij keek haar verdwaasd aan, omdat Mira hem vanuit het niets 'schatje' noemde. Tot Mira hem een veelzeggende blik toewierp, die Massimo gelukkig oppikte. Mira draaide zich om en diende Giovanni van Italiaanse repliek, zoals ze dat in haar slaapkamer al verscheidene keren geoefend had. '*Non ho bisogno di te, Don Giovanni.*' Het betekende zoiets als 'ik heb jou niet nodig'.

Met opgeheven hoofd en een trotse glimlach bedankte ze de eigenaar en verliet ze het barretje, Giovanni en zijn blondine met de nodige vraagtekens achterlatend. Net goed, dacht Mira. Ze kon alleen maar hopen dat het meisje op tijd bij zinnen zou komen, want Mira had een andere missie: Eva zoeken en haar veilig naar huis brengen.

'Wat was dat?' vroeg Massimo terwijl hij zijn helm vastklikte onder zijn kin. Door de opening zag Mira dat hij haar met een paar nieuwsgierige ogen aankeek.

'O, niks,' zei ze en ze sprong achterop. Mira had geen zin om nog maar één woord vuil te maken aan die onbetrouwbare vrouwenshopper. Hoe ze ooit voor zijn charmes had kunnen vallen, was haar een groot raadsel. Ze kon zichzelf wel voor haar kop slaan dat ze haar relatie met Bart voor hem op het spel had gezet.

Massimo scheurde weg en Mira moest hem stevig vasthouden. Ze had geen idee waar ze heen reden, maar had er alle vertrouwen in dat Massimo wist wat hij deed.

22

De scooter minderde vaart. Gelukkig. Eva was totaal gedes-
oriënteerd. Bovendien was ze behoorlijk misselijk geworden
van de lange rit op de scooter, die volgens haar maag en even-
wichtsorgaan veel en veel te hard was gegaan. Het leek alsof
ze in die vreselijke achtbaan in Walibi had gezeten, die eerst
voor- en daarna achteruit over de kop ging. Ze had geen
flauw idee waar ze was, hoe laat het was en met wie ze was.
Er zat een akelig strakke blinddoek voor haar ogen gespannen, die steeds meer begon te jeuken. Aan het begin – wat
inmiddels wel net zo lang geleden leek als de Romeinse tijd –
had Eva het nog wel leuk en avontuurlijk gevonden. Iemand
die haar, net toen ze de poort van de gezamenlijke binnenplaats achter zich dichttrok, een blinddoek had voorgedaan,
een helm had opgezet en naar een scooter had geleid. Ze
dacht meteen dat het Massimo was. Hoewel ze het wel
vreemd had gevonden dat hij haar op straat opwachtte en niet
gewoon bij hen thuis op de gang.
Die aanname bleek helaas al gauw niet te kloppen. Toen de
scooter waarop ze voorzichtig was gaan zitten snoeihard wegreed en haar daarbij haast wegblies, had ze geen andere keuze
gehad dan haar armen héél strak om het middel van haar
mysterieuze bestuurder heen te slaan. Eva's hart was overge-
slagen op het moment dat ze dat deed. Aan de behoorlijke

zwembandjes waar ze haar armen stevig omheen had gevlochten, voelde ze meteen dat het niet Massimo's buik was maar die van een man – of vrouw – die zeker dertig pondjes meer met zich mee torste. Toen Eva zich dat realiseerde, was het alleen al te laat. Ze had geen enkele kans gezien om van de scooter af te springen, omdat het gevaarte slechts een keer was gestopt en Eva toen niet in staat was tot handelen. Op de een of andere manier was Eva door alle spanning, verbazing en tig andere emoties in haar lijf totaal verlamd. Dat ze ineens compleet blind was, hielp ook niet mee om snel en adequaat te handelen.

En zo kwam het dat Eva nog steeds bij de mollige man – ze geloofde toch echt niet dat het een vrouw was – achterop zat toen de scooter uiteindelijk tot stilstand kwam. Eva voelde de hitte als een dikke deken om haar lichaam vallen, nu ze stilstond en de wind een stuk minder verkoeling bood dan tijdens het rijden. Haar benen trilden zo hevig dat het Eva haast niet lukte om van de scooter af te stappen. Een hand pakte de hare vast en hielp haar veilig op de grond. Ze wist niet wat ze moest denken. Moest ze bang zijn voor deze figuur? Eva dacht van niet. Een bloeddorstige moordenaar zou haar toch niet zo galant van de scooter af helpen, maar haar gewoon op de zanderige ondergrond laten vallen. De helm werd van haar hoofd geschoven en dat voelde als een bevrijding. Eva's haren waren aan elkaar geplakt door het zweet en hingen zwaar rond haar hoofd. Een kort ogenblik later voelde ze vingers de blinddoek aan de achterkant van haar hoofd losknopen. Haar hart ging steeds heviger tekeer. Nog even en dan zou ze eindelijk antwoord krijgen op de vijf journalistieke w's waarover ze weleens had gelezen: wie, wat, waar, wanneer en waarom.

'Ah,' ontglipte het aan Eva's mond toen de blinddoek verwijderd werd. Het zonlicht scheen fel in haar ogen. Het deed pijn. Ze knipperde een paar keer en probeerde haar ogen met moeite elke keer iets langer open te houden. Ze zag steeds meer contouren van een werkelijk weergaloos uitzicht voor zich verschijnen, met nog wat rare, gekleurde vlekken ertussendoor. Dit moest Rome zijn. Eva herkende binnen een mum van tijd de koepel en het symmetrische plein van de Sint-Pieter tussen de roodachtige daken van de andere gebouwen. In de strakblauwe lucht was geen wolkje te bekennen. Eva keek naar beneden. Ze stond op een zanderige ondergrond, met vlak voor haar het begin van een diep dal. Een heuvel, dacht ze, ze stond op een heuvel.

'Speciaal voor jou,' klonk een jongensstem.

Met een ruk draaide Eva haar gezicht naar links en toen keek ze in een gezicht dat ze op geen enkel moment van welke dag dan ook wenste te zien. Zeker niet op de afgelegen plek waar ze zich nu bevond. Hij lachte breeduit en keek haar aan alsof hij nu de gelukkigste man op aarde was. Zijn blijdschap stond in schril contrast met Eva's gemoedstoestand. Paniek maakte zich meester van haar hele lichaam, inclusief haar stembanden. Ze wilde iets zeggen, of liever schreeuwen, maar er kwam alleen een vreemd, piepend geluid uit haar mond, dat ze voor zover ze wist nog niet eerder in haar leven had geproduceerd. Haar ogen verwijdden zich. Help, ze was hier met Günther!

'Günther,' wist Eva uiteindelijk uit te brengen. Haar onderlip trilde.

'Eva,' zei Günther.

'Ik... jij... waarom... wij... waar...' stamelde Eva een aantal losse woorden tot ze haar eerste echte zin wist te formeren: 'Wat is dit?'

'Dit is een verrassing,' zei hij.

En wat voor een, dacht Eva. Ze keek Günther voor het eerst recht aan. De rare vlekken waren verdwenen, haar ogen waren intussen aan het felle licht gewend. Gadver, wat keek hij trots. En gelukkig. En dat terwijl Eva zich weinig momenten in haar leven voor de geest kon halen waarop ze zich zo bang en ongelukkig had gevoeld als op dit moment. Ze wilde kwaad worden, schreeuwen of hij soms niet goed bij zijn hoofd was, hem een stomp in zijn buik verkopen, maar dat deed ze allemaal niet. Net op tijd besefte Eva dat ze samen met haar wanhopige Duitse stalker boven een afgrond stond en dat ze niet wist of Günther ook een donkere kant in huis had. Ze kon maar beter het zekere voor het onzekere nemen en het spelletje meespelen.

'Wat een prachtig uitzicht,' zei Eva. Met moeite perste ze een flauw glimlachje tevoorschijn. Ze probeerde haar gezicht verder te ontspannen, zodat de frons van haar voorhoofd zou verdwijnen en ze er wat vriendelijker uit zou zien.

'Ja, hè?' antwoordde Günther. Met een dromerige blik keek hij uit over de stad. 'Ik heb onthouden dat je graag een keer naar deze plek toe wilde.'

Eva keek hem verbaasd aan. 'Hoe bedoel je?'

'In het eerste weekend dat je in Rome was, toen we een dagje gingen fietsen met school, stelde je voor om naar een heuvel te gaan met uitzicht over de stad. Alleen wilden je vriendinnen liever iets anders doen,' vertelde hij.

Ze keek nog steeds verbaasd. Verbaasd dat Günther ineens heel goed Nederlands leek te kunnen en iets had onthouden wat zijzelf allang weer vergeten was. Maar hij had gelijk. Eva had inderdaad gezegd dat ze dolgraag naar de heuvel toe wilde die achter haar wijk Trastevere en het Vaticaan lag. Het had haar een fantastisch idee geleken om een hele dag in het stralende zonnetje te zitten mijmeren over haar toekomst, met daarbij het mooie uitzicht als grote inspiratiebron. Maar in die wens was nooit een rol voor Günther weggelegd, zelfs niet als figurant. Nu Eva dan echt op een heuvel stond – welke dat dan ook mocht zijn – met die brandende middagzon op haar schedeldak, haar stad mijlenver onder zich en Günther vlak naast haar, brak het angstzweet haar uit. Ze veegde het dunne straaltje dat langs haar voorhoofd naar beneden stroomde, met de binnenkant van haar onderarm weg.

'Dat je dat nog weet,' zei Eva tegen hem.

Günther glimlachte naar haar en draaide zich toen om naar de scooter. Hij opende het grote zadel op zoek naar de spullen die hij had meegebracht. Eva volgde zijn bewegingen zonder zelf ook maar één spier te vertrekken. Hij spreidde een geruit kleedje uit op de zanderige ondergrond en haalde allerlei eten en drinken tevoorschijn uit een plastic tas.

Ineens was Eva weer in staat om haar spieren te ontspannen. Ze was nog steeds allesbehalve blij om met Günther in *the middle of nowhere* te zijn, maar het feit dat hij met haar wilde picknicken op zo'n truttig kleedje stelde Eva enigszins gerust. Ze kon het natuurlijk mis hebben, maar het leek Eva niet dat een slechterik in hart en nieren zoiets onschuldigs zou doen.

'Kom,' zei Günther en hij stak zijn arm naar haar uit.

Eva liep naar het kleed toe, zonder wat te zeggen en zonder zijn uitgestoken hand vast te pakken. Ze ging in kleermakerszit aan het andere uiteinde van het kleed zitten en keek Günther ongemakkelijk aan. 'Dat ziet er heerlijk uit,' zei ze maar.

'Net als jij,' zei Günther.

Eva keek hem niet aan, maar voelde zijn ogen op haar lichaam prikken. Wat moest ze hier nu op antwoorden? Als ze 'dank je wel' zei, kon hij gaan denken dat ze blij was met zijn compliment, en dat was ze niet.

'Hier, neem een croissantje,' zei Günther en hij hield haar een open zakje voor.

Eva pakte er een uit. Het glazuur plakte direct aan haar vingers. Ze at het met smaak op. Ondanks dat ze zich niet op haar gemak voelde, had ze in de tussentijd toch wel trek gekregen, merkte ze nadat ze de eerste hap had genomen.

'Weet je, Eva,' zei Günther.

Het was een poosje stil geweest. Zo stil dat Eva hem kon horen kauwen. Ze keek hem vragend aan. 'Nou?' vroeg ze.

Hij schraapte zijn keel en veegde een verloren broodkruimel uit zijn mondhoek. 'Weet je dat ik vanaf het eerste moment als een blok voor je ben gevallen? Je ogen, je gezicht, je stem. Ja, eigenlijk alles vind ik geweldig aan jou.'

Eva kreeg het op slag benauwd. Aan de ene kant vond ze

het aandoenlijk dat Günther open kaart speelde over zijn diepste gevoelens. Aan de andere kant zat ze met een hevig verliefde jongen vlak bij een diep dal met helemaal niemand in de buurt. Normaal kon Eva goed op haar gevoel vertrouwen, maar zelfs die gave liet haar nu in de steek.

'Eh, Günther, ik weet niet wat ik moet zeggen,' zei ze. Daar was geen woord aan gelogen. Het was een totale chaos in haar hoofd.

'Je hoeft niets te zeggen,' zei hij en hij schoof dichter naar haar toe. Hij legde een van zijn worstenvingers op haar lippen.

Help, straks probeert hij me weer te zoenen! dacht Eva. De paniek sloeg nog heviger toe.

'Jij voelt hetzelfde voor mij. Dat hoef je niet te zeggen, dat voel ik gewoon.' Zijn gezicht kwam steeds dichterbij. Tot Eva's grote walging drukte Günther zijn lippen op de hare. Net toen ze met een of andere smoes haar gezicht wilde wegdraaien, trok hij zijn lippen terug.

'Ik moet even plassen,' kondigde Günther aan en hij kwam overeind. Hij klopte wat kruimels van zijn vale, bruine broek. 'Niet weggaan, hoor,' grapte hij voordat hij achter een uitgedroogd bosje verdween.

Nu Eva alleen was, moest ze tot actie overgaan. Dit was haar kans, misschien wel de enige. Snel raapte ze alle stukjes Eva bij elkaar. De scooter! Ze veerde overeind en liep naar de scooter, waar natuurlijk geen sleutel in het slot stak. Dat zou te makkelijk zijn geweest. Haar mobiel! Ze liep het begin van haar mysterieuze ontmoeting nog eens na. Ze had haar tas onder haar arm gedragen toen Günther haar verraste. Toen hij Eva een blinddoek had voorgedaan, had hij de tas van haar schouder gehaald. Eva zag dat het zadel van de scooter niet goed dichtzat. Zachtjes tilde ze het aan de rand omhoog en ving ze een glimp op van de vertrouwde roze stiksels van haar tas. Snel toverde ze haar telefoon tevoorschijn, terwijl ze steeds een blik wierp op de bosjes waarachter Günther stond. Het kon niet lang meer duren voordat hij klaar was met plassen, dus ze moest opschieten. Shit, geen bereik! Op deze heuvel stond natuurlijk geen zendmast van T-mobile of van Tim, het netwerk waar haar telefoon in Italië gebruik van maakte. Ze hield haar telefoon in de lucht, zwaaide naar links en naar rechts, maar kreeg niet genoeg signaal om te bellen. Ze bad dat ze wel een sms kon versturen en begon driftig te typen. De T9-functie had Eva nooit onder de knie gekregen en dus moest ze iedere letter individueel op het schermpje krijgen.

'Wat ben je aan het doen?'

Eva keek op van het display en zag Günther achter de bosjes vandaan komen. Hij was nog bezig met het dichtknopen van zijn broek.

'Eh, niks,' zei Eva. Ze drukte snel op 'verzenden', midden in het berichtje, en hoopte dat Mira chocola kon maken van *help gunther berg uitzic*.

Günther liep op haar af en griste de telefoon uit haar handen. 'Geef die maar aan mij,' zei hij, voor het eerst zonder die eeuwige glimlach van hem. 'Je bent hier met mij. Alleen met mij.'

Ja, wrijf het er nog maar een keer in, dacht Eva.

Günther pakte haar hand en trok haar mee terug naar het kleed. Eva kreeg het onheilspellende gevoel dat ze door haar eigen onbezonnen actie de wanhopig verliefde jongen voor haar neus kwaad had gemaakt. Pisnijdig, als ze pech had. De ringtone van haar mobieltje doorbrak de dreigende stilte die er tussen hen hing. Dat was natuurlijk Mira, die belde om uitleg te vragen. Günther drukte de oproep weg en zette de telefoon vervolgens helemaal uit.

'Mag ik alsjeblieft even…' stamelde Eva. Ze stak haar hand uit in een laatste poging om haar telefoon terug te krijgen.

'Nee!' schreeuwde Günther. Zijn ogen leken van het ene op het andere moment vuur te spuwen. Met kracht wierp hij haar mobieltje de afgrond in. Beteuterd keek ze haar telefoon na en ze besefte dat ze haar laatste redmiddel verspeeld had. Help, hij was echt veranderd in een gevaarlijke gek! Verschrikt keek Eva hem aan. Het leek alsof

Günther daardoor ontdooide.

'Eva, *cara*, rustig maar,' zei hij. Met beide handen pakte Günther haar bij haar schouders. Hij keek haar recht in haar ogen en nam haar toen in zijn armen. Dat stelde haar niet gerust. Integendeel, zelfs. Het onderstreepte alleen nog maar hoe onvoorspelbaar die jongen was.

'Ik... ik wil naar huis,' zei Eva.

'Straks. Laten we het nu eerst hier gezellig maken,' zei Günther.

Ze zaten naast elkaar op het kleed en keken uit over de stad. Hij sloeg een arm om Eva heen en ging tegen haar aan zitten. 'Straks gaat de zon onder. Dat wil je toch niet missen?'

Die hele zonsondergang kon haar gestolen worden. Het hele uitzicht kon haar zelfs gestolen worden.

Günther veegde een loshangende pluk haar uit haar gezicht en drukte een kus op haar lippen. Eva probeerde haar lippen op elkaar geperst te houden, ook al voelde ze Günthers tong ongeduldig een weg naar binnen zoeken.

'Kom op, Eva,' zei hij en hij zoende haar nu ruwer.

Eva liet het maar gebeuren. Wat moest ze anders? Ze had geen schijn van kans om van zijn grote lichaam te winnen. Zonder telefoon was ze machteloos, totaal onvindbaar. Volledig van de wereldkaart geveegd. Het enige wat ze kon denken, was: straks gaat hij aan me zitten, straks gaat hij... Eva probeerde er niet aan te denken, maar daardoor werd het juist het enige waar ze aan kon denken.

De zon zakte steeds verder en voorzag Rome, met al zijn gebouwen en monumenten, van een warme, roodachtige gloed. Het was prachtig geweest als ze hier met Massimo had gezeten of met Mira. Nu was het in een woord verschrikkelijk. Het liefst wilde Eva met handen en voeten de zon terugduwen naar zijn plek, alles om maar te voorkomen dat het zou gaan schemeren of pikkedonker zou worden. Günther streelde haar nek en haar schouders, en zijn handen zochten langzaam hun weg naar beneden. Eva voelde zich totaal verloren.

243

Een pruttelend geluid stopte haar angstige gedachten. Günther merkte het ook en trok zijn handen en lippen – godzijdank – van haar af. Hij stond op en keek naar links en naar rechts om te horen waar het geluid precies vandaan kwam. Het werd luider en luider. Eva stond ook op en spitste haar oren. Het leek wel het geluid van een scooter. Of scooters. Haar hart maakte een sprongetje. Ze zag een scooter het verlaten bergweggetje op rijden en herkende de bestuurder meteen. Haar diep ongelukkige gevoel maakte plaats voor een intens gelukkig gevoel. Het was Massimo! Haar Massimo! En daarachter herkende ze de witte spillebenen van Mira als geen ander. Even later volgde een tweede scooter, met haar Belgische vriendinnen erop. Eva kon haar ogen niet geloven. Ze sloeg haar hand voor haar mond.

'Eva!' schreeuwde Mira. Ze had zo'n haast om van de scooter af te komen, dat ze bijna struikelde. Ze rende naar haar vriendin toe en omhelsde haar steviger dan ze ooit had gedaan. Eva liet haar tranen de vrije loop. Helemaal toen An en Catlijne zich bij hen voegden voor een groepsknuffel.

'We hebben ons zo'n zorgen gemaakt!' zei Catlijne toen ze haar gezicht weer ophief. Eva zag dat ze gehuild had, maar dat kon natuurlijk ook door de billenknijpende scooterrit zijn gekomen.

'Ik ben zó blij dat jullie er zijn,' zei Eva. Tranen van geluk stroomden over haar wangen. Ze voelde zich één brok emoties. 'Hoe hebben jullie me gevonden?'

'Ja, door je sms'je natuurlijk!' zei Mira. 'Ik had onthouden dat je altijd nog een keer naar een berg wilde die begon met 'Gian'. Toen wist Massimo welke berg ik bedoelde en zijn we als een gek naar boven gescheurd. Net zo lang tot we jullie ergens vonden.'

Eva keek haar beste vriendin verbaasd aan. 'Goh,' zei ze.

'Ja, ja, ik weet het. Ik stond er zelf ook van te kijken dat ik die naam had onthouden! Ik leer nog weleens wat van jou,' zei Mira. Ze slikte en een traan glipte uit haar ooghoek. 'Het spijt me zo, Eef.'

'Het geeft niet,' zei Eva. Ze was zo opgelucht dat haar reddingsbrigade gearriveerd was, dat ze nu in staat was om iedereen alles te vergeven.

'Het geeft wel! Ik zat met Bart in mijn maag. Met dat stomme gesprek met hem en dat het nu uit is. Tenminste, dat denk ik. Allemaal dankzij wéér zo'n onbezonnen Mira-actie. Dat heb ik op jou afgereageerd omdat jij me meegevraagd hebt naar Rome. Dat is helemaal niet eerlijk. Ik weet echt niet wat me bezielde dat ik tegen je schreeuwde dat je mijn vriendin niet meer was. Je bent mijn beste vriendin, Eef, en ik wil je nooit kwijt,' zei Mira. Ze hapte naar adem. 'Vandaag zag ik hoe mijn leven zou zijn zonder jou. Nou, dat beviel me dus helemaal niet.'

Eva lachte door haar tranen heen. 'Ik wil jou ook helemaal niet kwijt. Nooit. En dat gaat ook niet gebeuren.' Ze knuffelde Mira nog een keer. Eva voelde op dat moment zo veel emoties dat ze niet meer wist of die van haar of van Mira waren.

'Weet je, Eef,' zei Mira vlak bij Eva's oor, 'ik heb het je nooit gezegd, maar ik ben ook weleens jaloers op jou. Op hoe jij bent.'

Eva wurmde zich los uit de omhelzing om haar vriendin recht aan te kunnen kijken. 'Hoe bedoel je?' vroeg ze.

'Jij zegt altijd dat je meer op mij zou willen lijken. Dat je wat impulsiever en avontuurlijker wilt zijn; dat je minder wilt plannen en je niet zo veel zorgen wilt maken over dingen. Nou, ik zou graag een beetje van jou willen hebben,' gaf Mira toe. 'Wat méér nadenken voordat ik weer eens iets raars doe en mezelf in de problemen breng. Of niet gaan gillen als ik het woord 'toekomst' hoor en echt mijn passie ontdekken en daarvoor gaan, zoals jij nu doet met de journalistiek. Snap je?'

Eva knikte. 'Wat fijn om te horen. Moet je nagaan hoe goed we zouden zijn als we samen één persoon waren,' zei ze en ze gaf Mira een kus op haar wang.

De vriendinnen glimlachten naar elkaar. Tot ze werden opgeschrikt door een doffe knal. Ze keken om en zagen

Günther gestrekt op de grond liggen. Massimo stond ernaast en voelde even aan zijn rechtervuist. Eva was apetrots, al hield ze eigenlijk helemaal niet van vechten. Maar nu, in dit uitzonderlijke geval, vond ze dat die engerd wel een rake rechtse had verdiend.

'Wat een held,' zei Catlijne. Ze keek erbij alsof ze naar een zwijmelfilm aan het kijken was.

'Kom op, ga dan naar hem toe!' zei An.

Van een afstandje kruiste Eva's blik die van Massimo. Toen rende ze op hem af en sprong ze tegen hem op, zoals de stelletjes in de *All You Need is Love* kerstspecial elk jaar deden.

'*Eva, carina,*' zei Massimo en hij keek haar recht aan. 'Ik maakte me zo'n zorgen om je.'

'Ik weet niet hoe ik je moet bedanken,' zei Eva en ze sloeg haar ogen neer.

Massimo tilde haar kin op en keek haar doordringend aan. 'Dat heb je al gedaan,' zei hij.

Massimo kuste haar. Op slag was Eva alle ellende vergeten. Ze was zelfs vergeten dat Günther nog naast hen op de grond lag bij te komen. Het geluid van het zand en de steentjes die onder zijn voeten ritselden toen hij overeind probeerde te krabbelen, verdwenen steeds verder naar de achtergrond. De zoen met Massimo was het enige op de hele wereld wat er op dat moment toe deed.

23

'Ik wil niet naar huis,' zei Mira en ze trok een pruillip.

Eva en Mira stonden samen in de rij voor de incheckbalie op de luchthaven van Rome Fiumicino te wachten tot ze aan de beurt waren.

'Ik ook niet,' zei Eva beteuterd.

Mira sloeg een arm om haar schouders. 'Nee, natuurlijk niet. Jij hebt ook nog eens afscheid moeten nemen van Massimo.'

Massimo. Zijn naam echode door Eva's gedachten. Ze kon niet geloven dat ze de jongen op wie ze zo verliefd was nu achter moest laten tot... Ja, tot wanneer eigenlijk? Ze dacht terug aan gisteren. Aan de haast onwerkelijke scène die ze met Günther had beleefd en waar Massimo haar, samen met haar vriendinnen, uit gered had. Ze wilde er niet aan denken hoe de dag was afgelopen als zij haar niet hadden bevrijd.

De terugweg had nog aardig wat voeten in aarde gehad omdat ze zich met z'n vijven op twee scooters moesten proppen. Maar het was gelukt. Günther hadden ze overgedragen aan de politie – niet voordat Eva hem goed de waarheid had gezegd, natuurlijk – en Mira, An en Catlijne hadden ze thuis afgeleverd. Toen waren Eva en Massimo voor het eerst die dag alleen. In een aangenaam tempo, niet te langzaam, niet te snel, reed Massimo richting hun gezamenlijke huis. Ze praatten niet. Niet alleen omdat het lastig was om de harde verkeersgeluiden te overstemmen, maar ook omdat ze beiden moesten bijkomen van de nachtmerrie die zich net op klaarlichte dag had voltrokken. Als het verkeer het toeliet, aaide Massimo zachtjes over Eva's been, dat tegen zijn been aan was gedrukt. Ze vond het een lief gebaar en voelde opnieuw tranen opkomen. Zulke dagen, waarop ze om elke lulligheid kon huilen, had Eva wel vaker als er iets ergs was gebeurd.

Thuis had Eva eerst ongelooflijk nodig moeten plassen. Toen ze de badkamer uit liep, stond Massimo haar op de gang op te wachten. Hij kuste haar en nam haar in zijn armen.

'Sorry, maar ik kan vanavond niet bij je slapen. Het was, het is... te moeilijk,' zei Eva. Ze huilde zachtjes.

'Hé, dat geeft toch niet? Kom,' zei Massimo. Hij had Eva aan haar hand meegenomen naar haar eigen bed op de vliering en de deken aan de kant geslagen. Ze was in haar bed gestapt, voor de allerlaatste keer, en genoot van het moment dat Massimo haar met de deken toedekte. Hij verliet de kamer en kwam een aantal minuten later terug met twee kopjes kamillethee. Bij de gedachte dat het hun laatste kopjes waren, begon Eva spontaan weer te huilen.

Het volgende moment was het midden in de nacht. Eva was na twee uur slaap ineens klaarwakker. De schrik was uit haar lichaam verdwenen en ze voelde zich weer zo goed als de oude. Wat deed ze hier? Waarom was ze niet bij Massimo? Het was haar allerlaatste nacht in Rome! Eva twijfelde geen moment. Ze kwam overeind en sloop de vliering af. Ze klopte op zijn deur – in haar mooiste pyjamaatje, uiteraard.

'Massimo?' zei ze en ze deed de deur verder open.

'Eva,' zei Massimo verbaasd. Hij knipte het lichtje op zijn nachtkastje aan en keek naar haar. Naar haar hele lichaam, en dat vond Eva prima. Meer dan prima, zelfs.

'Mag ik vanavond toch bij jou slapen?' vroeg ze.

Eva had het nog niet gezegd of Massimo sloeg de deken aan de kant. 'Natuurlijk,' zei hij.

Ze kroop naast hem in bed en bleef op haar knieën zitten.

Eva keek Massimo recht in zijn ogen, zonder te knipperen. Opnieuw verbaasde ze zich erover hoe knap ze hem vond. Haar hartslag was achterlijk hoog. Ze had met Mira en vooral met zichzelf afgesproken dat ze niet meer ging nadenken en meer haar gevoel ging volgen. En dat was dan ook precies wat Eva op het punt stond te gaan doen.

'Maar vanavond wil ik niet alleen maar slapen,' zei ze terwijl ze Massimo nog steeds strak aankeek.

'Eva, *cara*,' zei hij verrast. Zijn gezicht straalde. 'Ik wil niets liever. Weet je het zeker?'

En of ze het zeker wist. Eva zoende Massimo met alle passie die ze in huis had en hij kuste haar terug. Ze ging naast hem liggen en vlocht haar lichaam rond het zijne. Met twee handen schoof ze zijn T-shirt over zijn hoofd en ze betastte met haar vingers zijn bovenlichaam, dat warm en gespierd was. Massimo schoof de dunne bandjes van haar satijnen hemdje langzaam van haar schouders. Ze kreeg overal kippenvel. Het gevoel van haar blote buik op zijn blote huid was in één woord *fantastico*. Zo moeilijk was het toch niet om ergens helemaal in op te gaan?

De rest van de nacht hadden ze elkaar vastgehouden alsof hun leven ervan afhing. Uiteindelijk was Eva in Massimo's armen in slaap gevallen, met haar hoofd tegen zijn borst. Ze had toch nog een uur of twee diep geslapen, tot ze vanochtend veel te vroeg was opgestaan.

'O, wij zijn aan de beurt,' zei Mira. Ze zette haar roze koffer op de band en tilde ook die van Eva erop. Ze hielden hun adem in toen ze naar de rode cijfers naast de band keken, die nu eenenvijftig kilo aangaven. Ze hadden boven op het overgewicht dat ze op de heenreis al hadden samen nog voor vijf kilo aan souvenirs, kleding, schoenen en andere prullaria gekocht. Tot hun grote verbazing zei de Italiaanse grondsteward er niets van. Geheel routineus printte hij de bagagelabels en de boardingpassen uit, wenste de meiden een goede reis en keek toen langs hen heen naar de volgende wachtenden in de rij.

'Yes!' zei Mira en ze keek Eva met grote ogen aan. 'Hij zei er niets van!'

Eva lachte terug. Natuurlijk was ze blij dat ze niet elf keer zes euro hoefden te betalen voor de extra kilo's bagage. Maar die lichte euforie kon het pijnlijke gevoel in haar buik vanwege het afscheid van Massimo bij lange na niet compenseren.

'En, gelukt?' vroeg An toen ze samen met Catlijne en vier grote bekers koffie aan kwam lopen.

Mira knikte. 'Ja, we hoefden zelfs helemaal niets bij te betalen!'

'Relaxed,' zei An. Ze deelde ondertussen de bekers uit.

Eva voelde de warmte van de laatste echte Italiaanse cappuccino door het karton heen. Ze was er met haar gedachten helemaal niet bij.

'Hier,' zei Mira en ze duwde Eva een hoesje in haar handen. 'Bewaar jij onze tickets en paspoorten maar. Dat lijkt me veiliger dan dat ik dat doe.'

'We moeten elkaar wel blijven zien, hoor,' zei Catlijne. Ze keek als een droevig hondje.

'Natuurlijk!' zei Mira enthousiast. 'Toch, Eef?'

Eva knikte. 'Ja. Zo ver liggen Antwerpen en Utrecht niet uit elkaar. Meteen laten weten, hoor, als jullie weer terug zijn!'

'Zeker! Maar eerst gaan wij nog drie weken genieten van Italië,' zei An. 'Volgende week gaan we door naar Sicilië om daar nog twee weken op het strand te liggen.'

'Ja, ja. Maak ons maar jaloers,' zei Mira met een knipoog.

Catlijne stootte Eva aan. 'Kijk eens wie we daar hebben,' glunderde ze.

Eva keek op en haar ogen gleden door de vertrekhal, totdat ze zagen wat Catlijne al had gezien. Daar stond Massimo, met een witte envelop tegen zijn nette colbert aan gedrukt. Haar ogen lichtten op en ze rende meteen op hem af.

'Massimo!' zei Eva toen ze voor hem stond.

Hij sloot haar in zijn armen. Eva deed haar ogen dicht om alle drukte om hen heen buiten te sluiten en alleen maar te genieten van het moment – wat haar tegenwoordig heel aardig lukte.

'Wat denk je wel? Weggaan zonder mij wakker te maken,' zei Massimo terwijl hij Eva nog steviger tegen zich aan klemde.

'Ik wilde het niet nog moeilijker maken,' zei Eva zachtjes. 'En ik had toch een briefje voor je achtergelaten?'

Massimo lachte omdat hij haar aandoenlijk vond. 'Een briefje. Dat is toch niet hetzelfde, *cara*? Ik kon je niet zomaar laten gaan.' Hij hield even zijn mond en keek haar strak aan. 'Niet voordat ik je dit heb gegeven.' Massimo hield haar de envelop voor. Nieuwsgierig pakte ze die van hem aan.

'Wat is dit?' vroeg ze.

'Nou, ik zou hem openmaken. Dan zie je het vanzelf,' zei Massimo. Hij lachte.

Met trillende vingers opende ze de flap aan de achterzijde en schoof ze een kaart uit de envelop. Meteen zag Eva dat er iets los in die kaart zat. Ze vouwde de kaart verder open en zag het toen pas goed. Het was een vliegticket!

'Maar…' stamelde Eva. 'Dat is een ticket!'

'Dat heb je heel goed gezien,' zei Massimo, nog steeds met een brede lach. Hij pakte Eva bij haar schouders en keek haar net zo doordringend aan als hij na de grote reddingsactie had gedaan. 'Weet je, Eva, nadat ik je op die heuvel uit de klauwen heb gered van die, die… nou ja, je weet hoe ik over hem denk,' zei Massimo. Hij werd bijna opnieuw boos. 'Het idee dat ik jou nooit meer zou zien, is… Wat ik voor jou voel, heb ik nog nooit voor een meisje gevoeld. Daarom heb ik dit ticket voor je gekocht.'

'Wat lief!' zei Eva. Al drukte het woord 'lief' niet uit wat ze werkelijk voelde. Maar hoe moest ze ooit omschrijven dat ze zo verrukt, gelukkig en verrast was met zijn ongelooflijke, geweldige, fantastische, onvergetelijke cadeau? 'Voor wanneer is het?' vroeg Eva. Ze haatte zichzelf dat ze meteen zo praktisch werd.

'Dat mag je zelf kiezen. Het is een open ticket,' zei

Massimo. 'Maar als het aan mij ligt gebruik je het heel snel.'

Eva zoende hem. Voor de laatste keer. Althans, voor een tijdje dan. Ineens had ze er veel minder moeite mee om naar Nederland te gaan. De gedachte dat ze binnenkort opnieuw op Romeinse bodem zou staan, samen met Massimo, maakte haar gelukkiger dan ze ooit was geweest. Eva ging helemaal op in het moment, precies zoals ze voorafgaand aan haar reis naar Rome zo graag had gewild. Minder plannen en vooruitdenken, maar gewoon lekker leven in het hier en nu. Dankzij Massimo was het helemaal niet zo moeilijk gebleken om dat voornemen in de praktijk te brengen. Het kon Eva zelfs niet schelen dat haar drie vriendinnen achterlijk hard door de vertrekhal naar hen joelden en dwars door elkaar floten.

'*Ti amo*,' fluisterde Massimo in Eva's oor.

Natuurlijk wist ze precies wat dat betekende, dankzij alle Italiaanse liefdesliedjes die ze had geluisterd. Hij hield van haar!

'*Ti amo*,' zei Eva in zijn oor. Ze wist niet hoe ze 'ik ook van jou' in het Italiaans moest zeggen, maar de boodschap zou zo ook wel duidelijk zijn, dacht ze. Het leek alsof ze zweefde toen ze samen met Mira langs de gladde douanier liep en voor de laatste keer naar Massimo, An en Catlijne zwaaide.

'Vertel op, wat zei hij!' riep Mira enthousiast toen ze met z'n tweeën waren.

Eva kon de woorden niet vinden. Ze kon alleen maar als een verliefde idioot naar haar vriendin lachen. Pas toen ze in het vliegtuig zaten, ergens bibberend boven de Alpen, was Eva weer in staat om te praten.

'Hij zei dat hij van me hield,' zei Eva vanuit het niets.

'Echt waar?' reageerde Mira slaperig. Ze was net een beetje weggedoezeld omdat ze toch geen normaal gesprek met haar vriendin kon voeren.

'En hij heeft me een ticket naar Rome gegeven.'

'Wat vet!' zei Mira. 'Wauw. Dus jij mag gewoon nog een keer naar Rome.'

'Ja, maar dat is natuurlijk niet hetzelfde als met jou. Dat

begrijp je ook wel, hè?'

Mira knikte. 'Dat vind ik lief van je.' Ze keek even bedenkelijk uit het kleine raampje naar het dikke wolkendek waarboven ze vlogen. 'We hebben wel veel meegemaakt samen, hè?'

'Zeker weten,' zei Eva. Ze somden allerlei dingen op die ze de afgelopen vier weken samen hadden gedaan, zoals de taalcursus, de culturele uitstapjes en de gezellige etentjes met z'n tweeën en hun Belgische vriendinnen.

'En die lieve *cazzo*, niet te vergeten,' zei Mira.

'Leuk,' zei Eva. 'En wat dacht je van onze avontuurlijke scootertocht?'

'Die eindigde in het ziekenhuis,' vulde Mira aan.

'En Günther.'

'En Massimo,' zei Mira.

'En Giovanni,' voegde Eva aarzelend toe.

Mira's gezicht betrok. 'Ja, hij ook nog, ja. Ik zou er wat voor geven om hem uit het rijtje te schrappen, weet je dat?'

Eva knikte. En of ze dat wist. Mira had het er de laatste dagen erg moeilijk mee gehad.

'Ik weet niet wat ik tegen Bart moet zeggen wanneer ik hem weer zie. Ik bedoel: áls ik hem weer zie. In ieder geval ga ik voortaan wat meer nadenken voordat ik iets doe. Een beetje op z'n Eva's.'

De rest van de vlucht ging snel voorbij. Mira doezelde steeds weg en Eva staarde de hele reis onverstoorbaar naar de stoel voor haar neus, tot het vliegtuig onder de wolken uit kwam en ze de weilanden en het platte landschap van Nederland steeds dichterbij zag komen. De wielen werden uitgeklapt en een paar minuten later landde het gevaarte soepeltjes op de lange landingsbaan. Eva schrok wakker uit haar trance door de felle, witte strepen die ritmisch langs haar gezichtsveld schoten. Ze stootte Mira aan, die inmiddels verzonken was in een diepe slaap.

'Denk je dat je ouders er zijn?' vroeg Eva.

'O, ja. Kan niet missen. En die van jou?'

'Natuurlijk.'

En dat klopte. Ze zagen hun ouders meteen staan toen ze met hun grote, roze koffers aan de hand door de schuifdeur de aankomsthal binnenliepen. Twee paar ouders zwaaiden enthousiast vanachter een groepje kinderen dat met gekleurde ballonnen in de hand stond te wachten op iemand anders dan Eva en Mira.

'Eva, liefje, wat fijn dat je weer veilig thuis bent! Het was me wel een avontuur, zeg,' zei haar moeder. Ze sloot haar dochter in de armen. Haar vader gaf haar een onhandige zoen, zoals alleen vaders dat bij hun dochters kunnen doen. Eva vond het fijn om weer bij haar ouders te zijn.

'Bedankt dat jullie er zijn,' zei ze.

'Dat spreekt toch voor zich?' reageerde haar moeder. Ze schraapte haar keel. 'We hebben nog iets voor je.'

Nieuwsgierig keek Eva naar haar moeders hand, waar een langwerpig cadeau in lag. Verrast pakte ze het aan. Eva scheurde het glimmende pakpapier eraf en er kwam een krant uit tevoorschijn. 'Goh, het *NRC*. Nou,' zei Eva. Haar moeder gaf haar wel vaker cadeaus waar Eva niet heel warm van werd, maar hier snapte ze helemaal niets van.

'Sla de eerste pagina maar eens open,' zei haar moeder enthousiast.

Eva vouwde de pagina open. Er zat een brief tussen. Van DUO, zag Eva aan het logo dat ze kende van de post over de studiefinanciering. 'Hè, maar… Wat is dit?' hakkelde ze.

'Toen ik het adres zocht om je cijferlijst naartoe te sturen, heb ik even wat informatie gezocht over opleidingen met een loting,' legde haar moeder uit. 'Omdat je op je havo een acht gemiddeld hebt gehaald, ben je zonder meer toegelaten.'

'Dus nog even en je staat zelf in de krant,' zei haar vader. Eva kon zien dat hij nu al trots op haar was.

'Echt waar?' zei ze. 'Maar, dat is geweldig!'

'Waarom heb je ons niet eerder verteld dat je liever journalistiek wilde doen?' vroeg haar moeder. Ze streek liefdevol over Eva's haren.

Eva haalde haar schouders op. 'Ik wist het zelf ook nog niet. En ik dacht dat jullie het geen verstandig idee zouden vinden.'

'Nou ja, het is niet de makkelijkste baan en het verdient ook minder dan je in de communicatie kunt verdienen. Maar het gaat er uiteindelijk om dat je gelukkig bent. En als journalist worden jou gelukkig maakt, wie zijn wij dan om het geen verstandig idee te vinden?' zei haar vader.

Eva voelde zich op dat moment zo ontzettend gelukkig. Niets zou haar dag nog kunnen verpesten. Ze omhelsde haar ouders. 'Ontzettend bedankt,' zei ze uit de grond van haar hart. Over de schouder van haar moeder zag Eva een jongen die ongedurig van de ene voet op de andere wipte. Hij keek naar de grond. Eva wurmde zich onder excuses los uit de omhelzing en tikte Mira aan. 'Mira! Moet je kijken!' zei ze terwijl ze naar de nerveuze jongen wees.

'Bart!' riep Mira langs haar eigen ouders. Ze zag er op slag weer net zo gelukkig uit als Eva van haar beste vriendin gewend was. Mira rende naar haar vriendje – althans, dat hoopte ze maar. Zonder nadenken wierp ze zich in zijn armen. Bart moest moeite doen om zich staande te houden. 'Bart,' zei ze nog een keer. 'Je bent er.'

'Ja, ik ben er,' zei Bart. Uit zijn lichaamstaal sprak een en al onhandigheid. 'Ik… ja… ik weet eigenlijk niet wat dat precies betekent. Ik denk dat ik je gewoon moest zien.'

Bart had moeite zijn ware gevoelens te uiten. Mira lachte vanbinnen. Zo kende ze hem weer. 'Daar ben ik blij om,' zei ze. 'Ik verwacht echt niet dat je me zomaar vergeeft. We moeten er eerst nog maar eens goed over praten en dan zien we wel, oké?'

'Oké,' zei Bart. Hij veegde een loshangende pluk haar uit Mira's gezicht en glimlachte naar haar. Het was een klein gebaar, maar dat gaf niet. Het was een begin. Een begin van iets heel moois, hoopte Mira.

Van een afstandje keek Eva vertederd naar Mira en Bart. Ze was blij voor hen en niet jaloers. Waarom zou ze? Zij had op dit moment alles wat ze wilde. Ze keek naar haar linkerhand, naar de brief en de krant die ze van haar ouders had gekregen. Eindelijk ging ze doen waar haar hart lag, ondanks alle praktische bezwaren die ze had. Of beter gezegd: bezwaren die anderen hadden. Het werd tijd dat ze haar eigen leven ging leiden en haar eigen keuzes ging maken, wat anderen daar dan ook van mochten vinden. Het belangrijkste was dat Eva er zelf in geloofde dat ze het kon. In haar andere hand had ze de envelop die Massimo haar had gegeven. Binnenkort zou zij net als Mira en Bart op het vliegveld staan, maar dan in Rome. Eva besefte dat haar Italiaanse avontuur nog lang niet was afgelopen. Het was pas net begonnen.